KB003759

현대소설과 도시사회

현대소설과 도시사회

이동하 저

보고사
BOGOSA

책머리에

지난 1999년에 『한국문학 속의 도시와 이데올로기』라는 제목의 저서를 출간한 일이 있다. 그 후로 많은 세월이 흘렀다. 그 기간 동안 나는 한 사람의 문학 연구자로서 도시 문제를 파고드는 일에 집중적으로 매진하지는 못했다. 하지만 이 문제에 대한 관심은 나의 마음 한편에 언제나 계속해서 자리를 잡고 있었다. 그처럼 관심의 끈을 놓지 않고 지내 온 덕분에, 한국의 현대소설과 서울이라는 도시가 서로 만나고 얽히는 모습을 다양하게 탐사해 본 몇 편의 글들을 쓸 수 있었다. 도시 문제와 관련하여 외국 소설의 실태를 살펴본 여러 편의 짧은 글들을 쓰게 된 것도 그 같은 관심의 결과로 설명될 수 있다. 이러는 가운데 20년 정도를 지내다 보니, 어느새 『현대소설과 도시사회』라는 제목으로 다시 한 권의 책을 묶을 수 있을 정도의 원고가 모이게 되었다.

이 책을 내기 위해 그동안 도시 문제와 관련하여 써 온 글들을 다시 정리하면서 새삼 확인한 것은, 나에게 있어서 이 문제에 대한 관심은 언제나 역사에 대한 문제의식과 분리할 수 없는 관계로 맺어져 왔다는 사실이었다. 한국의 서울을 다루고 있는 작품들을 살펴볼 때는 언제나 한국사에 대한 문제의식을 가지고서 접근하게 되고, 영국의 런던을 다루고 있는 작품들을 살펴볼 때는 영국사에 대한 문제의식을, 프랑스의 파리를 다루고 있는 작품을 살펴볼 때는 프랑스사에 대한 문제의식을 가지고 접근하게 되는 식이었다.

나는 한국의 역사를 보는 시각에 있어서나, 다른 어떤 나라의 역사를 보는 시각에 있어서나, 일관된 입장을 가지고 있다. 그 입장의 요체는 오래전에 출간된 『한 문학평론가의 역사 읽기』와 『한 자유주의자의 세상 읽기』라는 두 권의 책에서 내가 개진했던 입장으로부터 크게 달라지지 않은 것이다. 하이에크가 말하는 '치명적 자만'에 사로잡힌 사상가들이 주장하는 '역사 발전의 법칙 이론' 따위는 마땅히 배격되어야 한다는 것, 역사의 기록 곳곳을 물들이고 있는 폭력과 불의의 자취를 만날 때마다 느끼게 되는 슬픔은 어찌해 볼 도리가 없다는 것, 그러나 비관주의는 금물이라는 것, 역사에서 가장 아름답고 가치 있는 부분은 역시 하이에크가 말하는 '예종(隸從)에의 길'로 사회를 이끌어가려는 부단한 압력과 유혹에 맞서서 자유를 지키고자 하는 사람들의 노력에 있다는 것, 우리는 늘 그런 노력에 주목하고 각자의 능력과 여건이 허락하는 대로 그런 노력에 동참해야 한다는 것–대략 이런 것이, 역사를 대하는 내 입장의 요체이다.

현대 도시문명을 논하는 자리에서 곧잘 제기되는 질문, 즉 이 현대 도시문명이라는 것을 우리가 과연 긍정할 수 있느냐 없느냐 하는 질문에 대한 답변도 역사를 대하는 입장의 문제와 무관하지 않을 것이다. 오래전 문학과 도시 문제를 관련시켜 살펴보는 작업을 처음 시작하던 당시 나는 도시와 관련된 한국 문학작품의 다수가 현대 도시문명에 대한 심한 정도의 부정적 시각에 근거하고 있음을 발견하고 "나 자신은 여기에 동의할 수 없다", "현대 도시문명에 대한 완전한 긍정은 물론 잘못된 것이지만 이 정도로 심한 부정 역시 잘못된 것이다"라는 판단으로 나아갔던 기억이 생생하거니와, 이러한 판단의 문제는 한국의 현대사를 어떤 입장에서 바라보느냐 하는 점과 아무래도 무관할 수가 없는 것이다.

이 책에 실려 있는 모든 글들은 나보다 앞서서 '문학과 도시'라는 주제를 다루었던 다른 연구자들의 저술과 구별되는 나름대로의 독자성을 어느 정도 지니고 있다는 것이 나의 생각이다. 이런 생각이 타당하다면 그것은 주로 이상에서 언급된 바와 같은 사정에 연유할 것이다.

2020년 1월

이동하

목차

책머리에 … 5

제1부
현대의 한국문학과 서울

서울과 문학 – 1945년에서 1979년까지의 기간을 대상으로 ····· 13
도시공간으로서의 서울과 소설 연구의 과제 ···· 58
20세기 한국소설에 나타난 서울과 그 의미 ···· 93
한국문학의 도시문제 인식에 대한 비판적 고찰 ···· 124
최근의 서울을 다루는 문학의 두 가지 방식 ···· 179

제2부
문학이 포착한 서울/정치의 몇몇 장면들

탈퇴의 타이밍을 놓치다
–이태준의 「해방전후」 ···· 187
통일민족국가의 수립을 향한 열망 혹은 몽상
–염상섭의 『효풍』 ···· 191

경제 문제에 대한 문학인들의 안목
—최인훈의 『소설가 구보씨의 1일』 198

1986년 4월 28일의 신림동 사거리
—김정환의 시 204

1980년대의 기성세대 사람들과 운동권
—김원일의 「세월의 너울」 212

'공공의 기억'을 강화하는 데 기여하는 소설
—정이현의 「삼풍백화점」 216

북한을 탈출한 국군 포로의 삶과 죽음
—복거일의 『아, 나의 조국!』 223

제3부
외국 소설에 나타난 도시의 여러 양상들

안개비와 법적 불공정성이 지배하는 도시
—『황폐한 집』의 런던 231

혁명의 수도, 자비의 수도
—『레 미제라블』의 파리 236

증권 투기의 열풍을 바라보는 냉철하고 균형 잡힌 시선
—『돈』의 파리 242

근대 자본주의 시민 문명의 세계사적 의미와 특징
—『부덴브로크 가의 사람들』의 뤼베크 248

테러와 신앙의 공간
–『창백한 말』의 모스크바 ······ 253

강대국의 수도에 와서 사는 약소국 출신의 두 남자
–『마씨 부자』의 런던 ······ 260

공산당의 중국으로부터 탈출한 사람들이 만든 세상
–『반하류사회』의 홍콩 ······ 267

리머스, 장벽의 동쪽으로 다시 내려가다
–『추운 나라에서 돌아온 스파이』의 베를린 ······ 275

진실에 대한 열망과 진실 찾기의 어려움
–『다니엘서』의 뉴욕 ······ 282

찾아보기 ··· 289

제1부

현대의 한국문학과 서울

서울과 문학
– 1945년에서 1979년까지의 기간을 대상으로[1)]

1. 글을 시작하며

1945년에서 1979년까지에 이르는 약 35년간의 세월은, 서울이라는 도시의 역사 속에서 가장 역동적이고 파란 많았던 기간으로 규정될 수 있다. 이 기간 동안 서울을 무대로 삼고 펼쳐진 문학작품들의 양상은 어떤 모습을 보여주었던가? 이 시대 역사의 기본 성격이 구체적으로 어떤 것이었던가를 다시 떠올려 음미하면서, 대표적인 몇몇 작품들을 중심으로, 약간의 고찰을 시도해 보고자 한다.

2. 이념과 일상 사이에서

1941년 12월 7일 일본군은 하와이의 진주만에 있는 미국 해군기지를 불시에 공습하여, 12척의 함선을 침몰 혹은 손상시키고, 수천 명의

---

1) 이 글은 서울역사편찬원에서 2015년에 간행한『서울 2천년사 39: 현대 서울의 문화와 예술』에 수록된 원고를 다시 검토하여 대폭 수정한 것이다.

미국 군인과 민간인을 살상하였다. 이 사건을 계기로 미국과 일본은 국가의 운명을 건 전면전에 돌입하게 되었다. 초기에는 기선을 제압한 일본군이 우위를 보이는 듯했으나, 얼마 가지 않아 전세는 역전되기 시작했다. 그러나 좀처럼 최종적인 결판은 나지 않았다. 그러던 차, 1945년 8월 6일 미국이 히로시마에 투하한 한 발의 원자폭탄이 대세를 결정지었다. 그때까지 '주의 깊은 관찰자'의 여유를 즐기고 있던 소련이 8월 8일 일본에 선전을 포고하였다. 그리고 다시 8월 9일에는 미국이 나가사키에 또 한 발의 원자폭탄을 투하하였다. 일본은 마침내 더 이상 견디지 못하고, 8월 15일 조건 없이 항복하겠다는 뜻을 공표하였다. 이리하여 이른바 태평양전쟁이 끝났다.

한반도에 살고 있던 모든 사람들에게 태평양전쟁이 끝났다는 사실은 한반도가 해방되었다는 것을 의미하였다. 그러니까 1945년 8월 15일 한반도는 일본 제국주의자들의 지배로부터 만 35년 만에 벗어난 것이다. 한반도에 살고 있던 사람들 중 1945년 8월 15일 바로 그날에 이런 놀라운 일이 일어날 것으로 예상한 사람은 거의 없었다. '아무도 없었다'고 해야 더 정확한 표현이 될지도 모르겠다. 그런 만큼 해방에 대한 함석헌의 다음과 같은 서술은 해방을 맞이한 한반도 사람들 대다수의 실감을 고스란히 대변한 것이었다.

> 이 해방에서 우리가 첫째 밝혀야 하는 것은, 이것이 도둑같이 뜻밖에 왔다는 것이다. 해방 후 분한 일, 보기 싫은 꼴이 하나 둘만 아니지만, 그 중에도 참 분한 일은 이 해방을 도둑해 가려는 놈들이 많은 것이다. 그들은 자기네만은 이 해방을 미리 알았노라고 선전한다. 그것은 그들이 이 도둑같이 온 해방을 자기네가 보낸 것처럼 말하여

> 도둑해 가려는 심정에서 하는 소리다. 그러나 그것은 거짓말이다.
> (…) 그만두어라, 솔직하자, 너와 내가 다 몰랐느니라, 다 자고 있었느니라.[2)]

이처럼 도둑같이 뜻밖에 온 해방은 전국 방방곡곡에서 감격의 열풍을 불러일으켰다. 거의 모든 한국인들이 해방을 '도둑같이 뜻밖에 온 사건'으로 맞이할 수밖에 없었다는 것은 솔직히 말해서 상당히 민망한 노릇이었으나, 그렇다고 해서 자기들의 마음속 깊은 곳으로부터 '감격'이라는 것이 마구 솟아난다는 사실 자체를 부정할 수는 없었다. 그 감격의 열풍이 가장 세게 분 곳은 물론 서울이었다.

8월 15일 바로 그날은 아직 대부분의 한국인들이 해방의 실감을 미처 갖지 못했던 듯, 서울이건 어디건 대체로 조용했다. 감격의 봇물은 바로 그 다음날 16일부터 터졌다. 그 당시의 서울이 어떤 표정을 보여주었던가를 우리는 해방 직후의 시기에 발표된 여러 문학작품들에서 생생하게 확인할 수 있다. 김영석의 단편 「전차 운전수」(1946)에서 예를 들어 보자.

> 시민들은 해방의 소식이 서울을 진동시켰을 때 우리 전차 승무원들이 얼마나 흥분 속에 싸였었던지 모를 게다. 우리만 흥분했던 게 아니니까 말할 것도 없겠지만 우리는 마치 시민의 맨 앞에 나서서 만세를 부른 것 같이 생각된다.
> 나는 자꾸 목이 메는 걸 참고 전차를 운전했다. 나는 물론 차표도 받지 않았고 차 앞뒤에 매어달린 우리 동포를 매어달리게 내버려두었

---

2) 함석헌, 『뜻으로 본 한국역사』(한길사, 1986), pp.268~269.

다. 질서가 없어져서 그런 게 아니었다. 말하자면 가장 뚜렷한 질서가 생겨서 그런 것이었다. 전차는 시민의 발이었다. 전차는 전차 승무원이 부리는 기관이었다. 경전 사장과 중역들의 전차가 아니었다. 그리고 나는 벌써 전차의 한 개 태엽장치가 아니었다는 감격이 나의 가슴을 치는 까닭이다. 나는 아우성을 치는 승객들과 함께 소리쳤다.

"조선해방 만세!"

"조선 인민의 나라 수립 만세!"[3]

「전차 운전수」의 일인칭 주인공이 전형적으로 보여주고 있는 이와 같은 감격의 열풍이 한차례 지나가고 나자, 서울은 곧바로 새 나라 건설의 방향과 전략을 놓고 여러 세력이 다투는 정치의 공간, 싸움의 공간으로 그 성격을 뚜렷이 한다.

이러한 정치의 공간에서 다른 세력보다 한발 앞서 기세를 올린 것은 좌익 세력이었다. 그리고 이러한 현실적 상황은 그 시기의 문학에도 그대로 반영된다. 좌익의 노선을 지지하거나 선전하는 문학작품들이 상당한 기간 동안 다수를 점하였으며, 이들 가운데 대부분이 작품 속에 정치적 성향을 드러내는 데도 적극적인 면모를 보여준 것이다. 1945년 10월 7일로 창작 일자가 기록되어 있는 박세영의 시 「날러라 붉은 기」 같은 작품은 그 전형적인 예이다.

거리를 뒤덮은 저 붉은 기,
붉은 기를 쥔 억세인 그대들 손에
모든 권력은 쥐어지리라,

3) 임형택 외 4인 공편, 『한국현대대표소설선』 7(창작과비평사, 1996), pp.75~76.

그옇고 쥐어지리라,
그렇지 않고는 자유란 무엇이며
해방이란 무엇이냐.

날러라 붉은 기, 이땅 우에 날러라.
물감을 드려 붉은 줄 아느냐
빛깔이 좋아 붉은 줄 아느냐
진실로 나라와 민족을 사랑하기 때문에,
노농대중(勞農大衆)을 살리려 하기 때문에,
흘린 피 동지들의 그 귀한 피로
물드려 붉은 줄 모르느냐,
날러라 붉은 기, 거리거리 날러라.[4]

그런가 하면 지하련의 단편 「도정(道程)」(1946)이 "나는 나의 방식으로 나의 소시민과 싸우자! 싸움이 끝나는 날 나는 죽고, 나는 다시 탄생할 것이다"[5]라고 마음속으로 외치며 공장지대가 밀집해 있는 영등포로 향해 가는 좌익 투사의 면모를 부각시키고 있는 것도 이와 동궤에 놓이는 실례로 지목될 수 있다. 또한 그 자신이야말로 "세계사의 대사조(大思潮)" 위에 바르게 올라타고 있다는 확신을 가진 주인공이 서울의 거리에는 "바람이 아직 차나 어딘지 부드러운 벌서 봄바람"이 불고 있음을 느끼며 그 동지들과 더불어 "푸로예맹과의 합동도 끝나고 이번엔 전국문학자대회 준비로"[6] 분주한 모습을 보여주면서 마무리지

---

4) 「날러라 붉은 기」의 마지막 2연, 김승환·신범순 공편, 『해방공간의 문학/시』 1(돌베개, 1988), p.70.
5) 임형택 외 4인 공편, 앞의 책, p.239.
6) 김승환·신범순 공편, 『해방공간의 문학/소설』 1(돌베개, 1988), pp.101~102.

어지고 있는 이태준의 단편 「해방전후」(1946)도 같은 계열에 속한다.

그러나 시간이 흐르면서 서울의 정치적 상황은 점점 더 좌익에게 불리한 방향으로 전개되어 간다. 그리하여 결국 해방 직후 수년 동안 서울을 뜨겁게 달구었던 정치 노선 투쟁은 적어도 이곳에서는 좌익의 완패로 일단 마무리된다. 자신은 세계사의 대사조 위에 바르게 올라탔으며 서울의 거리에는 좌익 만개(滿開)의 성하(盛夏)를 준비하는 봄바람이 불기 시작하였다고 믿었던 「해방전후」의 주인공 현의 확신은－그리고 그 소설의 작자인 이태준의 확신은－결국 착각이었음이 판명되고 만 것이다.

카프 서기장 출신의 작가 김남천이 1945년 10월부터 신문 연재를 시작하였던 야심적 장편 『1945년 8.15』가 1946년 6월에 미완으로 중단되고 만 것은 이런 점에서 상징적인 의미를 지닌다. 서울을 무대로 삼고 있으며 소설 제1장의 제목부터 「서울」로 달고 있는 이 장편은 처음의 의도대로 완성되었다면 그 시대 서울의 좌익 진영이 초기에 품었던 낙관적 전망을 총체적으로 구현한 소설적 성과로 자리매김할 것이었으나, 날로 좌익 진영에게 불리한 방향으로만 기울어가는 서울의 상황 변화는 그러한 의도의 실현을 허용하지 않았던 것이다.

해방 직후 수년의 기간 동안 서울을 중심으로 하여 전개된 정치적 상황의 변화 과정을 좌익의 입장에서 투영한 문학이 위에서 살펴본 바와 같은 행로를 밟았다면, 거기에 맞선 우익 진영의 문학은 어떠하였던가? 이 물음에 대한 답을 제시하기 위해서는 김동리 한 사람의 경우를 검토해 보는 것으로 충분하다. 김동리는 소설과 비평의 두 영역에 걸쳐 정력적인 활동을 전개하면서 우익의 이념을 펼쳐 보였는데, 그처럼 적극적으로 우익의 주장을 문면에 드러낸 사람은, 비평 분야에서는 조연현 등 몇 사람의 소수 그룹이 있었지만, 소설 분야에서는 그를 제외하고는 거의 한 사람도 없었다 해도 과언이 아니다. 그만큼 이 시기의 김동리는 고군분투(孤軍奮鬪)의 시련을 마다하지 않는 전사의 면모를 보여주었다.

그 당시 현실 정치의 세계에서는 우익이 그처럼 고독한 소수자의 위치를 감내해야 하는 상황에 있지 않았다. 그러나 문학의 영역에서는 현실 정치의 세계와 아주 다르게, 우익의 이념을 작품 자체로 드러내는 사례가 실로 희귀하였던 것이다. 이러한 불일치는 실로 의미심장한, 흥미로운 현상이 아닐 수 없다.[7)]

아무튼 이처럼 외로운 전사의 자리에 서 있었던 김동리가 그 당시에 실제로 써낸, 서울의 정치 현실을 직접 다룬 작품으로는 「윤회설(輪迴說)」(1946), 「지연기(紙鳶記)」(1946), 「혈거부족(穴居部族)」(1947) 등의 단편을 우선 들어볼 수 있다. 평소 거침없이 우익의 이념을 개진하며 논쟁도 서슴지 않던 주인공이 서울운동장에서 열린 대한독립촉진국민회 주최의 독립쟁취국민대회에 적극 참가하는 장면으로 끝을 맺고 있는 「윤회설」, 해방 전의 친일파가 해방 후에 좌익으로 변신하면서 일관되게 부정적인 행태를 보여주는 이야기를 담고 있는 「지연기」, 그리고 집을 구할 수가 없어서 삼선교 일대의 방공호를 집으로 삼고 사는 빈민들의 사연을 펼쳐 보이는 한편 거기에다 좌익 비판의 메시지를 섞어 넣고 있는 「혈거부족」은 작품마다 상이한 개성을 갖고 있지만 그 속에 담겨 있는 이념적 성격에 있어서는 분명한 일관성을 드러낸다.

---

7) 이러한 현상의 본질과 의미를 이해하는 데 귀중한 도움을 주는 책으로 루드비히 폰 미제스의 저서 『자본주의 정신과 반자본주의 심리』(김진현 역, 교보문고, 1988)를 들 수 있다. 특히 문학의 영역을 집중적으로 다루고 있는 그 제2부 제3장이 중요하다.

대한민국 정부가 수립되고 38선 이남에서 우익의 승리가 확실해진 이후인 1949년의 시점에 이르러 김동리는 당대의 정치적 현실에 대한 자신의 판단과 미래에 대한 전망을 두루 종합한 장편의 집필로 나아가게 된다. 1949년 9월부터 1950년 2월까지에 걸쳐 『동아일보』에 연재된 『해방』이 그 작품이다. 이 작품에서 김동리는 해방 후 서울에서 벌어져 온 좌우익의 투쟁 과정을 우익의 시각에서 묘사하는 가운데 그 이전보다도 더욱 극단적인 방향으로 굳어진 자신의 이념을 드러내고 있다. 소설의 말미 부분에서 주인공 이장우가 하윤철과 논쟁을 벌이는 가운데 내보이는 주장은 이 작품을 쓰던 시점에 김동리가 도달한 결론이 어떤 것이었던가를 선명하게 보여준다.

> "그럼 자네가 말하는 현실이란 대체 무엇인가?"
>
> "삼팔선이란 말일세…… '두 개의 세계'! 자네 이 '두 개의 세계'란 무슨 뜻인지 아는가?"
>
> "미국을 대표로 하는 자본주의 세계와 소련을 대표로 하는 공산주의 세계란 말인가?"
>
> "그렇게 말해도 되지. 자네가 말하는 좌익이니 우익이니 하는 것은 결국 이 두 개의 세계를 의미하는 거야. 그것이 단순히 우리 민족에 국한된 좌우익이 아니요 삼팔선만이 아닐세. 이것은 지극히 평범하고 상식적인 말 같지만 동시에 지극히 근본적이요 원칙적인 판단이란 것을 알아야 하네. 왜 그러냐 하면 이것이 현실이기 때문이야. 현실은 이와 같이 '두 개의 세계'의 싸움이란 것을 알아야 돼. 우리가 정치를 한다는 것은 이 '두 개의 세계'의 싸움에 뛰어드는 것뿐이야. 그 어느 '한 개의 세계'에 가담하여 다른 '한 개의 세계'와 싸우는 것이야."
>
> "이 '두 개의 세계'를 동시에 지양한 '제3세계'의 출현을 상상할 수는 없는가?"

"자네와 같은 이상이나 희망으로는 가능하겠지. 그러나 가장 현실적이요 구체적인 방법은 그 어느 한 개의 세계가 다른 한 개의 세계를 극복하는 길밖에 없어."

(…) "그렇다면 자네가 그 '두 개의 세계' 중 자본주의를 택해야 할 이유는 어디 있는가?"

(…) "나는 자본주의를 택한 것이 아니고 민주주의를 택한 것이네."[8)]

원래 해방 직후 시점에서의 김동리는 자본주의의 문제점과 공산주의의 문제점을 모두 극복한 제3의 노선을 모색해 본 바도 없지 않았으나, 그 후 지속적으로 점점 더 우경화해 가는 과정을 거친 끝에 『해방』을 발표하던 시기에 이르러서는 이장우의 위와 같은 발언에 나타나 있는 것과 같은 입장으로 귀착하게 되었던 것이다.

지금까지 8.15 해방에 이어진 수년의 기간 동안 서울을 무대로 해서 쓰인 작품들 가운데 좌익의 이념을 두드러지게 표현한 대표적인 경우와 그 반대로 우익의 이념을 두드러지게 표현한 경우를 살펴보았다. 그런데 누구나 아는 바와 같이 인간의 삶이란 그런 이념만으로 이루어지는 것이 아니다. 그런 이념을 중심으로 해서 이루어지는 경우조차도 자세히 보면 그다지 흔하지 않은 것일지 모른다. 많은 경우 인간의 삶에서는 무엇보다 일상의 차원이 우선적인 지위를 갖는다. 그리고 일상적 차원에서 어떤 힘이 작용하는가, 어떤 욕망이 주도권을 잡는가, 어떤 윤리가 적용되는가 등등의 질문이 중요성을 지닌다. 그런가 하면, 이런 질문에 따라서 좌익이니 우익이니 하는 등속의 이념을 다

8) 김동리, 『김동리문학전집』 6(계간문예, 2013), pp.289~290.

시 조명해볼 때 그 이념과 관련된 문제점들이 새롭게 드러나는 경우도 비일비재하다. 이러한 이치는 해방 직후의 기간에 서울을 자신의 터전으로 삼고 살았던 사람들의 경우라고 해서 예외일 수 없는 것이었다.

바로 이런 이치에 유념하면서 그 시대의 문학을 좀 더 폭넓게 살펴나가다 보면 우리는 서정주의 두 번째 시집 『귀촉도』(1949)에 실려 있는 「골목」과 같은 시를 새로이 주목할 수 있게 된다.

날이날마닥 드나드는 이 골목.
이른 아침에 홀로 나와서
해지면 흥얼 흥얼 돌아가는 이 골목.

가난하고 외롭고 이즈러진 사람들이
웅크리고 땅보며 오고 가는 이 골목.

서럽지도 아니한 푸른 하늘이
홑니불처럼 이골목을 덮어,
하이연 박꽃 집웅에 피고

이골목은 금시라도 날러 갈 듯이
구석 구석 쓸쓸함이 물밀듯 사뭇처서,
바람 불면 흔들리는 오막사리뿐이다.

장돌방이 팔만이와 복동이의 사는 골목.
내, 늙도록 이골목을 사랑하고
이골목에서 살다 가리라.[9)]

---

9) 서정주, 『미당 서정주 시전집』(민음사, 1983), p.68.

한편 소설의 영역에서 지금 우리가 문제 삼고 있는 측면과 관련하여 남다른 무게를 가지고 다가오는 소설가로는 우선 채만식을 들 수 있다. 그가 이 시기에 쓴 「역로(歷路)」(1946)라든가 「미스터 방」(1946) 같은 단편, 「낙조(落照)」(1948)와 같은 중편은 방금 위에서 제시한 바와 같은 질문을 붙잡고 씨름한 주목할 만한 성과로 간주될 수 있을 것이다. 특히 「역로」에 나오는 한 인물의 이념가(理念家)들을 향한 다음과 같은 항변은 경청할 가치가 있다.

> "당신넨 장차 대신의 자리두 천신할 욕심에 정당 싸움두 깨가 쏟아지구 머리통이 터져두 고소오한가 봅디다만서두 그 사품에 죽어나는 것은 우리예요. 팔일오 이전 일본한테는 좌익이구 우익이구 민족주이구 공산주이구 다들 합치해서 대항하구 했다면서 어째 시방은 아니하는 거예요? 장차 완전히 독립되구 나서 노동자허구 자본가허구 대가리가 깨지구 대리뼉다구가 부러지구 하두룩 싸움을 할값이라두 대외적으룬 노동자나 자본가나 이해가 일치하니깐 아쉰 대루 우선 합치를 시켜야 옳지, 떼여놀라구 들어야 옳아요?"[10]

그리고 역시 이러한 문제에 집중적인 관심을 기울인 중요한 작가로 염상섭을 빼놓을 수 없다. 만주에서 해방을 맞이한 후 압록강을 건너 신의주에 머물다가 1946년 6월에 38선을 넘어 돈암동에 안착한 이 서울 태생의 작가는 「양과자갑」(1948), 「두 파산」(1949), 「일대의 유업(遺業)」(1949) 등 서울 시민들의 일상적 차원을 힘과 욕망, 그리고 윤리의 세 가지 측면 모두에서 깊이 있게 천착한 단편의 성과를 연달아

10) 채만식, 『채만식전집』 8(창작과비평사, 1989), p.288.

내놓는 한편, 장편 『효풍(曉風)』(1948)을 신문에 연재하여 완결시키기도 했다.

3. 전쟁의 폭풍과 재생을 위한 몸부림

해방 후 3년째가 되던 1948년에 한반도의 남쪽에는 대한민국 정부가 성립되었고, 북쪽에는 조선민주주의인민공화국 정부가 수립되었다. 조선민주주의인민공화국의 독재자로 군림하게 된 김일성은 대한민국까지 완전히 정복하여 한반도 전체의 독재자가 되고 싶다는 야심을 품고, 소련의 독재자 스탈린을 집요하게 졸라, 전면적 남침(南侵)에 대한 승인을 얻고자 하였다. 1950년 2월 9일, 마침내 스탈린의 허락이 떨어졌다. 김일성은 그전부터 진행해 오던 전쟁 준비 작업에 가일층 박차를 가하다가 6월 25일, 드디어 전면적 남침을 개시하였다. 무방비 상태로 있던 대한민국 측은 불과 3일 만에 서울을 빼앗기고 후퇴에 후퇴를 거듭하지 않을 수 없었다. 서울이 다시 수복된 것은 3개월 후인 9월 28일에 이르러서였다. 그런 후에도 전쟁은 근 3년을 더 끌다가, 1953년 7월 27일에 휴전협정이 발효됨으로써 일단 중지되었다. 그 과정에서 수백만의 인명이 살상되었고 엄청난 파괴가 자행되었다.

서울이 김일성 세력의 통치 아래 놓이게 되었던 당시, 미처 피난을 가지 못하고 숨어 지내면서 절체절명의 위기를 겪어야 했던 많은 사람들 가운데, 소설가 염상섭도 있었다. 그러나 염상섭은 그 3개월 동안 단지 숨어 지내는 것으로 그치지 않고, 그의 날카로운 작가적 관찰력과 사유의 힘을 계속 활발하게 작동시켰다. 그 구체적 결실은, 아직도 전쟁이 진행 중이던 1952년 7월부터 1953년 2월까지에 걸쳐 『조선일보』에 연재된 장편 『취우(驟雨)』로 나타났다.

염상섭이 『효풍』에 바로 뒤이어서 쓰다가 6.25로 중단했던 장편 『난류(暖流)』의 후속작이라는 성격을 띠고 있기도 한 『취우』는 한미무역 사장 김학수, 그의 여비서이자 정부인 강순제, 한미무역의 젊은 과장인 신영식 등 세 사람의 등장인물이 김학수의 승용차를 타고 피난길에 나섰다가 한강 다리가 폭파되는 바람에 좌절하고 돌아오는 장면으로 시작된다. 그 후 수복의 날이 오기까지 죽음과 삶의 경계선을 몇 번이나 숨가쁘게 넘나든 끝에 결국 김학수는 인민군에게 잡혀가고 강순제와 신영식은 서로 가까워지게 된다. 극단적으로 압축하면 대략 위와 같은 경개로 요약될 수 있는 『취우』는 세상을 뒤흔들어 놓은 6.25 전쟁의 폭풍 앞에서 서울 사람들의 일상적 차원이 어떤 면에서 어떻게 굴절되고 또 다른 면에서는 어떻게 변함없는 양상으로 지속되었는가를 세세하게 그려 보인다. 그 묘사의 밀도와 거기에서 관철되고 있는 냉철한 균형감각은 역시 대가의 역량을 느끼게 하거니와, 이로써 한국의 소설문학은 1950년 하반기 서울 사람들의 삶에 대한 귀중한 기록 하나를 역사에 제공할 수 있게 된 셈이다.

염상섭이 『취우』에서 보여준 일상에의 관심과 균형감각이라는 특징은 곽학송이 1956년에 단행본으로 출간한 장편 『자유의 궤도』에서 비슷한 양상으로 나타나는 특징이기도 하다. 잡지에 연재될 당시 『철로』라는 제목으로 발표되다가 단행본 출간에 즈음하여 『자유의 궤도』로 개제(改題)된 이 소설의 주인공은 서울역에서 근무하고 있는 철도원이다. 6.25를 맞아 피난을 가지 못한 그는 인민군 세상이 된 시점에서도 예전과 똑같은 방식으로 근무를 계속한다. 그에게는 철도전문가로서의 자신의 일상과 거기에서 자신이 얼마만한 능력을, 그리고 성실성을 발휘하느냐 하는 점이 중요한 것일 뿐 바깥세상의 이데올로기 투쟁 따위는 아무런 상관도 없는 것이다. 하지만 이런 그를 바깥세상은 그대로 두지 않는다. 인민군은 인민군대로 그를 괴롭히고, 9.28 수복으로 돌아온 대한민국 정부는 대한민국 정부대로 그를 부역자(附逆者)로 규정하여 단죄한다. 이러한 주인공의 모습을 형상화함으로써 곽학송은 상황과 윤리의 측면에서 의미 있는 문제 제기를 하는 한편 적치기(赤治期) 서울 사람들의 삶에 대한 증언에 해당하는 기록을 하나 추가하였다.

그러면 6.25 전쟁의 폭풍이 1953년 7월의 휴전협정으로 일단 잦아든 이후에 전개된 서울 사람들의 삶을 문학적으로 탐구하고 형상화하는 작업은 어떤 양상으로 나타났는가? 이 물음에 대한 가장 뚜렷한 답을 우리는 이른바 전후소설의 대표적인 작품들 중 몇몇에서 찾아볼 수 있다. 구체적인 예를 들자면 서기원의 단편 「암사지도(暗射地圖)」(1956), 손창섭의 단편 「잉여인간」(1958), 이범선의 단편 「오발탄」(1959), 박경리의 장편 『표류도(漂流島)』(1959), 황순원의 장편 『나무들 비탈에 서다』(1960)의 제2부 등을 거명할 수 있을 것이다.

흥미롭게도 방금 거명된 전후소설의 대표적인 작품들은 하나같이 뜻깊은 상징의 묘미를 느끼게 하는 제목들을 가지고 있다. 그리고 그 제목들이 던져주는 인상은 예외 없이 불안하거나 어두운 것들이다. 암사지도, 남아도는 인간, 잘못 발사된 탄환, 떠다니는 섬, 비탈 위에 위태롭게 서 있는 나무……. 그러나 정작 이 작품들에서 그 작가가 전해 주고자 한 메시지 자체는 반드시 불안하거나 어두운 것만이 아니었다. 이 작품들이 예외 없이 전쟁의 충격으로 사회적 안정성이 결정적으로 훼손당하고 생활고가 만연하며 기존의 윤리관념이 크게 뒤흔들린 서울의 모습을 보여주고 있기는 하지만, 사실 이 작품들을 쓰면서 그 작가가 주력했던 바는 그런 가운데서 새로운 사회적 안정성, 새로운 생활의 방책, 새로운 윤리의 지표를 모색하며 고투하는 전후(戰後) 시기 사람들–그 중에서도 특히 젊은 세대에 속하는 사람들–의 모습을 진지하게 형상화해 내는 데에 놓여 있었다고 판단되는 것이다. 한 예로, 「암사지도」의 다음과 같은 마지막 장면을 보자.

> 윤주가 흰 블라우스에 곤색 플레어를 입고 안방에서 나왔다. 손에는 예의 보스턴 백을 들고 있었다.
>
> "저녁이나 차려드리고 작별하려고 했지만 무정도 해라…… 호호호 당장 나가라는 걸 할 수 없죠, 뭐."
>
> 윤주는 우정 노여움을 탄 표정을 지으며 웃었다. 구두끈을 매고 난 그네는 앙코르에 답하는 발레리나의 시늉으로 치마를 살짝 들어 올리며 머리를 꾸벅하더니 돌아서버리는 것이었다.
>
> "애비 없는 앨 어쩔라구 그러지?"
>
> 상덕이 이지러진 얼굴로 말했다.
>
> "죽이든 살리든 내 맘대로 하니까요!"
>
> 두어 발짝 거닐다가 돌아서며 윤주는 쏘아붙였다.
>
> "미스 최! 이봐."
>
> 형남이 다급히 말문을 열려는데,
>
> "그만두세요. 애 아버지가 분명했던들 난 하자는 대로 했을지 몰라요…… 모르시겠어요? 두 분 다 아버진 아니에요. 아시겠어요…… 굿바이! 신사 여러분들이여!"
>
> 그리고는 덥석덥석 사내걸음으로 걷기 시작하는 것이었다. 거기까지의 동작이 너무도 멋들어진 호흡이어서 중간에 형남이 가로지를

> 여유를 주지 않았다. '굿바이! 신사 여러분들이여!' 하는 그네의 쾌활한 익살에서 형남은 뜨거운 울음 같은 것이 목청에 치솟았다. 삐이걱! 대문을 여닫는 소리가 났다.
>
> "제기랄! 잘됐다! 잘됐어!"
>
> 이렇게 내뱉는 상덕의 말이 형남에겐 무슨 짐승의 울음소리로 들렸다.
>
> "미스 최! 최! 미스 최!"
>
> 형남은 양팔을 허우적거리며 맨발로 뛰어내리자 그대로 대문간을 향해서 달려가는 것이었다.[11)]

두 남자 가운데 어느 편의 자식인지 알 수 없는 아이를 갖게 되기까지 소설 속에서 여주인공 윤주와 두 남자가 걸어온 길은 윤리적 파탄의 비탈길을 숨가쁘게 굴러 내려가는 과정이었다고 할 수 있을 것이다. 그러나 「암사지도」는 그 마지막 대목에 이르러 치열한 반전의 에너지를 보여준다. 그것은 '죽임'의 사건으로 온통 채워져 있는 전쟁의 상처를 이제야말로 '살림'의 정신으로써 극복하고자 하는 윤주의 결단을 통해 이루어진다. 그리고 이러한 반전의 에너지를 보여주는 마지막 대목이야말로 이 소설의 무게중심이 놓여 있는 장소인 것이다.

하지만 위의 대목을 좀 더 신중하게 여러 번 음미해 보면, 거기에 나타나 있는 윤주의 결단 자체는 분명 인상적인 것임을 인정할 수 있지만, 그러한 결단이 과연 냉혹한 현실의 파고(波高)를 이겨내고 안정된 결실을 맺을 수 있을 것인지에 대해서는 일말의 회의를 떨쳐 버릴 수 없는 것이 사실이다.

---

11) 임형택 외 4인 공편, 『한국현대대표소설선』 8(창작과비평사, 1996), p.263.

이런 착잡한 감상은 우리가 앞에서 제목이 언급되었던 다른 작품들을 읽을 때도 똑같이 느끼게 되는 것들이다. 「잉여인간」의 등장인물들이 과연 그들의 잉여성을 온전하게 극복할 수 있을까? 「오발탄」의 주인공 송철호가 '조물주의 오발탄'이라는 자학적 자기규정을 떨치고 더 높은 곳으로 상승할 수 있을까? 『표류도』의 강현회가 표류를 멈추고 안착할 수 있을까? 『나무들 비탈에 서다』의 현태와 숙이 건강하고 우람한 교목으로 자랄 수 있을까? 우리는 이러한 질문들 앞에서 반드시 부정의 답을 줄 필요는 없지만, 긍정의 답을 내놓기에도 영 자신이 없다는 것을 느끼지 않을 수 없다. 이 작품들을 그 작가가 어떤 의도에 따라 썼는가 하는 문제와 별도로, 1950년대 내내 이 땅에 실제로 몰아쳤던 냉혹한 현실의 파도가 얼마만큼 거친 것이었던가를 감안해 보면, 그 작품들 중 어느 것도 우리는 우울한 의구(疑懼)를 동반하지 않은 채 그 마지막 장을 덮을 수가 없는 것이다.

이상으로 우리는 1950년대의 서울과 관련된 문학에 대한 논의를 접고 4.19와 함께 비롯된 1960년대로 넘어가고자 하거니와, 그렇게 하기 전에, 한 가지 빠트리지 말고 언급해 두어야 할 사실이 있다. 1950년대의 문학작품 속에 나타난 서울과 서울 사람들의 삶 혹은 정신세계가 오로지 전쟁의 충격과 직결된 요소들만으로 한정되었던 것은 아니라는 사실이 그것이다. 물론 전쟁의 충격과 직결된 요소들이 거기에서 가장 큰 비중을 차지하기는 했지만, 다른 한편으로는 전통을 생각하고, 한국미의 원형을 생각하고, 영원을 생각하며, 그런 것들과의 관련 속에서 서울을, 그리고 자신을 포함한 뭇 사람들의 삶을 생각하는 정신이 여전히 살아 있기도 했던 것이다. 1955년에 쓰인 서정주의 시 「광화문」은 그러한 정신을 잘 표현한 작품이다. 아래에 그 전문을 제시해 보이기로 한다.

북악과 삼각이 형과 그 누이처럼 서 있는 것을 보고 가다가
형의 어깨 뒤에 얼굴을 들고 있는 누이처럼 서 있는 것을 보고 가다가
어느 새인지 광화문 앞에 다다랐다.

광화문은
차라리 한 채의 소슬한 종교.
조선 사람은 흔히 그 머리로부터 온몸에 사무쳐 오는 빛을
마침내 버선코에서라도 떠받들어야 할 마련이지만,
온 하늘에 넘쳐흐르는 푸른 광명을
광화문– 저같이 의젓이 그 날갯죽지 위에 싣고 있는 자도 드물라.

상하 양층의 지붕 위에
그득히 그득히 고이는 하늘.
위층의 것은 드디어 치–ㄹ 치–ㄹ 넘쳐라도 흐르지만,
지붕과 지붕 사이에는 신방(新房)같은 다락이 있어
아래층의 것은 그리로 온통 넘나들 마련이다.

옥같이 고우신 이
그 다락에 하늘 모아
사시라 함이렷다.

고개 숙여 성 옆을 더듬어 가면
시정(市井)의 노랫소리도 오히려 태고(太古)같고

문득 치켜든 머리 위에선

파르르 쭉지치는 내 마음의 메아리.……[12)]

4. 경제 개발의 빛과 그늘

서울의 1960년대는 4.19와 함께 시작되었다. 4.19의 격류가 거리거리를 휩쓸고 마침내 제1공화국을 무너뜨리는 데 성공하는 것으로 서울의 1960년대는 시작되었고, 시인들이 그것을 감격 어린 어조에 실어 노래하는 것으로 문학의 1960년대는 시작되었다. 4.19의 성공 직후에 발간된 『사상계』 1960년 6월호의 권두를 열면 그러한 노래의 정수들이 모여 화려한 합창의 열기를 뿜어내고 있는 것을 우리는 목격하게 된다. 거기에서도 유난히 돋보인 작품이 하나 있었으니 그것은 4.19를 다윗과 골리앗의 싸움에 비유함으로써 독특한 매력을 창출한 신동문의 「아! 신화같이 다비데군(群)들」이었다. 그 첫 두 연을 아래에 인용한다.

서울도
해 솟는 곳
동쪽에서부터
이어서 서 남 북
거리거리 길마다
손아귀에
돌 벽돌알 부릅쥔 채

12) 서정주, 앞의 책, p.103.

떼 지어 나온 젊은 대열
아! 신화같이
나타난 다비데군들

혼자서만
야망 태우는
목동이 아니었다
열씩
백씩
천씩 만씩
어깨 맞잡고
팔짱 맞끼고
공동의 희망을
태양처럼 불태우는
아! 새로운 신화 같은
젊은 다비데군들[13]

이처럼 뜨거운 언어의 물결이 총 10연으로 도도히 이어지면서 하나의 장관을 만들어내고 있는 것이 「아! 신화같이 다비데군들」이라는 작품이다.

물론 오늘의 시점에서 이 시를 읽어 보면 그 작품을 지배하고 있는 과도한 흥분기와 단순성에 조금 질리는 느낌이 드는 것도 사실이다. 하지만 그것은 비단 이 시만의 특징은 아니었다. 4.19 직후의 얼마 동안 이 나라의 시단을 휩쓸었던 이른바 '혁명시' 창작 열풍에 대하여

13) 신동문, 『신동문전집/시: 내 노동으로』(솔, 2004), p.28.

후일 김현은 "그때를 경험해 본 사람은 다 알겠지만 그때는 혁명적인 태도를 취하지 않는 사람은 시골사람 취급당하던 때이라 혁명적인 시들이 수두룩하게 제작되고 있었다"[14]고 다소 냉소적인 증언을 해 준 바 있거니와 이처럼 '수두룩하게 제작'되었던 이른바 '혁명적인 시'들은 거의 예외 없이 위의 작품에 나타난 바와 대동소이한 수준의 흥분기와 단순성을 공유하고 있었던 것이다.

거기에 비하면 소설에서의 작업은 좀 더 차분하고 복합적인 접근 양상을 드러내었다. 한 예로, 1960년 11월호 『사상계』에 발표된 이호철의 단편 「용암류」를 보면, 4.19 당시 대학생들이 가두시위로 나아가기까지의 과정에서 내면적으로 결코 단순하지 않은 혼란과 망설임, 그리고 그 극복의 단계를 거쳐야 했다는 사실을 이야기하고 있는 것이다. 또 1961년에 발표된 한무숙의 단편 「대열 속에서」는 타락한 기성세대에 대한 젊은 층의 저항의식이라든가 계급적 갈등의 문제 등과 같은 복합적 요인들이 어떤 식으로 엉키고 확대되면서 4.19의 가두시위 현장에까지 그 영향을 미치고 있는가를 그려내고 있기도 하다. 그러나 이런 작품들도 그 전체적인 기조가 혁명의 현재와 미래에 대한 소박한 긍정과 희망의 빛깔로 물들어 있다는 점에서는 앞의 시작품들과 차이를 보여주지 않는다.

그러나 문학인들이 혁명에 대한 긍정과 희망을 이야기할 수 있었던 기간은 짧았다. 4.19의 열기를 등에 업고 새로 집권한 장면 총리 휘하의 민주당 정부는 민주적이기는 했는지 모르지만 불행하게도 무능하기 그지없는 정부였다. 그 결과 민주당 집권 시기의 한국은 건잡을

14) 김현, 『시인을 찾아서』(민음사, 1975), p.26.

수 없는 혼란으로 날이 새고 날이 지는 양상을 보여주었다. 그로부터 오랜 세월이 흐른 후에 제시된 한 미국인 역사학자의 다음과 같은 견해에 우리는 전적으로 동의하지 않을 수 없다.

> 당시 (5.16에 의해 무너진－인용자 보충) 장면 정권이 복원되었다면, 한국 사회 전반에 걸쳐 의사 표현의 자유, 언론의 자유, 종교의 자유와 같은 민주사회의 기본권이 침해받는 일은 없었을 것이다. 하지만 이 정권은 사회적, 정치적 다수로부터 소외받는 계층의 기본권을 옹호할 수 있을 만큼 강력한 정부로 성장하지 못했을 것이다. 국민을 대상으로 공권력을 사용하는 것조차 망설였던 민주당 정부는 국가 발전을 이루고 민주사회를 만드는 데 전제 조건인 사회 안정을 유지하는 것도 힘들어 했을 것이다. 또한 장면 정부가 다시 복원되었다고 하더라도, 후일 박정희 정권이 추진했던 것과 같은 형태의 경제 발전 정책을 추진할 수 있었을지도 의문이다. 박정희 정권은 1960년대 초기와 중반에 미국의 지원에 힘입어 이자율 구조조정, 한일 국교 정상화 등과 같이 경제 발전을 위해서는 필수적이었지만 국민의 격한 반대에 부딪힌 수많은 사안을 개혁하는 데 성공하였다. 하지만 장면이 이러한 사안에 대한 국민의 반대를 극복하는 데 필요한 정치적 카리스마나 리더십을 보여주었을 것이라고 기대하기는 어렵다. 따라서 장면 정부가 지속되었다고 하더라도 한국은 경제적 침체를 벗어나지 못했을 것이며, 장차 민주주의가 지속될 수 있는 기반을 제공하는 여러 가지 사회경제적 변화도 추진하기 힘들었을 것이다.[15)]

이런 상황에서, 1961년 5월 16일, 박정희 소장을 리더로 하는 군사

---

15) 그렉 브라진스키, 『대한민국 만들기, 1945~1987』(나종남 역, 책과함께, 2011), p.422.

쿠데타가 일어나 성공했다. 이 쿠데타는 4.19 직후의 열기 속에서 신동문이나 이호철을 비롯한 대다수 문학인들이 예상하고 기대했던 것과는 완전히 다른 방향으로 1960년대의 역사를 만들어 나가기 시작했다. 좀 더 구체적으로 말하자면, 1961년 5월 16일 군사 쿠데타를 일으켜 집권한 박정희는 1963년에 치러진 대통령 선거에서 윤보선 후보에게 15만 6천 표라는 미미한 차이로 힘겹게 승리한 후 맹렬한 기세로 경제 개발 정책을 밀어붙이기 시작하였으며, 바로 그것이 1960년대라는 연대 전체의 대세를 결정지었던 것이다.

정력적으로 추진된 박정희의 경제 개발 정책은 세계를 놀라게 할 정도로 급속한 경제 성장을 가능하게 했고 다수 국민의 호응도 얻어내었다. 1967년에 치러진 또 한 번의 대통령 선거에서 박정희 후보가 4년 전에 한 번 맞붙었던 윤보선 후보에게 이번에는 116만 2천 표 차로 압승하였다는 사실을 보면 그 호응의 정도가 얼마만했는지를 금방 실감할 수 있다.

그런가 하면, 한편으로, 박정희식 경제 개발 정책의 성과는 필연적으로 다양한 문제들을 발생시키기도 했다. 정치적 자유에 대한 통제의 강화, 도시 빈민층의 증가에 따른 갖가지 사회 문제의 발생, 자연환경의 지속적인 오염과 손상 등등 여러 문제들이 연이어 발생했고 한번 발생하면 좀처럼 해결될 기미를 보이지 않게 되었다.

이처럼 경제 성장이라는 빛의 측면과 여러 문제들의 발생이라는 그늘의 측면이 함께 어울려 작용하면서 1960년대의 역사를 만들어 나가는 과정은 다른 어느 곳보다도 서울이라는 공간에서 격렬하고 역동적인 모습을 보여주었다. 두 가지 점에서 그것은 필연적인 현상이었다고 말할 수 있다. 첫째로, 조선 시대건, 일제강점기건, 또 1950년대건 서울은 한국 사회의 중심이라는 지위를 한 번도 놓친 적이 없었고 그러한 지위는 1960년대에도 고스란히 유지되었기에 그것은 필연적인 현상이었다. 둘째로, 1960년대에 이르러 새로운 문제들이 연달아 발생하게 된 중요한 원인의 하나로 예전보다 더욱 더 심해진 서울로의 인구 집중 현상이라는 것이 작용하고 있었기에 또한 그것은 필연적인 현상이었다.

이 중 두 번째의 사정, 즉 1960년대 들어 예전보다 더욱 더 심해진 서울로의 인구 집중 현상은 예컨대 김지하의 「서울길」(1969)과 같은 인상적인 시편을 낳기도 했다.

간다
울지 마라 간다
흰 고개 검은 고개 목마른 고개 넘어
팍팍한 서울길
몸 팔러 간다

언제야 돌아오리란
언제야 웃음으로 화안히
꽃피어 돌아오리란
댕기 풀 안쓰러운 약속도 없이
간다
울지 마라 간다
모질고 모진 세상에 살아도
분꽃이 잊힐까 밀 냄새가 잊힐까
사뭇사뭇 못 잊을 것을
꿈꾸다 눈물 젖어 돌아올 것을

밤이면 별빛 따라 돌아올 것을

간다
울지 마라 간다
하늘도 시름겨운 목마른 고개 넘어
팍팍한 서울길
몸 팔러 간다.[16)]

위의 시에 등장하는 화자는 "언제야 웃음으로 화안히/ 꽃피어 돌아오리란/ 댕기 풀 안쓰러운 약속도 없이" 비장한 표정을 지은 채 서울을 향해 간다. 한 번 서울로 가면 꿈속에서나 "눈물 젖어 돌아올" 수 있을까, 현실에서는 절대로 돌아오지 않겠다는 각오로 서울을 향해 가는 것이다. 그렇다면 왜 그는 서울로 가는가? 이 물음에 대한 답은 "몸 팔러 간다"라는 표현 속에 들어 있다. 서울에 가야만 막벌이 노동, 지게벌이 노동이라도 해서 먹고 살 수 있겠다는 판단이 섰기에 그는 서울로 가는 것이다. 일체의 자존심을 버리고 막노동판에 뛰어들어서라도 어쨌든 먹고 사는 것이 다급한 과제로 떠올랐다는 것, 그것을 가능하게 해 주는 여건은 화자 자신의 고향에는 없고 서울에 가야 마련될 수 있다는 것, 이것이 화자가 놓여 있는 상황의 핵심이다.

이렇게 본다면, 김지하의 「서울길」은 그 시대에 서울로의 인구 집중이라는 현상이 발생하도록 만든 가장 큰 원인과 그러한 현상에 의해 파생된 문제점을 정확하게 포착하여 형상화해 낸 작품으로 평가받기에 부족함이 없다. 그 시대에 서울로의 인구 집중 현상이 발생하도록

16) 김지하, 『김지하 시전집』 1(솔, 1993), pp.54~55.

만든 가장 큰 원인은 무어니 해도 일자리와 관련된 경제적 생존의 문제였으며, 그러한 현상에 의해 파생된 문제점 중에서도 특히 중요한 것은 고향상실감과 내면적 소외의식이 많은 사람들에게 공유되기에 이르렀다는 사실이었기 때문이다.

그러나 경제적 생존의 문제는 서울로의 인구 집중 현상이 발생하도록 만든 가장 큰 원인이기는 하되 그 원인의 전부는 아니었다. 그것 이외에 또 하나, 빼놓아서는 안 되는 요인이 있었다. 그것은 서울이 지니고 있는 문화의 공간, 자유의 공간, 젊음의 공간으로서의 '매력'이라는 요인이었다. 바로 그 황홀한 매력이 또한 많은 사람들을 서울로 끌어당겼던 것이다.

김승옥의 단편 「무진기행」(1964)에 나오는 여교사 하인숙은 그러한 매력에 홀려 서울로 달려갔던, 혹은 달려가고자 했던 많은 그 시대 사람들의 면모를 대표하는 존재로 간주될 수 있다. 그는 원래는 지방 출신인데 서울의 어느 음악대학에 진학하여 '문화의 공간, 자유의 공간, 젊음의 공간'으로서의 서울을 마음껏 향유한 기억을 가지고 있다. 그 기억의 정점에 놓여 있는 것이, 졸업연주회 때 무대에 올라 푸치니의 오페라 「나비 부인」 중의 아리아 「어떤 개인 날」을 불렀던 행복한 기억이다. 하지만 가난한 집안 출신이었던 그는 졸업 후 취직자리를 구하다 보니 어쩔 수 없이 시골인 무진에 떨어지게 된다. 무진에서 그는 무식한 시골 유지들의 술자리에 동석하여 장단이나 맞춰 주는 신세로 추락한다. 그런 자리에서 무식한 자들이 그에게 요구하는 것은 기껏해야 트로트풍의 유행가를 불러주는 일 따위이다. 이와 같은 상황에서 그는 "미칠 것 같아요. 금방 미칠 것 같아요"라고 절규하지 않을 수 없다. 이제 그에게는 서울로 돌아가는 것이 가장 절박한 목표가

된다.

다시 말하거니와, 이런 하인숙의 모습은, 서울의 문화, 서울의 자유, 서울의 젊음이 뿜어내는 매력에 끌려 상경 길에 올랐던 많은 그 시대 사람들의 면모를 대표하는 것으로 인식될 수 있다. 그리고 이러한 사람들의 존재 역시 서울로의 인구 집중이라는 현상을 만들어내고 강화시킨 중요한 원인의 하나였음을 우리는 간과할 수 없는 것이다.

지금까지 언급한 바와 같은 이유들로 해서 수많은 사람들이 연이어 서울로 몰려오고, 그리하여 서울이 유사 이래 전례가 없는 거대 도시로 새롭게 태어난 1960년대에, 실제로 서울에 모여든 사람들은 어떤 삶을 살았던 것일까? 이 물음에 대한 답의 일단은 실상 앞에서 제시된 바가 있다. 세계를 놀라게 할 정도로 급속한 경제 성장과 거기에 동반된 여러 문제들의 출현이라는 두 가지 항목으로 요약될 수 있는 1960년대 한국의 역사를 가장 격렬하고 역동적인 모습으로 대표한 존재가 서울이었다는 사실을 나는 앞에서 지적한 바 있거니와, 이런 지적은 그것 자체로서 이미 위의 물음에 대한 답의 일단을 시사하고 있는 것이다. 그러나 이 정도로 답이 충분한 것은 물론 아니다. 제대로 된 답을 찾으려면 그 시대에 창출된 다양한 텍스트들을 폭넓게 살펴보아야 한다. 그 중에서도 가장 대표적인 텍스트를 하나만 들라고 하면 이호철의 장편 『서울은 만원이다』(1966)를 금방 지목할 수 있을 것이다. 그 당시 상당한 대중적 인기를 끌었던 이 소설은 그 앞부분에 다음과 같은 대목을 포함하고 있다.

> 가는 곳마다, 이르는 곳마다 꽉꽉 차 있다. 집은 교외에 자꾸 늘어서지만 연년이 자꾸 모자란다. 일자리는 없고, 사람들은 입만 까지고

약아지고, 당국은 욕사발이나 먹으며 낑낑거리고, 신문들은 고래고래 헛소리만 지른다.

거리에는 사철 차들이 붐비고 여관, 다방, 음식점, 술집, 극장, 당구장, 바둑집이 우글우글한다. 입으로는 못살겠다고 저저금 아우성인데, 다방도 음식점도, 바둑집도, 당구장도, 삼류극장도 늘어만 가고 있다.

대관절 서울의 이 수다한 사람들은 모두가 무엇들을 해먹고 사는 것일까.

하긴 돈을 찍어내는 곳이 서울의 조폐공사이니까 어차피 조폐공사에서 가장 가까운 거리에 있는 자들이 제일 큰 땡을 잡게 마련일 것이다. 그리고 이렇게 가장 가까운 거리에 있는 사람들이란 잘 아시다시피 그렇고 그런 사람들이다.

그렇게 한가운데 들어앉은 몇 안 되는 사람들로부터 바깥으로 향하여 불꽃이 튀어나가듯 혹은 물이랑이 퍼져나가듯 몇 겹으로 층이 둘러싸인다.

첫째 그룹, 둘째 그룹, 셋째 그룹, 이렇게 수십 겹이 둘러싸인다. 첫째 그룹이나 둘째 그룹에 가까이 속하면 속할수록 위엄이 늠름하고 혈색은 좋으나 돈맛은 더 알아서 외곬으로 영악해진다. 천신만고로 얻은 현 지체를 유지하려고 전전긍긍이다.

한편 바깥쪽으로 가면 갈수록 타고난 대로의 구수한 인정은 있지만, 하루하루 살아가는 자질구레한 싸움은 노상 끊이지 않는다.

가운데쪽에서는 장막 너머에서 저희들끼리 큰 싸움이 끊일 사이 없고, 들러리쪽에서는 들러리대로 두부 한 모 가지고도 아옹다옹이다.[17)]

17) 이호철, 『이호철전집』 7(청계, 1991), pp.15~16.

위에 인용된 대목만 보고서도 우리는 이 소설의 화자(話者)가 지닌 두 가지 특징을 금방 인식할 수 있다. 첫째는 그가 다분히 수다스럽고 넉살좋은 달변가의 면모를 가지고 있다는 사실이고, 둘째는 그가 인간과 사회의 심층을 꿰뚫어 보는 통찰력을 가지고 있다는 사실이다. 『서울은 만원이다』는 이런 두 가지 특징을 지닌 화자를 적절하게 활용하면서 1960년대에 서울 시민으로 살아갔던 사람들의 삶을 다양하게 보여준다. 그 중에서도 이 소설이 역점을 두어 탐사하고 있는 것은 "타고난 대로의 구수한 인정은 있지만, 하루하루 살아가는 자질구레한 싸움은 노상 끊이지 않는" 주변부 서울 사람들의 삶이다. 그 삶 속에는 전락의 드라마가 있고, 소외의 드라마도 있으며, 오염의 드라마도 있다. 물론 상승의 드라마와 쟁취의 드라마도 없지 않다. 하지만 그 어느 드라마의 유형에 속하건, 그들의 삶을 지배하는 키워드는 '싸움'이다. 새로 서울 시민으로 편입된 사람들이나, 예전부터 쭉 서울에서 살아온 사람들이나, 이 점에서는 마찬가지이다.

그러나 『서울은 만원이다』는 이처럼 서울 생활의 키워드를 '싸움'으로 파악하며, "사람들은 입만 까지고 약아지고, 당국은 욕사발이나 먹으며 낑낑거리고, 신문들은 고래고래 헛소리만 지른다"는 표현만 보아도 실감되듯 다분히 냉소적인 시각을 작품의 곳곳에서 드러내지만, 극단적인 현실 비판론이나 부정론으로는 나아가지 않는다.

> 의욕적인 새 시장을 만나 서울은 화려하게 단장이 되고 곳곳에 빌딩은 서고 사람들은 날로날로 문주란의 노래 같은 것에나 잠겨들기를 좋아하고, 차관은 들어오고, 차관은 물론 유효적절하게 쓰이고 있을 것이었다. 적어도 우리 선량한 국민들은 그렇게 믿기로 하자. 그

렇게 안 믿을 도리가 있는가.[18]

위에 인용된 문장들은 이 소설의 마지막 페이지에 들어 있는 것인데 이 대목을 보면 여전히 냉소적인 시각이 느껴지지만 그것은 화자의 수다와 넉살에 감싸여서 오히려 일말의 온기와 여유를 전달한다. 이런 온기와 여유야말로 『서울은 만원이다』 전체를 지배하는 기조저음이라고 말할 수 있다.

여기에 비하면, 김승옥의 단편 「서울 1964년 겨울」은 훨씬 차가운 세계를 보여준다. 이 소설에 등장하는 세 사람의 남자들—구청 병사계(兵事係) 직원, 대학원생, 외판원—사이에서 교환되는 대화는 대화가 아니라 요지부동의 상태로 계속되는 단절의 재확인이며 기껏해야 '상대방 더 확실하게 소외시키기'의 게임일 뿐이다. 그 게임의 끝은 외판원의 자살과 대학원생의 거짓말로 마무리된다. 외판원이 자살할 것을 예감한 대학원생은 그러한 예감에도 불구하고 외판원의 자살을 막으려 시도하기는커녕 그 반대의 행위로—사실상 외판원을 자살하지 않을 수 없게 떠미는 행위로—나아가고, 실제로 외판원이 자살한 후에는 어린아이라도 속지 않을 거짓말로 병사계 직원에게 변명을 하는 것이다. 정작 변명을 들은 병사계 직원은 그 변명에 대해 아무 말도 하지 않는다. 사실은 아무 생각도 하지 않는다. 생각하는 바가 없으니, 할 말이 없는 게 당연하다. 둘은 곧 헤어진다. 그들이 다시 만날 일은 없을 것이다. 그것으로 소설은 끝난다.

이러한 소설의 전개를 통해서 독자들에게 전달되어 오는 얼음과

---

18) 위의 책, p.301.

같이 오싹한 냉기는 전율을 불러일으킬 만한 강도를 지니고 있다. 아마 어떤 사람들은 서울을 생각할 때면 실제로 그 같은 냉기를 느끼고 소스라치면서 전율에 사로잡히기도 했으리라. 그리고 이런 전율은 곧 그처럼 불쾌한 전율을 일으키는 서울이라는 도시에 대한 강한 거부감을, 적개심을, 증오심을 만들어냈으리라. 이와 같은 마음의 행로를 밟았을 가능성이 큰 사람 가운데 하나로 우리는 신동엽을 들 수 있다. 그의 시 「그날이 오기까지는」(1966)의 다음과 같은 마지막 두 연에 나타나는, 서울을 확 갈아엎어 버리고 그 자리에 보리밭을 만들 것을 꿈꾸는 상상을 대할 때, 그 점이 감지된다.

> 강산을 덮어, 화창한
> 진달래는 피어나는데,
> 출렁이는 네 가슴만 남겨놓고, 갈아엎었으면
> 이 균스러운 부패와 향락의 불야성 갈아엎었으면
> 갈아엎은 한강연안에다
> 보리를 뿌리면
> 비단처럼 물결칠, 아 푸른 보리밭.
>
> 강산을 덮어 화창한 진달래는 피어나는데
> 그날이 오기까지는, 사월은 갈아엎는 달.
> 그날이 오기까지는, 사월은 일어서는 달.[19)]

이런 '보리밭'의 상상은 그의 다른 시에서도 나타난다. 「서울」(1969)

---

19) 신동엽, 『신동엽전집』(창작과비평사, 1976), p.63.

의 첫 연을 보자.

> 초가을, 머리에 손가락 빗질하며
> 남산에 올랐다.
> 팔각정에서 장안을 굽어보다가
> 갑자기 보리씨가 뿌리고 싶어졌다.
> 저 고층 건물들을 갈아엎고 그 광활한 땅에
> 보리를 심으면 그 이랑이랑마다 얼마나 싱싱한
> 곡식들이 사시사철 물결칠 것이랴.[20]

이런 시구들을 읽을 때 우리의 마음은 착잡해진다. 신동엽이 태어나고 자라난 환경이 어떤 것이었으며 그가 견지했던 사상의 빛깔은 또 어떤 것이었는가를 감안해 보면 위의 시들에 나타나 있는 그의 상상이 이해되지 않는 바가 아니다. 하지만 위와 같은 시구들을 대할 때 신동엽의 시세계 전반이 지닌 심각한 문제점에 대한 유종호의 비판적 언급이 각별한 공감을 동반하면서 상기되는 것을 우리는 또한 막을 수 없는 것이다.[21]

---

20) 위의 책, p.90.

21) 「다시 읽는 신동엽」이라는 부제를 달고 있는 유종호의 글 「뒤돌아보는 예언자」 가운데 한 대목을 직접 인용해 두고자 한다. “나는 신동엽이 포용하고 있던 혁명적 낙관주의 혹은 낭만주의나 소외 없고 착취 없는 원시공동체에서 시작하는 거대담론에 대해서 회의적이다. 계획된 역사의 오페라 대사를 믿지 않는다는 알렉산더 겔첸의 말에 공명을 느낀다. (…) 혹종의 오페라 대사에 대한 교조주의적 충실이 이 현실주의 시인의 시를 그만큼 덜 현실적으로 만들었으며 그것은 취약점이 된다. 그는 뒤돌아보는 예언자로 임했지만 많은 동시대인들과 같이 역사의 행방을 전혀 알아차리지 못하였다. (…) 외세를 물리치고 농본주의적 전원국가를 건설하려다는 동남아시아 약소국의 혁명적 실험이 참담하고 황당한 인간 도살극으로 끝나는 것을 다행히도 그는 보지 못하였다” (유종호, 『서정적 진실을 찾아서』(민음사, 2001), p.129). 위의 인용문에서 언급된 ‘약

이제, 1960년대의 문학에 나타난 서울의 면모에 대한 논의를 마무리하면서, 1960년대 말의 시점에 발표된, 4.19에 대한 변모된 인식을 담고 있는 주목할 만한 작품에 대해 언급해 두기로 한다. 박태순의 단편 「무너진 극장」이 그 작품이다. 4.19 당시 서울대학교 1학년생으로서 실제 가두시위에 참여하여 사선(死線)을 넘나들었던 박태순이 1968년에 발표한 이 작품은, 1960년 4월 25일 밤, 혁명의 열기에 들뜬 한 무리의 군중이 당시 임화수의 소유로 되어 있던 종로 4가의 평화극장을 습격하여 마구잡이로 때려 부수고 심지어는 방화까지 하려 들다가 군인들의 출동으로 해산한 사건을, 얼떨결에 거기 휩쓸려든 한 대학생의 시각으로 그려나간다. 그러면서 이 소설은, 순수한 정열과 광기 사이의 경계선은 어디인가, 혁명은 실제로 무엇을 파괴할 수 있는가, 혁명에서 파괴의 열정은 어떻게 새로운 건설의 열정으로 전환될 수 있는가 등등 여러 가지 심각한 문제들을 다분히 우울한 어조로 제기한다. 이 작품의 말미 부분에는 4.19에 대한 박태순의 사색이 주인공의 사변이라는 형태를 빌려 집약적으로 서술되고 있는데, 그것은 작품이 처음 발표된 후 다시 몇 차례의 개작 과정을 거친 끝에 다음과 같은 형태로 완성되었다.

> 사람들의 그날의 흥분을 얼마든 과대평가해 보는 것처럼 유쾌한 일은 없을 것이다. 새로운 시대를 알리는 그 타종(打鐘)의 울림을 새로운 세대였던 우리가 거느리고 나타날 수 있었음은 그 얼마나 행복하며 영광되며 축복스러웠던 것인지? 그러나 우리는 얼마 안 가서

소국의 혁명적 실험'이란 크메르 루주에 의해 자행된 대량 학살을 말한다. 이 '실험'으로 인해 캄보디아 전체 국민의 약 4분지 1에 해당하는 2백만 명이 학살당하였다.

어떤 철학자의 말처럼 '한 순간의 흥분을 너무 과대평가하여 기억하는 것의 무의미함'을 어느덧 배우기 시작하였으며 그리하여 우리가 힘들여 끌어올렸던 그 무질서의 위대한 형식이 역사성 속의 미아처럼 다만 한 순간의 고립에 불과하고 말았다고 주장하는 세력이 여전히 의연히 버티고 있음을 보았다. 그것이 마치 그날 밤에 우리가 이룩하였던 그 놀라운 긴장감의 파괴를 부정하고 모든 변혁과 가치를 부정하는 것처럼 보이는데, 물론 우리는 결코 속아 넘어가지 않을 뿐 아니라 혁명은 의연히 계속 진행 중임을 도리어 확인하는 것이다. 그러니까 인생의 사회와 역사에 대한 우리의 시련이 도리어 그때부터 출발되고 있었던 듯한 느낌으로…….[22)]

위에 인용된 텍스트에는 "물론 우리는 결코 속아 넘어가지 않을 뿐 아니라" 운운하는 구절에서 보듯 혁명의 의의에 대한 믿음과 적극적인 자기 긍정의 자세가 뚜렷이 나타나 있으나, 이 부분은 개작 과정에서 추가된 것이고, 1968년에 발표된 원래의 작품은 '한 순간의 흥분을 너무 과대평가하여 기억하는 것의 무의미함'에 대한 인식을 중심으로 하여, 훨씬 소극적이고 회의적인 시각을 드러내고 있는 것이었다. 그것은 앞에서 인용된 바 있는, 4.19 혁명이 일어난 바로 그해에 발표되었던 신동문의 시에 담겨 있는 감격의 언어로부터는 아주 먼 곳으로 이동해 온 것이었다.[23)]

---

22) 박태순, 『무너진 극장』(책세상, 2007), pp.314~315.

23) 위에 제시된 소설 「무너진 극장」으로부터의 인용문 중 "물론 우리는 결코 속아 넘어가지 않을 뿐 아니라 혁명은 의연히 계속 진행 중임을 도리어 확인하는 것이다. 그러니까 인생의 사회와 역사에 대한 우리의 시련이 도리어 그때부터 출발되고 있었던 듯한 느낌으로……"라는 대목은, 1972년에 정음사에서 출간된 박태순 단편집 『무너진 극장』의 초간본에는 다음과 같은 문장이 적혀 있던 곳이었다. "물론 거기에 대해서는 우선 나 자신으로부터 완강히 부인해 두는 수밖에 없을 것이었다. 그러니까 인생과 사회와 역

이런 점은 박태순과 마찬가지로 4.19 당시 서울대학교 1학년생이었던 이청준이 1969년에 발표한 단편 「가수(假睡)」에서도 마찬가지로 발견되는 양상이다. 이청준의 작품으로서는 보기 드물게 4.19 혁명의 현장에 대한 묘사를 포함하고 있는 이 소설은 제목만 보아도 짐작할 수 있듯 혁명의 감격이 썰물처럼 빠져나가고 난 후의 회의와 피로를 기본적 정서로 삼은 상태에서 4.19를 돌이켜보고 있다.

5. 온기와 여유가 사라진 시대

앞에서 우리는 '경제 성장이라는 빛의 측면과 여러 문제들의 발생이라는 그늘의 측면이 함께 어울려 작용하면서 전개되어 나간 과정'이라는 말로 1960년대의 한국 역사를 요약한 바 있다. 그러면 연대가 바뀌어 1970년대로 접어든 이후의 한국 역사는 또 어떤 식으로 전개되었던가?

근본적으로, 위에서 말한 두 가지 측면이 공존하고 또 서로 어울리는 가운데 역사가 만들어져 간다는 점 자체에는 변화가 발생하지 않았다. 1970년대에도 한국 역사의 기본을 이룬 두 가지 측면은 1960년대의 경우와 마찬가지로 '경제 성장이라는 빛의 측면'과 '여러 문제들의 발생이라는 그늘의 측면' 두 가지였고 그 두 가지 측면이 함께 어울려 작용하는 가운데 역사가 만들어져 갔던 것이다.

사에 대한 진실을 엿본 듯한 느낌으로……"(p.369). 양자를 비교해 보면 금방 알 수 있듯, 다분히 소극적이었던 초간본에서의 표현이 2007년의 재간본에 이르러 보다 적극적이고 힘 있는 표현으로 고쳐진 것이다.

하지만 그 역사 전개의 구체적인 양태에 있어서는 상당히 중요한 변화가 있었다. 그 변화의 핵심에 자리 잡고 있는 것은 서로 연결되어 있는 두 가지 사건이었다. 하나는 1972년 10월에 이른바 '10월유신'이라는 명칭으로 행해진, 박정희 대통령에 의한 '친위 쿠데타'였고, 다른 하나는 1973년 1월에 역시 박정희 대통령에 의해서 선포된 '중화학공업화 선언'이었다. 이 두 가지 사건의 배경과 의미에 대한 이영훈의 설득력 있는 분석을 아래에 인용해 두기로 한다.

> 10월유신의 정치적 배경에는 1960년대 말부터 심각해진 군사안보의 위기가 있었다. 1968년 이래 북한은 군사적 도발을 강화하였다. 1969년 미국의 닉슨 대통령은 장차 동아시아에서 점진적으로 후퇴할 계획의 닉슨 독트린을 발표하였다. 박정희는 한국의 안보는 스스로 책임질 수밖에 없으며, 자주국방을 위해서는 중화학공업화가 시급하다고 생각하였다.
>
> 10월유신의 경제적 배경으로서는 1972년을 전후하여 노동집약적 경공업제품의 수출만으로는 더 이상 고도성장을 지속할 수 없게 된 사정을 들 수 있다. (…) 저수익의 노동집약적 제품을 통해 1971년 한국경제는 수출 10억 달러의 고지를 넘었다. 그렇지만 더 높은 고지를 점령할 성장 동력의 전망은 분명치 않았다. 한국경제가 일종의 한계에 봉착한 징후는 여러 곳에서 분명해지고 있었다. (…) 중화학공업화의 추진은 여기서 출발하였다.
>
> 야당과의 정치적 갈등도 다른 한편의 배경을 이루었다. (…) 야당은 1967년과 1971년의 대통령 선거에서 박정희의 수출주도형 개발정책을 비판하면서 그 대안으로 대중경제론을 제시하였다. 그것은 해외 수출시장이 아니라 국내시장을 무대로 하여 대기업이 아니라 농업과 중소기업을 우선적으로 발전시키자는 개발정책이었다. 박정희

와 야당의 개발정책은 그 전제가 되는 정치철학이나 역사관에서 너무 달랐다. 자주국방과 수출 100억 달러라는 고지의 점령을 구상하고 있는 박정희에게 야당의 대중경제론은 아무래도 수용하기 힘든 무책임한 주장이었다. 민주주의 정치제도에 충실하면 야당으로 정권이 교체되어야 마땅한 시기였다. 그렇지만 정권이 교체되면 개발정책의 기조가 근본적으로 달라져 새로운 성장 동력의 모색은커녕 지난 10년간에 걸쳐 구축한 고도성장의 체제가 해체될 터였다.

이러한 요인들을 배경으로 박정희는 10월유신이라는 정변을 감행하였다. 1973년 6월에 발표된 중화학공업화 계획은 철강, 비철금속, 기계, 조선, 전자, 화학 공업을 6대 전략 업종으로 선정하고, 차후 8년간 총 88억 달러의 자금을 투자하여 1981년까지 전체 공업에서 중화학공업의 비중을 51%로 늘리고, 1인당 국민소득 1,000달러와 수출 100억 달러를 달성하겠다는 청사진을 제시하였다.[24)]

이른바 10월유신은 위에서 설명한 바와 같은 맥락에서 감행된 것이었다.[25)] 그런데 이 10월유신이라는 것은, 다른 한편으로 보면, 정치적 억압의 정도가 1960년대보다 강화되었다는 의미를 지니는 것이 될 수밖에 없었다. 그리고 그것은 정치권력에 대한 저항 투쟁의 강도 역시 1960년대보다 훨씬 높아지는 쪽으로 변화해 가도록 만드는 원인으로 작용할 수밖에 없었다. 거기에서 파생된 부수적 결과 가운데 하나가, 1970년대의 우리 문학이 그전보다 더욱 뚜렷한 사회비판적 성격을 갖게 된 것이었다.

---

24) 이영훈, 『대한민국 역사』(기파랑, 2013), pp.341~343.

25) 10월유신에 대한 이상의 간략한 설명에 아쉬움을 느끼고 그것에 대한 좀 더 상세한 이해를 얻고자 하는 사람이라면 김형아가 쓰고 신명주가 번역한 『유신과 중화학공업: 박정희의 양날의 선택』(일조각, 2005)을 자세히 읽어볼 필요가 있다.

이처럼 사회비판적 성격을 강화하는 방향으로 나아가면서, 이 시대의 문학은 그전의 것보다 일층 절박하고 노기 서린 음조를 띠게 된다. 『서울은 만원이다』에서 볼 수 있었던 온기나 여유 같은 것은, 새로운 시대의 문학 속에서는 거의 자취를 감추게 되는 것이다.

이제 대략 이상과 같은 일반론적 성격 규정을 전제하면서, 1970년대의 대표적인 문학적 성과들 중 서울과 직접 관련된 부분을 선별하여 짚어 보기로 하자.

여기서 우리가 우선적으로 주목하게 되는 것은, 도시빈민 혹은 서발턴이라는 명칭으로 일컬어지는 주변부 서울 사람들의 삶을 형상화한 작품들이다. 이호철이 1960년대 중반에 발표한 『서울은 만원이다』는 이런 사람들의 삶을 그리면서 일말의 온기와 여유를 보여줄 수 있었다. 그러나 1970년대로 넘어오면 양상이 판이해진다.

1973년에 발표된 조선작의 단편 「영자의 전성시대」와 「성벽」을 이 계열에서 나온 1970년대의 대표작으로 볼 수 있는데 이 작품들에서 우리가 만나게 되는 것은 온기니 여유니 하는 것은 떠올릴 겨를조차 없이 생존의 벼랑 끝에 내몰린 사람들의 절망적인 몸부림과 광태(狂態)이다. 1977년에 발표된 윤흥길의 화제작 「아홉 켤레의 구두로 남은 사내」도 다르지 않다. 이 작품은 1971년 8월 광주대단지 사건이 터졌던 경기도 광주 지역을 공간적 배경으로 삼고 있으나 서울과 문학을 연계시켜 검토하는 자리에서 언급될 만한 자격을 충분히 갖추고 있다. 광주대단지에 모여든 사람들이 원래 무작정 상경 길에 올라 서울의 도시빈민으로 살다가 반강제로 그곳에 옮겨진 이들이며 소설의 주인공 권기용도 그러한 인물의 전형에 해당한다는 점에서, 그리고 광주대단지 사건 자체가 광주의 일이라기보다 서울의 일로 간주되어야 마땅하다는 점에서 그러하다. 그런데 이 작품을 지배하고 있는 기조 역시 「영자의 전성시대」나 「성벽」의 그것과 동일한 범주의 것으로 규정될 수 있는 것이다. 다음에 전문을 인용하는 정희성의 시 「노천(露天)」(1974)에서도 역시 비슷한 양상이 발견된다.

> 삽을 깔고 앉아
> 시청 청사 위 비둘기집을 본다
> 쨍쨍한 여름하늘에
> 손뼉을 치며 날아오르는 비둘기떼
> 그 너머 붉은 산비탈엔
> 엊저녁 철거당한 내 집터가
> 내 손의 흠집처럼 불볕에 탄다
> 손뼉을 쳐라
> 너는 숨죽여 울지 않아도 좋다
> 엊저녁 아궁지에 숨겨둔 불씨
> 땡볕에 주저앉은 풀포기만큼
> 비둘기야, 나는 울어도 좋으냐
> 엎드려서 짐승같이 울어도 좋으냐[26)]

물론 도시빈민을 노래하는 시라고 해서 반드시 「노천」과 같은 스타일로 쓰여야만 한다는 법칙이 있는 것은 아니었고, 다음에 인용하는 정호승의 작품 「가두 낭송을 위한 시 2」에서 보듯 좀 더 유연하고 차분한 음조로 공감을 유도하는 작품이 나올 가능성도 아직 폭넓게 열려 있기는 했다.

---

26) 정희성, 『저문 강에 삽을 씻고』(창작과비평사, 1978), p.72.

서울에서 가장 가난한 사람들아
별을 바라보는 마음으로 일생을 살자
인간의 집이 있었던 산 위에 올라
새벽별을 바라보며
삶이라는 직업에 대하여 생각하자.
고향으로 돌아가는 밤기차를 놓치고
새벽 거리의 가랑잎으로 흩어질지라도
어머니 무덤가에 사라졌다 빛나는
새벽별을 바라보며
별을 사랑하는 사람들을 노래하며 살아가자.
오늘밤 사람들이 숨어 떨던 어둠 속에는
고향으로 가는 별이 스치운다.
별 속에는 가없이 꿈이 흐른다.
서울에서 가장 가난한 사람들아
꿈을 받으라.
고향으로 흐르는 별을 찾아서
별을 바라보는 마음으로 일생을 살자.[27)]

그러면 정희성이나 정호승이 도시빈민을 소재로 하여 위에서 인용된 바와 같은 시들을 쓰고 있던 1970년대의 서울에서, 빈민과 대비되는 위치에 있는 중산층의 사람들은 어떤 삶을 살았던가? 이 물음에 대한 답은 물론 단일한 것일 수 없겠지만, 그 시대 중산층의 삶이라고 해서 전반적으로 편안하지만은 않았다는 것 한 가지는 확실하다.

그 점을 우리는 박완서의 장편 『휘청거리는 오후』(1977)의 주인공

27) 정호승, 『슬픔이 기쁨에게』(창작과비평사, 1979), p.29.

허성을 통해 확인해볼 수 있다. 그가 조그마한 기업의 사장이 되어 어느 정도의 부를 축적한 덕분에 "동생과 딸들이 주린 것 모르고 대학 마쳤고 아내도 궁기를 벗고 제법 귀부인 티가 났고 반들반들한 양옥까지 장만했다."[28] 하지만 그는 나름대로의 양심을 지키며 살려고 고군분투하다가 좌절하고 몰락의 도정을 밟는다. 결국 그는 자살로 생을 마감하는데, 그를 자살로 이끈 것은 "오로지 남은 건 쇠고랑을 차는 치욕뿐"인 상태가 되었을 때 그의 마음속에 떠오른 "어찌 감당하랴 그 불명예를. 남이 알아주는 세속적인 명예는 없었지만 저승까지 지니고 가고픈 그 나름의 명예가 있었거늘"[29]이라는 생각이었다. 그러면 그는 왜 파멸의 길로 접어들고 말았던가? 거기에는 여러 복합적인 요인이 작용하고 있지만, 그것을 한마디로 요약하면, 거짓된 욕망의 거품으로 끓어오르는 천민자본주의적 도시 사회의 압력이 아내와 세 딸들을 중개자로 삼아 그에게 덮쳐들 때 마음을 독하게 먹고 그것을 막아내야 했었는데 그러지 못했다는 것으로 정리된다. 그리고 허성이 이러한 잘못의 책임을 지고 자살하는 데까지 이야기를 끌고 나감으로써 『휘청거리는 오후』는 경제 성장의 화려한 외양 이면에 도사린 그 시대 중산층의 문제점을 날카롭게 파헤친 수작의 반열에 오르게 되는 것이다.

위에서 '천민자본주의적 도시 사회의 압력'이라는 표현을 쓴 바 있거니와 이러한 압력과 관련된 중산층의 여러 문제들을 박완서는 그의 또 다른 장편 『도시의 흉년』(1979)에서 더욱 큰 규모로 광범위하게 다

28) 박완서, 『박완서소설전집』 1(세계사, 1993), p.17.

29) 위의 책, p.544.

루고 있다. 그런데 이 작품의 결말 처리는『휘청거리는 오후』의 그것과 사뭇 대조적이다. 중년의 인물을 주인공으로 내세우고 그의 자살로 마무리를 지었던『휘청거리는 오후』와 달리 젊은 여자대학생을 화자 겸 주인공으로 등장시킨『도시의 흉년』은 그가 자신의 동반자와 함께 시골에 정착하면서 새로운 희망과 결의를 다지는 것으로 끝을 맺는다.

『도시의 흉년』의 이와 같은 결말 처리 방식은 천민자본주의적 도시 사회의 압력에 맞서는 한 가지 방식을 독자들에게 선보이고 그것에 대해 함께 숙고해볼 것을 제안하고 있다는 점에서 의미 있는 것으로 평가될 만하다. 하지만 이 작품이 쓰인 1970년대의 현실이 어떠했는지를 고려하면서 좀 더 차분하게 생각하면 여기서 제시된 방식은 현실적 효용성과 설득력이 크지 않다는 지적을 피할 길이 없어 보인다. 그렇다면『도시의 흉년』은『휘청거리는 오후』의 냉정한 리얼리즘에서 한 걸음 물러난 것이라고 해석될 소지도 있다.

한편, 10월유신이 선포되고 중화학공업 정책이 맹렬하게 추진되면서 정치적 억압이 전보다 더 강화되었다는 사실은 자연히 비판적 지식인들의 치열한 저항 투쟁을 불러일으켰고 그것은 다시 권력층에 의한 지성의 억압을 강화하게 되는 악순환을 낳았다. 이러했던 1970년대 역사의 전개 과정을 떠올려 보면, 다음에 인용하는 정희성의 시「어두운 지하도 입구에 서서」(1977)에 담겨 있는 메시지가 새삼 묵직한 중량감을 가지고 다가오는 것을 실감할 수 있다.

> 저녁무렵, 박수갈채로 날아오르는
> 저 비둘기떼의 깃치는 소리
> 광목폭 찢어 펄럭이며

피묻은 팔뚝 함께 일어서
만세 부르던 이 광장
길을 걸으며 나는 늘
역사를 머리 속에 떠올린다
종합청사 너머로 해가 기울면
조선총독부 그늘에 잠긴
옛 궁성의 우울한 담 밑에는
워키토키로 주고받는 몇 마디 암호와
군가와 호루라기와 발자국소리
나는 듣는다, 이상하게 오늘은
술도 안 취한다던 친구의 말을
신문사를 가리키며 껄껄대던 그 웃음을
팔엔듯 심장엔듯 피가 솟구치고
솟구쳐 부서지는 분수 물소리
저녁무렵, 박수갈채로 날아오르는
저 비둘기떼 깃치는 소리 들으며
나는 침침한 지하도 입구에 서서
어디론가 끝없이 사라지는 사람들을 본다
건너편 호텔 앞에는 몇 대의 자동차
길에는 굶주린 사람 하나 쓰러져
화단의 진달래가 더욱 붉다[30)]

물론 이런 시를 썼고 또 앞에서 인용한 시 「노천」을 쓰기도 했던 정희성을 포함하여, 당시 치열한 저항 투쟁에 앞장섰던 비판적 지식인들이 일반적으로 지녔던 지력(知力)의 수준에는 엄연한 한계가 있

30) 정희성, 앞의 책, pp.26~27.

었다. 그들 가운데 대부분은, '정권이 교체되면 개발정책의 기조가 근본적으로 달라져 새로운 성장 동력의 모색은커녕 지난 10년간에 걸쳐 구축한 고도성장의 체제가 해체될 것'이라는 박정희의 깊은 우려를 이해할 능력도 없었고 그런 것을 이해하기 위해 노력해볼 의사도 없었던 사람들이었다. '해외 수출시장이 아니라 국내시장을 중심 무대로 삼고 대기업이 아니라 농업과 중소기업을 우선적으로 발전시키자는 정책을 주장하는 세력이 집권하여 한국의 진로를 완전히 다른 방향으로 틀어버린다면 이 나라의 미래는 어떻게 될 것인가?'라는 물음을 제기할 능력도, 그런 물음이 중요하다는 사실을 인식할 능력도, 그들에게는 없었다는 얘기다. 예외적으로 경제를 좀 안다고 자처했던 나머지 일부분은-그 중에는 '국내시장, 농업, 중소기업' 위주의 정책을 입안한 사람들 가운데 일부도 이런저런 방식으로 섞여 있었던 셈인데-세계사적인 차원에서 후일 그 오류성이 명백히 입증된 마르크스주의라든가 종속이론, 민족경제론 따위에 홀려 있었던 사람들이었다.[31)]

박정희의 10월유신 자체에 대해서는 물론 냉정한 역사적 평가가

---

31) 박정희의 경제정책과 박정희 반대파들이 내세웠던 '국내시장, 농업, 중소기업' 위주의 경제정책을 대비하여 논의하고 있는 조동근의 다음과 같은 지적은 깊은 공감을 불러일으킨다. "박정희 대통령이 선택한 대외지향적 수출전략은 옳았다. 내수를 넘어 해외시장에 눈을 돌린 것은, 비유하자면 운동장을 넓게 쓴 것이다. 만약 당시 반(反)박정희 지식인들의 주장대로 농업중심의 산업생산, 그리고 중소기업과 내수 위주의 경제운영을 도모했다면 '대장간, 철물점, 정미소, 양조장' 등이 여전히 선망의 대상이었을 것이다. 1960년대 필리핀이 한국보다 나았으므로 필리핀을 상정하더라도 크게 무리는 아닐 것이다. 박정희의 경제정책에 대해 비판적 시각을 유지해 온 좌파 지식인들은 한 번도 그들의 편협한 시각에 대해 유감을 표명한 적이 없다"(조동근, 「'박정희 정신'을 다시 생각한다」, 『펜앤드마이크』, 2018. 10. 22).

가해져야 하겠지만, 그것과 더불어 그 시대 비판적 지식인들 일반의 이러한 한계도 역시 분명하게 지적될 필요가 있다.

6. 맺는말

1979년 10월 26일, 박정희 대통령은 김재규 중앙정보부장에 의해 암살되었다. 박정희의 죽음과 더불어 한국의 역사에서는 한 페이지가 끝났고 동시에 서울의 역사에서도 한 페이지가 끝났다. 한 페이지가 끝나고 나면 바로 다음 페이지가 열리는 법이다. 한국 역사의 그 다음 페이지에는, 그리고 서울 역사의 그 다음 페이지에는 어떤 내용이 기록되었던가? 그리고 이처럼 새롭게 기록된 내용에 대응하여, 문학의 영역에서는 또 어떤 작품들이 모습을 드러내었던가? 이런 물음들에 대한 답을 찾아보는 것은 앞으로의 과제로 미루어 두고자 한다.

도시공간으로서의 서울과 소설 연구의 과제[1)]

1. 들어가는 말

이재선이 그의 저서 『한국현대소설사』(홍성사, 1979)에서 처음으로 '도시소설'에 대한 본격적 논의를 시도한 이후 지금까지 30여 년의 세월이 흐르는 동안 이 분야에서는 매우 많은 연구 성과가 축적되었다. 그러한 연구 성과 가운데 상당 부분이, 좀 더 구체적으로 보면, '서울을 무대로 한 소설'의 연구에 해당한다. 그러고 보면 이 기간 동안 '서울을 무대로 한 소설의 연구'라는 분야에서도 꽤 많은 양의 성과가 축적된 셈이다. 그뿐만 아니라 '도시소설 연구 일반'과 구별되는 자리에 서서 또 다른 시각으로 '서울을 무대로 한 소설의 연구'에 임한 결과로 나온 성과들도 이제는 어느 정도의 부피와 무게를 가지게 된 것이 사실이다.

이러한 상황에서 '한국 현대소설과 서울'이라는 주제를 가지고 본격

1) 이 글은 2012년 11월 3일 한성대학교에서 '한국 현대소설과 서울'이라는 주제로 열린 한국현대소설학회 정기학술대회의 기조발제문으로 발표된 후 『현대소설연구』 제52호(2013. 4)에 게재되었다.

적인 연구 발표와 토론의 장을 마련한다는 것은, 서울을 무대로 한 소설의 연구에 있어 새로운 발전을 기할 가능성이 있는가, 가능성이 있다면 어떤 방향에서 그것을 찾을 수 있는가라는 질문에 대한 답을 진지하게 모색하는 작업으로서의 의미를 갖는다.

위와 같은 질문 앞에서 실제로 우리에게 우선적으로 요청되는 일 가운데 하나는, '서울을 무대로 한 소설'이라는 '대상'의 '심층'에 자리 잡고 있는 근원적인 문제를 다시 한번 깊이 천착해 들어가 보는 일일 것이다. 그렇다면 여기서 우리의 천착을 기다리고 있는 '심층'의 문제로 가장 먼저 검토되어야 할 것은 과연 무엇일까? 논의의 대상이 '서울'을 무대로 한 '소설'이라는 사실을 조금만 생각해 보면 이 물음에 대한 답은 어렵지 않게 얻어진다. '서울'의 심층에 놓여 있는 문제로는 '도시에서의 인간의 삶'을 둘러싼 문제를 첫 번째로 들지 않을 수 없으며, '소설'의 심층에 놓여 있는 문제로는 '문학의 역할'이라는 문제를 역시 첫 번째로 들지 않을 수 없는 것이다. 이러한 '심층'의 문제들을 다시 한번 깊이 천착해 보고, 그 다음에 방향을 한 번 더 돌려서 '서울을 무대로 한 소설'에 대한 구체적 논의로 되돌아올 때, '한국 현대소설과 서울'이라는 주제와 관련된 연구는 한 단계의 진전을 기대할 수 있을 것으로 생각된다.

이 글에서 나는 바로 위와 같은 생각에 따라서 논의를 진행하고자 한다. 우선 제2장에서는 '도시에서의 인간의 삶'을 둘러싼 문제와 '문학의 역할'이라는 문제에 대한 본격적 논의를 새롭게 시도해 볼 것이다. 그런 다음 제3장에서는 논의의 방향을 구체적인 데로 돌려서 '서울을 무대로 한 소설'과 관련된 몇 가지 문제를 검토할 것이다. 그리고 제4장에서는 제3장에서의 논의를 이어받아, 서울을 무대로 한 소설에 대한 연구의 방향과 관련된 한 가지 제언을 할 것이다.

2. '도시에서 산다는 것'과 문학의 역할

도시를 나타내는 비유적 표현으로 '아스팔트 정글' 혹은 '콘크리트 정글'이라는 말을 사용하는 것은 오랜 관행에 해당한다. 동물학자인 데즈먼드 모리스는 바로 이러한 관행에 이의를 제기하고, 도시를 굳이 동물의 세계에 비유하여 표현하고자 한다면 차라리 그것을 '인간동물원'이라고 부르는 편이 적절하다고 주장한 바 있다.[2] 그의 저서 『인간동물원』(1969)의 한 대목을 직접 인용해 보자.

> 자연 서식지에 살고 있는 야생동물은 정상적인 상황에서는 결코 자해행위나 자위행위를 하지 않고, 어버이나 자식을 공격하지도 않으며, 위암에 걸리거나 비만에 시달리거나 동성애관계를 맺거나 자살하지도 않는다. 그런데, 구태여 말할 필요도 없는 일이지만, 도시에 거주하는 인간들 사이에서는 이런 일들이 모두 일어난다. 그렇다면 이것은 인간과 다른 동물의 근본적인 차이를 드러내는 것일까? 언뜻 보기에는 그런 것 같다. 하지만 여기에 현혹되면 안 된다. 다른 동물들도 좁은 곳에 갇혀 있는 부자연스러운 상황에서는 이런 식으로 행동하기 때문이다. 동물원 우리 속에 갇혀 있는 동물들은 인간사회에서 너무나 흔히 볼 수 있는 이런 비정상적인 행동을 모두 보여준

---

2) 지금부터 내가 데즈먼드 모리스와 하비 콕스의 저서에 대해 언급하면서 전개하는 논의는 나의 글 「한국문학의 도시문제 인식에 대한 비판적 고찰」(1999)에서 제시되었던 내용을 다시 정리하여 서술하면서 약간의 수정을 덧붙인 것이다. 이 글은 나의 책 『한국문학 속의 도시와 이데올로기』(태학사, 1999)에 수록되어 있다.

다. 그렇다면 도시는 콘크리트 정글이 아니라 인간동물원인 게 분명하다.[3)]

모리스가 말한 바 그대로, 도시는 '인간이라는 종에게 어울리는 자연스러운 상황'이 아니다. 인류는 단지 몇 사람만으로 구성된 자연 단위를 이루고서 드넓은 공간을 돌아다니며 수렵과 채취에 종사하는 생활양식을 수백만 년 동안 유지해 왔다. 인류의 생물학적 특징은 자연히 여러 가지 면에서 그러한 생활양식에 잘 맞는 쪽으로 진화되어 왔다.

그런데 이런 인류가 문명을 만들더니, 다시 도시를 만들었다. 도시를 만들고는, 수렵/채취 시대에 돌아다니던 공간의 넓이와는 도무지 비교가 되지 않을 만큼 좁은 공간에 수천 명, 수만 명이 모여서 사는 생활양식을 창출해내었다. 이런 새로운 생활양식이 처음 창출된 후 지금까지, 세월이 얼마나 흘렀는가? 수천 년이다. 수천 년이라면 긴 세월 같지만, 인류가 수렵/채취 생활을 해 온 수백만 년의 길이에 비하면 그 정도는 아무것도 아니다. 인류가 진화해 온 기간 전체를 24시간으로 비유한다면 그 중 마지막 3분에 불과하다는 계산이 나올 정도로 짧은 기간이다.[4)]

그런데 바로 이 수천 년 동안 놀랍게 팽창한 것이 있다. 도시의 '규모'다. 그동안에 도시의 규모는 수천 명, 수만 명에서 수십만 명, 수백만 명으로 팽창했다. 베이징, 뉴욕, 서울 같은 경우는 지금 그 인구가

3) 데즈먼드 모리스, 『인간동물원』(김석희 역, 한길사, 1994), pp.12~13.

4) 공병호·김정호, 『갈등하는 본능』(한길사, 1996), p.29.

천만 명을 넘었다.

소규모 자연 단위를 이루어 넓은 공간을 돌아다니며 수렵과 채취를 영위하는 생활에 걸맞은 체질을 갖도록 진화해 온 인류라는 종이, 도시라는 한정된 공간에 수백만 명, 많게는 천만 명이 모여 살게 되었다! 그러니 이런 도시를 '인간동물원'이라고 부르는 것이 마땅하지 않은가? 그리고 이 동물원에서 인간은 온갖 비정상적인 행동을 보여주고, '극도의 중압감에 짓눌려 깨져 버릴 위험에 항상 노출되'는 신세가 될 수밖에 없는 것이 아닌가?

그러나 실제로 대다수의 현대 도시인들은 그러한 도시 공간 속에서 상당히 잘 살아간다. 일찍이 시인 릴케가 쓴 유일한 장편소설 『말테의 수기』(1910)의 주인공이자 화자인 말테 브리게는 그 작품의 첫줄에서 대도시 파리를 이야기하며 "사람들은 살기 위해서 이 도시로 모여든다. 하지만 내게는 도리어 죽기 위해 모인다는 생각이 든다"[5]는 말을 하고 있지만, 그런 말을 그대로 믿기는 어렵다. 대다수의 사람들은 살려고 도시로 오며, 실제로 도시에서 그런대로 잘 살아낸다.

물론 이 '잘 살아낸다'는 것의 구체적인 내용과 질이 문제이기는 하다. 그 점에 대해서는 따로 논의를 해야 할 것이다.

그뿐만이 아니다. 잘 살아내는 데 실패하는 사람들도 있다. 항상 있다. 그리고 이런 사람들의 존재는 결코 가볍게 취급되어도 좋은 것이 아니다.

하지만 '잘 살아낸다'는 것의 구체적인 내용과 질이 문제라는 사실 때문에, 또는 실제로 잘 살아내는 데 실패한 사람들의 존재 때문에,

---

5) 라이너 마리아 릴케, 『말테의 수기』(박환덕 역, 문예출판사, 1999), p.9.

새로이 도시로 향해 오는 후속 유입자들의 흐름이 중단되거나 결정적으로 감소된 적은, 적어도 지금까지는, 거의 없었다. 어떤 심각한 문제 제기나 실패의 선례가 주는 경고 신호로도 막아낼 수 없을 만큼 도시는 이제 다수의 사람들에게 매력적인 거주 공간이 된 것이다.

도대체 도시의 어떤 점이 그렇게도 매력적인 것일까? 바로 이 물음에 대해서도 모리스의 말에 귀를 기울여 보는 것이 유익하다. 그는 다음과 같이 말하고 있는 것이다.

> 인간이라는 동물은 초부족의 혼란 속에 내던져지는 것에서 깊은 만족을 얻는 생물학적 자질을 타고났다. 그 자질은 만족할 줄 모르는 호기심, 풍부한 창의성, 지적인 활동성 등이다. 도시의 혼란은 인간이 이런 자질을 더욱 왕성하게 발휘하도록 부추기는 것 같다.[6)]

인류라는 종의 생물학적 특징은 앞에서 말한 것처럼 여러 가지 점에서 수렵/채취 생활의 환경에 걸맞은 쪽으로 진화해 왔지만, 다른 한편으로 인류는 '만족할 줄 모르는 호기심, 풍부한 창의성, 지적인 활동성' 등의 자질도 자신의 특징으로 가지게 되었는바, 그와 같은 자질들을 발휘하기에 아주 적합한 조건을 바로 도시라는 공간이 제공해 주고 있으며 이 점이야말로 사람들을 계속해서 도시에 매혹되고 도시로 향하게 만드는 원동력으로 작용하고 있다는 것이다.

동물학자답게 인류라는 종의 생물학적 특징에 초점을 맞추면서 모

6) 데즈먼드 모리스, 앞의 책, p.49. 이 인용문 속에 나오는 '초부족(super-tribe)'이라는 용어는 모리스 자신이 만든 것이다. 그는 도시를 구성하고 있는 집단을 전통적인 부족(tribe)과 구별하기 위해 이 말을 사용하고 있다.

리스가 제시하고 있는 이와 같은 설명은 상당히 설득력 있는 것으로 생각된다. 이러한 그의 설명에 다시 신학자인 하비 콕스의 『세속도시』(1965)에서 제시된 설명을 합쳐 놓고 보면, '도대체 도시의 어떤 점이 그렇게도 매력적인 것일까?'라는 앞에서의 질문은 거의 완전한 답을 얻게 되는 것이 아닐까 싶다. 콕스는 『세속도시』에서 현대 도시 생활의 특징을 익명성(anonymity), 이동성(mobility), 실용주의(pragmatism), 불경성(profanity) 등의 몇 가지 개념으로 요약하면서 이들 모두가 인간의 자유와 해방을 위해 긍정적으로 작용하는 성격을 가진다는 점을 다각도로 지적하고 있거니와,[7] 도시가 이처럼 인간의 자유와 해방에 긍정적으로 작용하는 요소들을 풍부하게 간직하고 있다는 점 때문에도 수많은 사람들은 계속해서 도시로, 도시로 향하지 않을 수가 없는 것이다.

'도시가 인간의 자유와 해방에 긍정적으로 작용하는 요소들을 간직하고 있다'는 말을 들으면 많은 사람들은 우선 정치적 자유와 해방의 문제를 생각할 것이다. 사실 인간의 정치적 자유와 해방을 제대로 확보하기 위한 투쟁에 있어서 도시는 시골보다 훨씬 유리한 조건을 가지고 있다. 그리고 도시 중에서도 특히 대도시가 유리한 조건을 가지고 있다. 그런 만큼 세계의 많은 대도시들의 역사 속에는 정치적 자유와 해방을 확보하기 위한 투쟁의 기록이 풍부하게 들어 있다. 그리고 이

---

7) 하나만 예를 들자면, 도시 생활에 필연적으로 따르게 되는 익명성, 즉 도시 사람들이 그의 생활 속에서 누구나 익명의 존재가 되어버린다는 사실은 "그들을 위협하는 현상이기보다 해방시켜 주는 현상"이며, 그것은 "수많은 사람들에게 율법과 관례의 멍에가 아니라 자유의 가능성으로서 봉사하"는 것이며, "인간 생활에서 필수적인 사생활(privacy)을 유지하는 데" 도움이 되는 것임을 콕스는 지적한다. 하비 콕스, 『세속도시』(신판, 구덕관 외 5인 공역, 대한기독교서회, 1993), p.49.

러한 투쟁의 역사는 당연히 수많은 도시소설들 속에 반영되어 있다. 위고의 『레 미제라블』(1862) 제5부에서 파리를 무대로 하여 전개되고 있는 1832년의 혁명을 위한 처절한 시가전의 드라마는 그 중에서도 백미에 해당하는 경우일 것이다. 그런가 하면 염상섭의 『사랑과 죄』(1928)라든가 『삼대』(1931)와 같은 작품 속에서 인상 깊게 그려지고 있는 일제강점기의 저항투쟁도 역시 그 작품들의 무대가 되고 있는 서울이라는 대도시의 공간적 특징과 떼놓고 생각할 수 없는 것들이다.

그러나 사실 콕스가 『세속도시』에서 역점을 두어 강조한 '자유와 해방'은 역사책 속에서 큰 활자로 기록되는 정치적 차원의 자유와 해방보다 훨씬 폭이 넓고 지속적이며 일상에 밀착되어 있는 개념이다. 그것은 정치적 차원이 문제되는 경우이거나 그렇지 않은 경우이거나를 따질 필요 없이 모든 사람들이 영위하는 하루하루의 생활 속에서 언제나 제기되는 자유와 해방의 문제를 겨냥하고 있는 것이다. 바로 이런 차원에서의 자유와 해방에 긍정적으로 작용하는 요소들을 도시에서의 생활은 시골에서의 생활과는 비교할 수 없을 정도로 풍부하게 간직하고 있다는 것이, 콕스가 말하고자 한 바이다(물론 이 경우에도 역시 '그 자유와 해방의 구체적인 내용과 질이 어떤 것이냐'라는 질문은 따로 제기되어야 하는 것이지만 말이다).

그렇기는 하지만, 앞에서도 말한 바와 같이 도시에서 잘 살아내는데 실패하는 사람들도 항상 있으며, 그들의 존재는 결코 가볍게 취급되어도 좋은 것이 아니다. 특히 문학의 입장에서 보면 더욱 그러하다. 문학은—그 중에서도 특히 근대문학은—바로 이런 실패자들의 삶에 주목하고 그것에 명료한 표현을 부여하는 것에서 자신의 사명을 찾는 경향이 있으며 그것은 그것대로 중요한 문화적·사회적 의미를 지니기 때문이다. 오래전 김현이 그의 일기에 적어 놓았던 다음의 기록을 떠올려 보자.

> 이태의 『남부군』을 읽고 난 뒤의 느낌:
>
> 1) 언제나 누군가가 기록을 하고 있다. 그 기록은 패한 사람의 기록일수록 희귀하고 호기심을 자아낸다. 이긴 사람의 기록은 너무 많이 선전되고 홍보되기 때문에, 지식으로 들어오며, 지식이 된 이야기는 재미가 없다. 재미는 호기심에서 연유한다.
>
> 2) 패한 자의 기록은 증오를 낳지 않는다. 그것은 패한 사람에 대한 동정과 연민을 낳는다. 패한 사람의 기록이 갖는 역사적 가치는 패한 사람도 사람이라는 것을 보여주는 데 있다.[8] 패한 사람도 사람이라는 것이 밝혀지면, 증오심은 어느 정도 사라진다…….[9]

위에 인용한 김현의 일기 한 대목은 직접적으로는 '실패한 지리산 파르티잔 부대'의 대원이었던 이태의 수기를 대상으로 한 것이지만 넓게 보면 문학 전반에 대한—특히 근대문학 전반에 대한—중요한 통찰을 담고 있는 것으로서 오래 재음미되고 환기될 필요가 있는 것으로 생각된다. 이런 각도에서 보면 도시와 도시인의 삶을 다루는 문학작품이 도시에서 잘 살아내는 데 실패한 사람들의 경우에 각별한 관심을 기울이게 되는 것은 필연적인 현상이며 또 바람직한 현상이기도 하다.

그렇다면 도시에서 잘 살아내는 데 실패하는 사람들은 어떤 이유로 해서 실패하는 것일까? 이 물음에 대해 간단하게 한두 마디로 답할

---

8) 이 대목의 원문은 "패한 사람이 갖는…"으로 되어 있으나 그것은 "패한 사람의 기록이 갖는…"을 착오로 잘못 인쇄한 것이라고 생각된다.

9) 김현, 『행복한 책읽기』(문학과지성사, 1992), p.173.

수는 없다. 실패한 사람의 수만큼 많은 이유가 있는 것이다. 그러나 가장 대표적인 이유 가운데 하나가 도시의 화려한 외관과 그 배후의 진실 사이에 가로놓여 있는 먼 거리에서 연유하는 도시의 '기만성'이라는 사실만은 어렵지 않게 지적할 수 있다. 바로 이 점에 대해 지금으로부터 근 2백 년 전에 이미 절묘한 문학적 표현을 부여하는 데 성공했던 예를 우리는 알고 있다. 고골의 유명한 중편소설 「네프스끼 거리」(1835)가 바로 그 예를 보여준 작품이다. 이 작품의 서두는 다음과 같은 말로 시작한다.

> 빼쩨르부르그에는 네프스끼 거리보다 더 나은 곳이 없다. 이 거리는 이 도시를 위한 모든 것을 갖추고 있기 때문이다. 수도의 미인이라고 할 수 있는 이 거리가 왜 훌륭하지 않겠는가! 내가 아는 바로 이곳 사람들은 가난한 자든 고위직 관리든 누구나 네프스끼 거리를 다른 어떤 좋은 곳과도 바꾸고 싶어하지 않는다.[10)]

그러고 나서 작품은 바로 이러한 '수도의 미인'에게 감추어져 있는 '기만성'에 걸려들어 파멸하는 사람의 이야기를 들려준 후, 다음과 같은 말로 끝을 맺는다.

> 가로등뿐만 아니라, 모든 것에 허위와 기만이 넘쳐난다. 이 네프스끼 거리라는 건 언제나 거짓말을 한다. (…) 무수한 마차가 다리쪽에서 몰려오고 마부가 고함을 치며 말 위에서 뛰어내릴 때, 그리고 악마가 모든 것들을 실제 모습으로 보여주기를 거부하고 램프의 불을 직

---

10) 니꼴라이 고골, 『빼쩨르부르그 이야기』(조주관 역, 2002), p.227.

접 켤 때, 네프스끼 거리는 더욱 심하게 사람들을 속인다.[11]

고골이 네프스끼 거리의 이야기를 통해 고발하고 있는 도시의 이런 기만성에 의해 파멸하는 사람들의 이야기, 혹은 다른 어떤 이유에 의해서든 도시에서 제대로 살아남는 데 성공하지 못하고 실패하는 사람들의 이야기를 문학이 맡아서 대변해 주지 않으면 다른 어느 누가 대변해 주겠는가? 그러고 보면 도시에서의 삶을 다루고자 하는 많은 근대 소설가들이 실패자들의 이야기에 집중적으로 주목하게 되는 것은 충분히 이해할 만한 일이다. 바로 이러한 작가들 덕분에 세계문학사는 고통스러운 기억들만을 지닌 채 파리로부터 쫓겨나는 『환멸』(발자크, 1843)의 뤼시엥 샤르동에서부터, 커다란 희망을 품고 시카고로 갔다가 그 행로의 끝에서 사형집행장을 만나게 되는 『미국의 비극』(드라이저, 1925)의 클라이드 그리피스를 거쳐, 몰락의 길만을 일방적으로 걸어가다가 의문사로 생을 마감하는 『변경(邊境)』(이문열, 1998)의 이명훈에게까지 이르는 수많은 실패자들의 오래 기억될 만한 초상화들을 갖게 된 것이다.

그런가 하면, 도시에서 나름대로 '잘 살아내는 일'에 성공한 사람들의 경우에도 사실은 심각하게 따져보아야 할 점이 존재한다. 앞에서 이미 말했던 것처럼 그 '잘 살아내는 일'의 구체적인 내용과 질이 문제인 것이다. 이 점과 관련하여 한 불교학자의 다음과 같은 지적은 중요한 통찰을 보여준다.

11) 위의 작품, p.282.

> 욕계에서 가장 두드러진 고통은 약자 또는 패자의 고통이다. 그러나 강자 또한 욕망이 지배하는 욕계에 살고 있는 한 고통으로부터 자유롭지 못하다.
>
> 욕망은 나의 결핍을 채우기 위해 내게 없는 것을 탐하고 취하고자 한다. 내게 없는 것이 네게 있으면, 나는 내 경계선 너머 네게로 향해 그것을 나의 것으로 취하고자 한다. 그렇게 해서 나의 결핍이 채워지고 욕망이 충족되면, 결국 나의 영역은 확대되고 너의 영역은 축소되면서 너와 나 사이의 경계선은 이동해간다. 너와 나 사이의 경계선은 본래 그렇게 고정된 불변의 것이 아니라 끊임없이 이리저리로 이동해갈 수 있는 유동적인 것이기 때문이다.
>
> 그런데 경계가 이동해가면 그 경계를 따라 다시 새로운 차이가 만들어지며, 그에 따라 다시 새로운 욕망이 일어난다. 새로운 욕망은 그것이 충족되기까지 다시 새로운 긴장과 갈등을 일으킨다. 결국 강자든 약자든 욕망을 좇아 업을 짓는 모든 중생은 끊임없이 반복되는 욕망의 파도를 타고 언제나 다시 시작되는 삶의 고통을 피할 수 없는 것이다.[12)]

'끊임없이 반복되는 욕망의 파도를 타고 언제나 다시 시작되는 삶의 고통'을 많은 사람들로 하여금 특히 강하게 느끼도록 만드는 공간이 도시이다. 도시에서의 삶은 사람들로 하여금 '만족할 줄 모르는 호기심, 풍부한 창의성, 지적인 활동성' 등의 자질을 적극적으로 발휘하도록 만듦으로써, 또는 '익명성, 이동성, 실용주의, 불경성' 등으로 특징지어지는 생활 태도를 보편화시킴으로써, 결과적으로 '새로운 차이'를

12) 한자경, 「욕망 세계의 실상과 그 너머로의 해탈」, 김종욱 편, 『욕망: 삶의 동력인가 괴로움의 뿌리인가』(운주사, 2008), p.83.

만들어내고 그에 따라 모든 사람들의 마음속에 '새로운 욕망'을 불러 일으키는 작용을 엄청나게 강화하기 때문이다.

그런데 이런 과정을 거쳐서 만들어지는 고통이 어떤 내면적 의의나 초월적 가치를 지니고 있다면 그나마 다행일 터이다. 하지만 그런 다행한 경우가 실제로 얼마나 있을까?

진지한 문학인이라면 바로 이러한 문제점에 대하여서도 깊은 관심을 기울이지 않을 수가 없다. '잘 살아내는 일'의 구체적인 내용과 질을 문제 삼는 일이라든가 인간이 겪는 고통이 어떤 내면적 의의와 초월적 가치를 지니고 있는가를 따지는 일 같은 것을 가장 효율적으로 수행할 수 있는 것이 문학이라는 확신을 많은 문학인들은 공유하고 있기 때문이다.

도시와 도시인들의 삶을 다룬 한국의 해방 직후에서부터 1980년대 말까지의 소설작품들을 폭넓게 검토한 이재선은 그의 검토 작업에서 도출된 결론을 다음과 같이 적고 있거니와, 그로 하여금 다음에 인용되는 바와 같은 내용의 결론을 도출하도록 만든 우리나라의 많은 작가들도 대부분 위와 같은 생각에 따라 자신의 창작을 진행했을 것이다.

> 이러한 도시관 내지 도시인식에 근거되는 문학적 상상력은 도시의 이미지를 주로 미로, 사막, 감옥, 정글, 계곡, 무덤(고려장), 차가움, 쇳내, 닫힌 방, 계고장, 사막, 아스팔트, 구역질, 현기증, 늪(수렁), 쇠의 방, 몰매, 만원버스, 가파른 계단, 수표와 돈, 그물, 담, 달팽이, 부초(浮草), 아파트, 시계, 뿔, 셋방, 돈 및 쓰레기 등의 이미지 패러다임으로 짜고 있는 것이다. 이것이 바로 오늘의 우리 소설에 나타나는 이미지의 그물망이요 이미지의 지도인 것이다. 그래서 여기에서 표상되는 의미는 주로 소외와 갇힘, 무력과 결핍, 잃음과 긴장, 압력

과 눌림, 비정과 냉혹, 위축과 분열, 공해, 추락 등으로 체계화되는 것이다. 이런 도시의 그물 속에 걸린 소설세계의 인간들은 환상적 꿈의 비행기를 날리다 추락하는 난장이나 생의 편력을 채우는 사물 표상인 구두만을 남기고 실종하는 인간이거나 달팽이와 같은 공간에 위축·왜소화된 인간이다. 그런가 하면 욕망의 계단에서 추락하거나 냉랭한 돌처럼 버려지고 너무나 닮은 획일적인 일상의 공간에 유폐되는 수인이며, 정착의 집과 자리인 토포스를 잃어버린 채 떠도는 실향의 부랑인이다. 따라서 현대소설의 도시공간은 희망과 안락한 공간의 시학으로서보다는 폐쇄와 전락과 결핍과 소외 그리고 비정·해체의 시학-타락하고 와해되는 삶, 소유의 양극화와 분배의 불균형, 지뢰처럼 깔려 있는 폭력, 경제적 물질주의적인 관계로 전락한 인간관계, 폐쇄된 개인주의, 정신상태의 병리적 증후화, 자아상실과 익명성, 사랑의 부재-으로서 편재화되어 있는 것이다.[13)]

그러나 이재선의 위와 같은 결론에 들어 있는 판단이 정확한 것이라면, 이것은 우리나라의 많은 작가들이 해방 직후에서부터 1980년대 말까지에 이르는 기간 동안 균형감각을 상실하고 지나치게 부정적인 방향 일변도로만 기울었음을 나타내는 것이라고 보아야 할 듯하다. '잘 살아내는 일'의 구체적인 내용과 질을 문제 삼는 일이라든가 인간이 겪는 고통이 어떤 내면적 의의와 초월적 가치를 지니고 있는가를 따지는 일을 진정 효율적으로 수행하기 위해서 필요한 덕목은 균형감각이다. 도시 문제를 즐겨 다루었던 큰 작가 가운데 한 예를 들자면 졸라가 바로 그런 균형감각을 갖추었던 대표적 작가라 할 수 있을 것이다. 도시에서 제대로 살아남는 데 성공하지 못하고 실패한 사람들의

13) 이재선, 『현대 한국소설사 1945~1990』(민음사, 1991), pp.316~317.

이야기를 담고 있는 문학사 속의 수많은 소설 가운데서도 가장 어두운 작품 중의 하나인 『목로주점』(1877)을 발표하고 난 후에 그와 정반대의 자리에 놓이는 『여인들의 행복 백화점』(1883)을 쓰고, 화가인 주인공 클로드 랑티에의 자살로 끝맺는 소설 『작품』(1886)으로 도시의 그늘을 파헤치는 모습을 보이고는 다시 『돈』(1891)을 써서 바로 그 도시의 경제적 상층부에 대한 보고를 들려주는 식으로 부단한 변화의 궤적을 그려간 이 작가의 다채롭고 복합적인 문학세계를 정명환은 일찍이 '풍부한 애매성'이라는 말로 요약한 바 있었거니와[14] 그러한 애매성에서 우리가 발견하게 되는 것은 긍정의 방향으로든 부정의 방향으로든 결코 지속적으로 기울어지지 않고 자신이 도달했던 지점 저편을 다시 탐험하는 일에 부지런했던 한 작가의 거의 본능적인 균형감각이다. 『댈러웨이 부인』(1925)에서 대도시 런던에 대한 탁월한 문학적 탐구의 성과를 보여준 것으로 평가되는 버지니아 울프가 그 소설에서 클라리사의 긍정성과 셉티머스의 부정성을 동시에 부각시키는 방법을 통하여 보여준 것도 역시 성숙한 균형감각이다.

도시와 도시인의 삶을 다룬 우리나라의 많은 작가들이 이러한 균형감각을 보여주지 못한 것을 아쉬워하면서 우리가 또 한 가지 생각해 보게 되는 것은, 도시에서 살아남기 위한 싸움에서 한번 실패했던 사람들이 몸을 추스르고 다시 일어서서 새로운 도전으로 나아가는 것을 계속해서 지켜보며 다시 대변해 주고 격려해 주는 역할까지 성실하게 수행하는 것도 문학의 중요한 과제 중 하나라는 점이다. 주인공 프란츠 비베르코프의 실패와 재기에 대한 풍부하면서도 집요한 형상

---

14) 정명환, 『졸라와 자연주의』(민음사, 1982), p.147.

화를 통하여 바로 그런 역할을 모범적으로 수행한 예로 거명됨직한 소설인 되블린의 『베를린 알렉산더 광장』(1929)의 제9장 끝 대목 가까운 곳에 나오는 다음과 같은 제사(題辭)는 그래서 문학의 중요한 역할 가운데 하나가 무엇인지를 압축해서 보여주는 명구로도 기억될 수 있을 것이다.

> 조국이여, 이젠 안심해도 좋다, 내 눈은
> 훤히 트였다, 다시 넘어지는 일은 없을 것이다[15]

3. 서울을 무대로 한 소설들과 관련된 몇 가지 문제

앞에서 나는 인간이 도시에서 살아간다는 것의 의미에 대해 약간의 논의를 시도해 보았고 그러한 논의의 연장선상에서 자연스럽게 문학에 대한 이야기로 넘어온 셈이다. 그러나 지금까지의 서술에서 언급된 문학은 어디까지나 일반론적 수준에서 말해질 수 있는 문학이었지 구체적인 '한국'문학은 아니었다. 물론 문학에 대한 일반론적 수준의 언급을 행하는 가운데 이재선의 저서 한 대목을 인용함으로써 한국의 현대소설이 이러한 영역에서 보여주고 있는 양상의 일단을 잠깐 엿보기는 했지만 그것은 간단한 일별 이상의 것이 아니었다.

그런데 앞에서 기왕 이재선의 저서 한 대목을 인용해 보인 김에, 새로운 논의를 시작하기에 앞서, 그 인용문과 관련된 사항 두 가지 정도를 간단히 언급하고 지나가는 것이 좋을 듯하다.

---

15) 알프레트 되블린, 『베를린 알렉산더 광장』(장남준 역, 삼성출판사, 1982), p.505.

그 중 한 가지는, 앞에서 이재선의 설명이 해방 직후에서부터 1980년대 말까지에 이르는 기간의 한국소설을 대상으로 한 것이라는 점을 내가 굳이 강조했던 데서 이미 암시되었던 것으로, 그 기간을 제외한 다른 시기의 소설들에는 이재선이 말한 바와 같은 '부정적 방향 일변도의 편향성'이라는 지적이 반드시 그대로 적용되지 않는다는 것이다. 예컨대 20세기 초의 여러 신소설이라든가 이광수의 『무정』(1917)과 『개척자』(1918) 같은 소설에서는 서울을 비롯한 대도시의 '도시적 성격'이 개화와 문명을 상징하는 긍정적 자질로서 높은 평가의 대상이 되고 있다. 『무정』에서는 "도회의 소리? 그러나 그것이 문명의 소리다. 그 소리가 요란할수록에 그 나라가 잘된다"라는 전제 아래, 서울의 거리에서도 그런 소리가 어느 정도 들리기 시작했으니 다행이지만 아직 부족하며 장차는 "종로나 남대문통에 서서 서로 말소리가 아니 들릴이만큼 문명의 소리가 요란하여야 할 것이다"라는 서술자의 주장이 제시된다.[16] 그런가 하면 『개척자』에서도 역시 서술자의 육성으로 서울에 대한 다음과 같은 찬양과 기대의 말이 펼쳐진다.

> 서울에는 확실히 생명이 있다. 북악의 바람이 아무리 차게 내려쏜다 하더라도, 길과 지붕과 마당이 아무리 얼음같은 눈으로 내려눌렸다 하더라도, 그 밑에는 봄철에 움 돋고 잎새 필 생명이 있는 것과 같이, 서울에는 확실히 생명이 있다.
>
> (…) 이 생명은 묵은 사해(死骸)와 새로운 공기와 광선으로 생장할 것이다. 묵은 사해는 사해 그 물건으로는 무용하다 하더라도, 그것을 생명적으로 분해한 화학적 원소는 넉넉히 신생명의 영양이 될 수가

16) 이광수, 『무정』, 『이광수전집』 1(우신사, 1979), pp.175~176.

> 있을뿐더러 그것은 영양으로 하지 아니하면 아니된다.
>
> 서울의 생명은 생장하지 아니치 못할 운명을 가졌다. 그런데 서울에는 생명이 있다. 서울을 보고 우는 자는 자기의 잘못임을 깨달아야 한다. 서울! 낡은 주검 위에 새로 설 새 서울! 제군은 북악의 열풍 속에, 남산의 월광 속에 탄생 축하의 기쁜 곡조를 알아들어야 한다.[17)]

또 1930년대의 박태원과 같은 모더니스트의 소설에서도 도시는 반드시 부정적인 존재로 각인되고 있지 않다. 그리고 1990년대 이후의 시기에 이르면 좋은 의미에서의 균형감각을 상당한 수준에서 확보한 소설들이 늘어나기 시작하고 있는 것으로 보인다.

그 다음으로 또 지적해야 할 사항 한 가지는, 위에 인용한 이재선의 설명 자체를 우리는 사실 조금 신중하게 받아들일 필요가 있다는 점이다. 해방 직후에서부터 1980년대 말까지의 기간에 나온 소설에서 도시를 다루는 시각이 '대부분' 이재선의 지적과 합치되는 것이기는 하지만 '전부'가 그런 것은 아니기 때문이다.

예를 들어, 도시 문제를 정면으로 다룬 그 시기 소설의 대표작 가운데 하나로 공인되고 있는 이호철의 『서울은 만원이다』(1966)를 생각해 보자. 이 작품에 나타나 있는 작가의 도시에 대한 인식은 이재선이 그 시대 소설에 나타난 도시 인식의 일반적 특징으로 제시하고 있는 내용과는 상당한 거리를 두고 있는 것이 아닌가? 『서울은 만원이다』의 마지막 부분을 장식하고 있는 다음과 같은 서술자의 발언에서 우리는 물론 얼마쯤 반어(反語)의 기미를 느낄 수 있지만 그러나 적어도 그 발언은 이재선이 말한 '폐쇄와 전락과 결핍과 소외 그리고 비정

---

17) 이광수, 『개척자』, 위의 책, pp.254~255.

·해체의 시학' 같은 것과는 분명하게 구별되는 것이 아니겠는가?

> 의욕적인 새 시장을 만나 서울은 화려하게 단장이 되고 곳곳에 빌딩은 서고 사람들은 날로날로 문주란의 노래 같은 것에나 잠겨들기를 좋아하고, 차관은 들어오고, 차관은 물론 유효적절하게 쓰이고 있을 것이었다. 적어도 우리 선량한 국민들은 그렇게 믿기로 하자. 그렇게 안 믿을 도리가 있는가.
>
> 이제 차관을 다 갚고, 우리의 근대화가 흔하게 돌아가는 말대로 이루어지고, 제2차 5개년 경제계획이 성공리에 이루어지고, 그때 모두 옷을 갈아입고 모두 하루하루의 삶이 건실해지고 활기에 차 있게 될 때, 그때 우리 앞에 새옷으로 단장한 길녀도 나타날 것이다. 일단, 그렇게 믿기로 하자.[18]

또 다른 예로, 김승옥의 유명한 단편 「무진기행」(1964)을 생각해 보자. 이 작품은 도시 문제를 정면으로 다루고 있는 것은 아니지만 그 문제와 관련하여 깊이 숙고해야 할 과제를 던져준다. 이 작품에 등장하는 여주인공 하인숙이 서울이라는 대도시에 대하여 품고 있는 간절한 동경과 회귀욕구(回歸慾求)를 우리는 어떻게 해석해야 할 것인가? 이 물음에 대해서는 물론 다양한 답변이 가능할 테지만, 어쨌든 작가 김승옥이 하인숙을 단순한 풍자의 대상으로 삼거나 하인숙류의 도시관(都市觀)을 논박할 의도를 가지고 그러한 '동경과 열망'을 제시하고 있는 것은 아님이 확실한 이상, 이 작품에 나타나 있는 작가의 도시 문제에 대한 인식도 이재선이 말한 '폐쇄와 전락과 결핍과 소외 그리

18) 이호철, 『서울은 만원이다/월남한 사람들』(청계, 1991), p.301.

고 비정·해체의 시학' 같은 것과는 거리가 있는 것이라고 판단하지 않을 수 없는 것이다.

이재선의 저서로부터 인용했던 부분과 관련된 언급은 이 정도에서 끝내기로 하자. 그리고 이제부터는 본격적으로 관심의 초점을 한국문학, 그 중에서도 소설 쪽에 맞추고, 미리 주어져 있는 오늘의 주제, 즉 '한국 현대소설과 서울'이라는 주제와 관련된 논의로 나아가 보기로 하겠다.

그런데 오늘의 주제가 '한국 현대소설과 서울'이지만, 이 주제는 사실 '한국 현대소설과 도시'라는 주제와 상당히 심한 정도로 겹치는 것이라 할 수 있다. 왜냐하면 '도시소설', 즉 '도시를 무대로 삼고 도시와 관련된 삶의 문제를 다루고 있는 소설'로 분류되는 우리나라의 작품들을 실제로 살펴보면 그 가운데 압도적 다수에서 구체적으로 등장하고 있는 도시가 대한민국이라는 국가의 수도이면서 또한 이 나라에서 최대의 인구를 가지고 있는 도시, 즉 서울이기 때문이다.

이러한 현상은 실제 조선 시대 이래 지금까지의 한국 역사 속에서 서울이 차지하고 있는 위상을 고스란히 반영하고 있는 것으로 생각된다. 서울은 조선의 건국과 더불어 수도로 정해진 이후 오랜 세월에 걸쳐 독점적인 성장을 계속해 왔다. 5백 년 동안 지속한 조선 왕조는 서울을 제외한 다른 지방 도시의 발전가능성을 가능한 한 억제하고자 노력했다. 지방 세력의 성장을 막기 위해 강력한 중앙 집권 정책을 일관되게 시행했던 것이다. 그 필연적인 결과로, 정치적으로나, 문화적으로나, 사회적으로나, 경제적으로나 서울 중심의 구조가 강고하게 굳어졌다.[19] 그리고 이런 구조는 조선 왕조가 멸망한 이후에도 그대로 이어졌다. 일제강점기에도, 해방 후에도 이러한 기조에는 변함이 없었다. 특히 1960년대에서 1970년대에 걸쳐 이루어진 경제성장과 개발 정책의 성과가 서울에 집중되고 거기에 부응하여 서울 인구의 폭발적 팽창이 일어나면서 그와 같은 기조는 이전보다 더욱더 강화되기에 이르렀다. 이 점과 관련하여 송은영은 다음과 같은 말을 하고 있다.

> 1960~70년대 서울의 변화야말로 사회 전체의 산업화와 자본주의화를 집약하는 핵심이라고 할 수 있다. 1960~70년대에 이르러 서울은 단지 국가의 행정적 중심이 아니라, 한국 사회의 모든 자본, 인간, 정보, 문화, 욕망 등을 블랙홀처럼 빨아들이는 구심력과 그것들을 멀리 발산시키는 원심력을 동시에 지닌 공간이 된 것이다. 그 결과 서울은 현재까지 한국 사회에서 진행된 모든 현상과 핵심을 한눈에 확인할 수 있는 상징적 축약도로 기능하고 있다.[20)]

1960년대 초에 서울시장을 지냈던 윤치영이 "서울시 도시개발의 부진함을 따지"는 국회의원에게 "내가 서울에 도시계획을 하지 않고 방치해 두는 것은 바로 서울 인구 집중을 방지하는 한 방안입니다"라고 답했던 일화[21)]라든가 서울에 지하철을 건설하자는 논의가 처음 일어나던 당시 경제부총리였던 김학렬이 "그렇지 않아도 인구 증가가 격심한 서울에 지하철 건설과 같은 대규모 사회간접자본 투자를 하게 되면 인구의 격증 현상이 가중될 뿐 아니라 주택난·교통난도 훨씬 더 심각해진다"는 점을 들어 반대론을 펼쳤던 에피소드[22)]가 잘 말해주듯 역대

---

19) 전우용, 『서울은 깊다』(돌베개, 2008), p.28.

20) 송은영, 「현대도시 서울의 형성과 1960~70년대 소설의 문화지리학」, 연세대학교 박사논문, 2007, p.3.

21) 손정목, 『한국 도시 60년의 이야기』 1(한울, 2005), p.127.

정부에서도 이런 문제를 고민했으며 지나친 인구 집중을 막아야 한다는 생각을 가지고 있었으나 결국 대세를 거스를 수는 없었던 셈이다. 아니, 저 유명한 '불도저 시장' 김현옥에 의해 정력적으로 수행된 엄청난 건설사업과 그 후임 시장 양택식에 의해 결국은 마찬가지 '불도저식'으로 이루어진 지하철 건설 공사가 단적으로 예증해주듯 정부의 정책도 궁극적으로는 '대세'를 따르고 더 나아가서는 부추기기까지 하는 방향으로 전개되었다. 그 결과 위에 인용된 글 속에서 송은영이 말한 것처럼 서울은 '한국 사회의 모든 자본, 인간, 정보, 문화, 욕망 등을 블랙홀처럼 빨아들이는 구심력과 그것들을 멀리 발산시키는 원심력을 동시에 지닌 공간'으로 거듭났다. 그러한 과정을 밟으면서 서울은 그 어느 때보다도 확고하게 독점적인 중앙의 지위를 굳힌 문자 그대로의 '특별시'가 되었다.

이처럼 조선이 건국되던 당시부터 이미 독보적이었던 서울의 비중은 대대적인 경제성장과 개발정책이 이루어졌던 1960년대부터는 더욱더 커져서 '압도적'이라는 말이 조금도 어색하지 않은 지경에까지 이르렀다. 이러니 한국 도시소설의 무대로서 서울이 역시 압도적인 비중을 차지하게 되는 것은 필연적인 귀결이라 하지 않을 수 없다. 위에서 사용한 '비중'이라는 단어가 단순히 정태적인 '무게 달기'의 차원으로만 한정되어 있는 것이 아니라 역사의 흐름 속에서 항상 앞자리를 차지하고 나아가는 선진성, 개척자적 면모, 모험적 성격, 역동성 등의 요소들까지를 포함하고 있는 것임을 감안하면 더욱 그러하다. 도시소설의 창작에 나서는 작가들이 특별한 열의와 흥미를 가지고 주

---

22) 손정목, 『한국 도시 60년의 이야기』 2(한울, 2005), p.18.

목할 만한 요소가 바로 그런 것들일 터이기 때문이다.

물론 '어떤 현상이 현상으로서 존재하는가'라는 물음과 '그것이 바람직한 현상인가'라는 물음은 전혀 별개의 것으로 간주되어야 한다. 이러한 논리는 서울이 한국 사회 속에서 압도적인 비중을 차지하고 있는 현상에 대해서도, 서울을 무대로 한 소설이 한국 도시소설의 전체적 판도 속에서 압도적인 비중을 차지하고 있는 현상에 대해서도 다 같이 적용된다. 그러니까 서울이 한국 사회 속에서 압도적인 비중을 차지하고 있는 현상이 과연 바람직한 것인가에 대해서도 별도의 논의가 필요하고,[23] 서울을 무대로 한 소설이 한국 도시소설의 전체적 판도 속에서 압도적인 비중을 차지하고 있는 현상이 과연 바람직한 것인가에 대해서도 별도의 논의가 필요한 것이다. 그리고 이 중 후자의 측면과 관련된 '별도의 논의'를 실제로 진행하고자 할 경우 우리는 앞에서 이미 길게 언급되었던 '문학의 근본적 과제가 무엇인가?'라는 질문을 지속적으로 염두에 두어야 할 것이다. 그 질문과 관련하여 동원되었던 실패, 욕망, 고통, 균형감각 등등의 개념도 물론 염두에 두어야 할 것이다.

그러나 어쨌든, 한국의 도시소설 가운데에서 서울을 무대로 한 작품이 압도적인 비중을 차지하고 있는 것은 엄연한 하나의 '사실'임에 틀림없다. 그리고 이러한 사실이 반영된 당연한 결과로, 이 글의 첫머

23) 전우용이 그의 저서에서 언급하고 있는 다음과 같은 경험담이 이 문제와 관련하여 새삼 상기된다. "몇 해 전에 대한민국 제2의 도시인 부산에서 열린 학술 행사에 참여한 적이 있었다. 그 자리에서 한 분이 이런 말을 했다. '이처럼 모든 경제적 사회적 문화적 자원이 서울에만 집중되고 있는데도 지방에서 민란이 일어나지 않는 것이 신기할 정도입니다.'" 전우용, 앞의 책, p.62.

리에서 이미 언급했던 바와 같이, 한국의 도시소설에 대한 학문적 연구의 성과 가운데서는 서울을 무대로 한 소설작품들에 대한 연구가 상당 부분을 차지하고 있다. 아니, '압도적'이라는 표현을 여기에도 마찬가지로 적용하여, '압도적인 다수를 차지하고 있다'고 표현해도 그다지 지나친 말이 아닐 것이다. 그리하여, '한국 도시소설에 대한 연구'와 '서울을 무대로 한 소설에 대한 연구'가 거의 겹쳐진다고 하는 사태가 발생하게 된다. 바로 이 점에서는 한국 도시소설 연구 초창기의 개척적 작업과 최근에 들어와서 이루어지고 있는 연구 사이에 별다른 차이가 없다. 예를 들어 말하자면 한국 도시소설 연구의 선편을 잡은 업적으로 이 글의 첫머리에서 언급된 바 있는 이재선의 저서 『한국현대소설사』 속에 들어 있는 「도시적 삶의 체계와 자연 또는 농촌의 삶의 양식」에서 논의의 대상이 되고 있는 도시소설 유형의 작품들은 대부분 서울을 무대로 삼고 있는 것이었다. 서울과 더불어 군산을 또 하나의 중요한 무대로 삼고 있는 채만식의 소설 『탁류』에 대한 논의가 발견된다는 사실 하나가 이채롭게 보일 정도이다. 그런데 최근에 이루어진 이 분야에서의 노작 가운데 하나로 꼽힐 수 있는 이광호의 저서 『도시인의 탄생』(서강대학교 출판부, 2010)을 보면, 거기서 다루어지고 있는 작품들 중 구체적인 지명이 드러나 있는 것은 오직 서울뿐이며 다른 도시는 하나도 없다. 채만식의 군산조차도 여기에 와서는 사라지고 없는 것이다. 그런데 방금 말한 이재선의 저서에서도, 또 이광호의 저서에서도 그 저자들이 이와 같은 현상을 명료하게 의식하고 주목한 자취는 나타나 있지 않다. 이 책들의 경우뿐만이 아니다. 이 책들과 동궤에 놓이는 대부분의 논저들에서도 다 그러하다.

물론 이러한 사태가 반드시 바람직한 것은 아니라는 사실을 직관적으로 인식하고 '한국의 도시 일반'이 아닌 '서울'만의 특수성이 어떤 것인지를 문제 삼으면서 논의를 좀 더 세밀화하려는 시도도 없지는 않다. 대표적인 예를 하나만 들자면 앞에서 그 한 대목이 인용된 바 있는 송은영의 학위논문인 「현대도시 서울의 형성과 1960~70년대 소설의 문화지리학」이 바로 그런 경우에 해당한다.

이처럼 '도시 일반'이 아닌 고유명사로서의 '서울'에 주목하면서 이루어진 작업들 중에서도 특히 기초적인 토대 구축의 의미를 가지는 것이 있다. 이를테면 '계보' 설정이라고 불릴 만한 작업이 그것이다. 좀 더 구체적으로 말하자면, 20세기 초부터 20세기 말 혹은 21세기 초까지의 기간에 걸쳐서 나온 소설작품 가운데 단지 서울을 무대로 삼고 있을 뿐만 아니라 서울의 '서울다움' 혹은 '서울로서의 특징'을 문제 삼는 데까지 나아간 것으로 판단되는 대표적 예들을 선별하여 시기순으로 정리하고 그 계보를 설정하려는 작업이 그것이다. 지금까지 이런 작업을 시도한 연구자의 수는 적지 않다. 나 자신도 거기에 포함되는 한 사람이다.[24)]

이런 작업은 위에서 말했듯 기초적인 토대 구축의 의미를 가지는 것으로서 일차적인 중요성을 지니는 것일 뿐 아니라, 논자의 역량과 성실성 여하에 따라서는 그것 자체로서도 풍부한 생산성을 발휘할 수 있는 가능성을 담지하고 있는 것이다. 실제로 그러한 가능성을 잘 살

---

24) 서울학연구소에서 2006년 9월에 '인문주간'을 맞아 개최한 일련의 강연회에서 「20세기 소설에 나타난 서울과 그 의미」라는 제목으로 강연한 것이 그것이다. 나는 이 강연을 위한 원고를 별도로 쓰지는 않았으나 강연을 녹취한 기록이 남아 있다. 이 녹취록은 나중에 서울학연구소에서 간행한 『서울 근대 100년: 어제와 오늘』이라는 책자 속에 포함되어 있다.

린 성과도 여럿 나온 바 있는 것으로 생각된다.[25)]

4. 연구의 방향에 대한 제언

그런데 이와 같은 '계보 설정' 작업의 결과로 쓰인 글들을 두루 검토하다 보면, 한 가지 의문이 저절로 떠오르게 된다. "거기서 중요한 텍스트로 간주되어 길게 다루어지고 있는 작품들 가운데에는 반드시 '서울다움' 혹은 '서울로서의 특징'을 선명하게 보여준다고 말하기는 어려운 작품들이 꽤 많이 포함되어 있는 것이 아닌가? 달리 말하자면, 소설의 무대가 꼭 서울이 아니어도 무방한 작품들도 많이 들어 있는 것이 아닌가?"라는 의문이 그것이다.

예를 들어 보자. 이상의 「날개」(1936)는 이런 종류의 글들 속에서 반드시 중요한 텍스트로 언급되는 작품의 하나이다. 김승옥의 「서울 1964년 겨울」(1965)도 마찬가지다. 나 자신이 '계보 설정'의 작업을 시도했던 자리에서도 물론 이 두 작품을 빼놓지 않고 언급한 바 있다.

이 두 편의 작품이 '서울을 다룬 소설을 논하는 글들' 속에 빠짐없이 등장하게 된다는 사실 자체는 충분히 이해가 되고도 남는다. 그 작품들은 분명 서울을 무대로 삼고 있을 뿐 아니라 1930년대(「날개」의 경우) 혹은 1960년대(「서울 1964년 겨울」의 경우)의 서울이 가지고 있었던 어

25) 그 대표적인 경우의 하나가 한형구의 「문자 현상, 혹은 문학으로 본 서울 근대 100년의 이미지」이다. 이 글은 제목에서도 시사되듯 대상을 소설로만 한정하지 않고 문학 일반으로까지 확대한 것이지만 논의의 무게중심은 역시 소설에 놓여 있다. 이 글은 서울시정개발연구원 편집부 편, 『서울 20세기 생활·문화 변천사』(서울시정개발원, 2002)에 수록되어 있다.

떤 면모를 생생하게, 인상적으로 드러내 주고 있다. 그 점을 부정할 사람은 아무도 없다. 나도 물론 부정하지 않는다.

그렇기는 하지만, 지금의 시점에 와서 다시 생각해 보면, 이 작품들 중의 어느 것도, 그 작품의 무대가 꼭 서울이라야만 할 이유는 없다고 여겨지며, 이 점은 한 번쯤 짚고 넘어갈 만한 사항이 아닐 수 없다고 생각되기도 하는 것이다. 약간의 디테일만 수정한다면, 「날개」의 경우나 「서울 1964년 겨울」의 경우나, 그 무대를 예컨대 도쿄 같은 곳으로 바꾸어도 큰 문제는 생기지 않는 것이 아닐까? 또 부산이나 인천 같은 곳으로 바꾸어도 역시 큰 문제는 생기지 않는 것이 아닐까?[26] 이를테면, 벨르이의 『페테르부르크』(1916)는 반드시 페테르부르크를 무대로 하지 않으면 아예 성립이 되지 않는 내용으로 되어 있지만 오스터의 『뉴욕 3부작』(1986)은 제목이 강조하고 있는 바와는 달리 그 무대가 다른 어떤 현대의 대도시로 바뀌어도 별 무리가 없는 내용을 담고 있는데, 「날개」나 「서울 1964년 겨울」은 『페테르부르크』보다 『뉴욕 3부작』에 가까운 것이 아닐까? 그렇다면 이런 작품들은 '특정한 시대에 서울이 가지고 있었던 어떤 면모를 생생하게, 인상적으로 드러내 주는 작품'임에는 틀림이 없지만 그렇다고 그 시대의 서울이 가지고 있었던 '서울다움' 혹은 '서울로서의 특징'까지를 선명하게 보여주는 데까지는 나아가지 않고 멈춘 경우에 해당하는 것이 아닐까?

물론 그렇다고 해서 앞으로 서울을 다룬 소설을 논하는 자리에서

---

26) 「날개」의 경우, '미쓰꼬시 백화점' 같은 고유명사 몇 개만 바꾸면 충분할 것이다. 「서울 1964년 겨울」의 경우, 역시 고유명사 몇 개(예컨대 '종삼' 같은 것)를 바꾸고, "서울은 모든 욕망의 집결지입니다" 같은 일부 구절을 수정하고, 최종적으로 제목 속의 '서울'을 다른 도시 이름으로 고치면 모든 작업이 마무리될 것이다.

이런 작품이 제외되어야 한다는 논리는 결코 성립될 수 없다. 이런 작품들이 제외되지 말아야 한다는 것은 말할 나위도 없거니와, 이런 작품들을 중요한 텍스트로 간주하고 자세하게 논의하는 일도 여전히 지속되어야 마땅하다. 이런 작품들이 특정 시대에 서울이 가지고 있었던 어떤 면모를 생생하게, 인상적으로 드러내 주고 있다는 사실 그것 하나만으로도 이 작품들은 계속 그렇게 취급될 권리를 갖는다.

그렇기는 하지만, '서울을 다룬 소설'을 논의하는 작업의 현장에서 적어도 가끔씩은, 위와 같은 문제의 존재를 조금 더 뚜렷하게 의식하면서, '작품의 무대가 반드시 서울로 설정되지 않으면 안 될 이유를 갖고 있는 소설'과 '그 정도까지 나아가지는 않은 상태에 머무른 소설'을 구별하고 그 중 전자의 부류를 집중적으로 검토하는 태도를 취해 보는 것도 의미가 있을 것이다. 그렇게 할 때 아무래도 서울의 '서울다움' 혹은 '서울로서의 특징'이 보다 더 선명하게 드러날 수 있을 터이기 때문이다.

그렇다면, 이런 부류에 드는 구체적인 경우로는 어떤 것이 있을까? 언뜻 떠오르는 대로 몇 가지를 들어 보겠다.

우선, 조선 시대에 왕궁이었던 공간을 소설 속에 등장시킨 경우들을 한번 검토해 볼 수 있을 것이다. 새삼 말할 필요도 없이 서울은 조선 시대 5백 년 동안 국왕이 상주하고 있는 수도의 역할을 담당해 왔거니와 그 당연한 결과로 지금의 서울 경내에는 조선 시대의 왕궁이 여럿 남아 있다. 그리고 그 왕궁의 의미는 조선 왕조의 멸망과 더불어 근본적으로 변화하였다. 이렇게 멸망한 나라의 왕궁이었던 공간들을 자신의 작품 속에 등장시킨 현대 한국의 소설가들은 그 작품 속에서 무엇을 말하고 있으며 그 공간들을 어떤 시선으로 보고 있는가? 이러한 물음을 제기하고 그 답을 찾아가는 작업은 분명 '작품의 무대가 반드시 서울로 설정되지 않으면 안 될 이유를 갖고 있는 소설'을 대상으로 삼고 집중적인 검토를 시도하는 작업이 될 수밖에 없다.

물론 이런 경우에 해당하는 현대 소설작품의 수는 매우 적다. 하기야 조선 시대를 배경으로 한 역사소설을 포함시킨다면 그 수가 크게 늘어날 테지만, 실제로 이런 작업을 하고자 할 경우, 논점의 성격으로 볼 때, 역사소설은 당연히 제외해야 할 것이다.

역사소설을 제외한 자리에서 이런 부류에 드는 작품으로 실제 어떤 것이 있는가를 생각해 보면, 최인훈의 『소설가 구보씨의 1일』 연작(1971) 가운데 일부를 이루고 있는 「창경원에서」와 「다시 창경원에서」, 유순하의 단편 「고궁–경복궁」(1988), 이승우의 장편 『끝없이 두 갈래로 갈라지는 길』(2005) 등이 금방 떠오른다. 이들 모두가 그 나름으로 주목에 값하는 작품들이다. 그리고 시간을 두고 좀 더 찬찬히 소설작품들을 찾아본다면 이 목록에 최소한 몇 편의 작품을 더 추가할 수 있을 것이다.

방금 위에 거명된 소설들 모두가 주목에 값하는 작품들이라는 말을 했지만, 그 중에서도 특히 창경궁에서 광화문으로 통하는 비밀 지하도가 존재한다고 하는 기발한 착상을 바탕으로 하여 일련의 사건들을 펼쳐나감으로써 서울이라는 도시에다 인상적인 신비의 너울을 씌워준 『끝없이 두 갈래로 갈라지는 길』은 특별한 관심의 대상이 될 만하다. 이 작품은 지드의 장편 『교황청의 지하도』(1914)에서 선보였던 '지하도의 상상력'을 한 단계 더 업그레이드시킨 것이며, 윤후명의 「돈황의 사랑」(1983) 같은 작품이 보여주었던 '서울이라는 도시공간 속에서의 환상 만들기'라는 창작방법을 '왕궁'이라는 공간과 연결시켜 새로운 미적 성취를 이룩해낸 것이기도 하다.

그 다음 두 번째로 생각해볼 수 있는 것은 1960년대 이후 지금에 이르기까지 엄청난 확대와 발전의 역사를 기록해 온 강남 지역과 관련된 문제를 소설 속에서 의식적으로 제기한 경우들을 검토하는 작업이다. 물론 부산, 인천, 대구, 광주 등 한국의 다른 많은 도시들도 꾸준한 공간 확대와 인구 증가의 과정을 밟아 왔지만 서울의 강남만큼 대단한 폭발적 팽창을 보인 사례는 없었다. 그리고 강남이 거쳐 온 이처럼 유례없는 폭발적 팽창의 과정은 현실적인 차원에서 볼 때 적어도 지금까지의 결과로 따지자면 김진애가 말하듯 "결과적으로 성공한 개발이 되었고, 잘하면 성공적인 도시가 될 가능성도 보"여준 것으로 평가된다.[27] 강남의 폭발적 팽창 과정이 이처럼 현실적인 차원에서 일단 '성공적인' 것이었던 만큼 그것은 그대로 전국민적인 관심사가 되었으며, 한국인 전반의 가치관이나 사고방식이 변화해 가는 방향을 결정짓는 데에도 적지 않은 영향을 주었다. 그러한 과정을 거쳐온 끝에 이제 강남은, 강준만의 표현을 빌리자면, "한국사회에서 강력한 문화권력과 상징권력을 행사"[28]하는 존재가 되었다. 가만히 생각해 보면 이런 사례는 세계적으로도 희유한 것에 속한다. 이 정도라면 '강남'은 서울의 '서울다움' 혹은 '서울로서의 특징'을 잘 보여주는 존재로 인정받기에 모자람이 없다고 할 만하다.

---

27) 김진애, 『우리 도시 예찬』(안그라픽스, 2003), p.190. 김진애는 "별 뚜렷한 계획 마인드 없이 이루어졌고, 심하게 말하자면 대형 격자(폭 1km 이상)로 짜인 바둑판을 평지 위에 얹어놓고 했던 땅 장사" 수준이었던 강남 개발이 그런대로 성공적인 결실을 맺을 수 있었던 이유를 "서울의 경제력, 강남을 띄워 준 신경제력"에서 찾고 있다.

28) 강준만, 『강남, 낯선 대한민국의 자화상』(인물과사상사, 2006), p.343.

이처럼 독특한 '서울다움'을 내포한 강남의 발전 과정은 경제적, 사회적, 문화적으로 수많은 흥미로운 특이현상을 동반했으며 그것은 자연 수많은 작가들의 관심을 촉발하고 창작 욕구를 충동질하였다. 그랬던 만큼 '강남 문제'를 의식적으로 제기한 것으로 간주될 만한 소설작품들은 대단히 많다. 강남이 개발되던 초기 단계부터 예리한 선구자적 문제의식을 내보였던 박완서의 「낙토(樂土)의 아이들」(1978)과 같은 단편에서부터 1990년대의 화제작이었던 이순원의 『압구정동엔 비상구가 없다』(1992), 『압구정동엔 무지개가 뜨지 않는다』(1993)를 비롯한 여러 장편들 그리고 현대문학상을 수상한 정이현의 가작 「삼풍백화점」(2005)을 위시한 숱하게 많은 단편들을 거친 후 마침내 우리 시대의 신진 작가 이홍의 인상적인 장편 『성탄 피크닉』(2009)에까지 이르는 그 작품들의 긴 계보도(系譜圖)를 한 번 충실하게 작성해 보는 일만 해도 상당히 방대한 작업이 될 것이다. 그리고 이렇게 작성된 계보도를 바탕으로 보다 심층적인 연구에까지 나아간다면 그것은 말할 나위도 없이 커다란 무게를 갖는 성과가 될 것이다.

이 밖에, 1960년의 4.19라든가 1987년의 6월 혁명과 같은 역사적 대사건이 벌어졌던 당시의 서울 풍경을 작품 속에 담아낸 소설들의 계보를 면밀하게 추적해 보는 작업 같은 것도 흥미로운 연구가 될 수 있다. 물론 4.19도, 6월 혁명도 오로지 서울에서만 벌어진 일은 아니었고 전국을 무대로 해서 전개되었던 것이지만, 그 어느 경우에든 서울에서 전개된 투쟁의 규모가 가장 컸으며, 사건의 역사적 성격과 방향을 궁극적으로 결정지은 것도 서울에서의 투쟁이었다. 그런 만큼 이러한 역사적 대사건을 서울이라는 공간의 특성 혹은 의미와 연결시키면서 소설 속에 담아내는 작업은 여러 작가들이 관심을 가질 만한 일임에 틀림없으며 실제로 그런 방향에서의 창작이 이루어지기도 했다. 1960년 4월 25일 밤의 서울 종로를 무대로 삼고 있는 박태순의 단편 「무너진 극장」[29](1968), 4.19를 다루면서 마산과 서울을 연결하고 또 대비시키고자 하는 시도를 보여준 김만옥의 장편 『계단과 날개』(1988), 6월 혁명의 과정을 영등포에서부터 명동에까지 이르는 공간에다 압축시켜 인상적으로 그려낸 박태순의 중편 「밤길의 사람들」(1988) 등은 그 중에서도 특히 주목할 만한 성과들이며 그 앞에, 또 뒤에, 강신재(『오늘과 내일』, 1966)에서부터 양헌석(「태양은 묘지 위에 붉게 떠오르고」, 1988)에까지 이르는 여러 작가들이 포진하고 있다. 이들의 해당 작품을 두루 찾아내어 검토하고 그 성과와 한계를 규명해 보는 것은 분명 '서울의 서울다움 혹은 서울로서의 특징'을 선명하게 드러낸 작품들에 대한 집중적 연구로서의 의의를 가질 수 있을 것이다.

5. 맺는말

전체 4부로 이루어져 있는 엘리엇의 장시 「황무지」(1922)의 제1부 「죽은 자의 매장」을 보면 "겨울날 새벽의 갈색 안개 밑으로" 걸어서 출근하는 런던의 군중들을 묘사하는 대목이 나온다. 이 대목을 이루고 있는 시구들 중에서 지금까지 가장 많이 인용되어 온 것은 엄연히 살아 있는 그 군중을 이미 죽은 자들로 취급해서 표현하고 있는 "나는 죽음이 저렇게 많은 사람을 죽게 했다고는 생각도 못했다(I had not thought

29) 이 작품의 구체적인 무대가 되고 있는 평화극장은 종로4가 5번지에 있었다.

death had undone so many)"라는 구절이지만, 그것 못지않게 인상적인 시구가 또 있으니 그것은 바로 "각자 자기의 발치에만 시선을 집중하고(And each man fixed his eyes before his feet)"라는 구절이다. 아무리 많은 사람들이 모여 있어도, 그리고 같은 방향을 바라고 함께 걸어가도, 그 무리 전체가 제각각 자기의 발치에만 시선을 집중할 뿐 타인에게는 조금의 관심도 베풀지 않는 이기적·자기중심적 개인들의 모래알 같은 군집(群集)일 따름이라면, 게다가 이기적·자기중심적인 가운데서도 그나마 시선을 들어 좀 더 앞의 전망을 내다보지 못하고 기껏해야 자기 '발치' 정도에만 관심의 초점이 한정되어 있는 정도라면, 그런 무리들이 모여 있는 공간은 이 장시 전체의 제목 그대로 '황무지', 아니 '불모지'일 따름일 것이다.[30)]

현대의 대도시는 바로 이런 의미에서의 황무지 혹은 불모지와 같은 면모를 최소한 어느 정도씩은 예외 없이 지니고 있는 것으로 보인다. 그리고 그 대도시들 중의 많은 곳에서, 이러한 면모는 시간의 흐름과 더불어 점점 더 강화되어 가기만 하고 있는 것으로 보인다. 유감스럽게도 서울 역시 그러한 경우에 해당하는 존재라고 생각된다. 이 글의 앞부분에서 나는 서울이라는 도시를 바라보는 태도에 있어서의 '균형감각'을 강조한 바 있지만 바로 그러한 균형감각을 갖춘 상태에서 보더라도 위와 같은 판단 자체까지를 부정할 수는 없는 것으로 여겨진다. 이 글의 앞부분에서 내가 콕스의 견해에 대해 언급하는 가운데

---

30) 이상섭은 "The Waste Land"라는 이 시의 제목을 「황무지」로 옮기는 것은 명백한 오역이며 「불모지」로 옮겨야 정확한 번역이 된다는 사실을 설득력 있게 지적한 바 있다. 이상섭, 「전율하며 읽은 엘리엇의 시」, 한국 T. S. 엘리엇 학회 편, 『T. S. 엘리엇을 기리며』(동인, 2011), p.203.

유보사항으로 남겨 두었던 질문, 즉 '도시에서의 생활이라는 것에 의해 획득될 수 있는 자유와 해방의 구체적인 내용과 질은 과연 어떤 것인가?'라는 질문 앞에서 우리가 제시할 수 있는 답변의 성격은, 일찍이 콕스 자신이 제시했던 낙관적 답변으로부터 날로 더 멀어져가고 있는 것만 같다는 이야기다.

이러한 상황 앞에서 오늘의 우리 소설가들은 '도시 문제', 그 중에서도 특히 '서울 문제'에 더욱 적극적인 자세로 맞붙어 씨름할 필요가 있는 것으로 판단된다. 비록 문화 전체의 지형도 속에서 소설에 주어진 위치가 예전보다 얼마쯤 낮은 곳으로 내려왔고 소설의 현실적 영향력 역시 예전만 같지 못하게 된 것이 사실이라 하더라도 그런 점 때문에 지레 위축되거나 의기소침해져서는 안 될 것이다. 이 시대의 도시 문제가 불교 용어로 '이 시대 사람들 전체의 공업(共業)'에 의해서 만들어진 것이라면 소설가들 역시 그 공업의 책임을 당연히 나누어져야 할 처지이기에 더욱 그러하다.

그러한 씨름의 현장에서 소설가들이 실제로 해야 하고 할 수 있는 일들의 목록 가운데 일부를 나는 이 글의 앞부분에서 이미 어느 정도 제시한 바 있다. 도시에서 잘 살아내는 데 실패한 사람들의 삶에 대하여 연민 어린 관심을 보내는 일, 도시에서 잘 살아낸다는 것 자체의 구체적인 내용과 질을 따져 보는 일, 실패한 사람이건 성공한 사람이건 보편적으로 겪게 마련인 '끊임없이 반복되는 욕망의 파도를 타고 언제나 다시 시작되는 고통'을 깊이 있게 성찰하는 일, 실패를 딛고 다시 일어설 수 있는 인간의 가능성에 주목하는 일 등등이 그것이다.

실제로 이러한 역할을 충실히 수행하고 있는 작품들을 몇몇 우리 소설가들은 꾸준히 선보이고 있다. 예를 들자면 『서울, 어느 날 소설이

되다』(2009)라는 제목의 공동창작집에 수록되어 있는 여러 작품들, 그 중에서도 특히 권두를 장식하고 있는 이혜경의 「북촌」 같은 작품이 그 모범적인 경우에 해당한다. 이런 작품들이 '서울의 서울다움 혹은 서울로서의 특징'을 선명하게 보여주고 있다는 것도 이 작품들의 장점으로 함께 언급되어야 할 것이다. 그러나 이런 작품의 성과를 인정하고 높이 평가하면서도 나는 또 한편으로 이제는 보다 거시적인 안목과 역사적 통찰력을 가지고 '서울이라는 주제'에 도전하여 일정한 성과를 이룬 것으로 평가받을 만한 업적들이 나와야 하지 않겠는가라는 생각을 하게 된다.[31] 이러한 희망을 피력하는 것으로써 나는 이만 이 글을 끝맺고자 한다.

---

31) 그러한 작품이 반드시 대하소설의 규모를 가질 필요는 없을 것이다. 예컨대 쿠쉬완트 싱의 『델리』(1990)는 그 나름의 거시적 안목과 역사적 통찰력을 가지고 '델리라는 주제'의 총체적 소설화를 시도한 인상적인 업적이지만 번역본(황보석 역, 문이당, 1993) 기준으로 650페이지를 넘지 않는다.

20세기 한국소설에 나타난 서울과 그 의미[1)]

1. 이야기를 시작하며

20세기 한국소설에 나타난 서울의 양상 그리고 그 의미에 대해서, 이제부터 한 90분 정도, 제가 아는 범위 내에서 간략하게 정리, 소개하는 시간을 갖도록 하겠습니다.

유인물을 간단하게 작성해 보았습니다. 요새 대체로 강연을 한다, 학술발표를 한다 할 때는 상당히 애를 써서 준비를 많이 하죠. 여러 가지 첨단 과학기술을 활용해서 화면을 비추고 근사하게 하는 것이 관례가 되어 가고 있는데요. 그렇게 하는 게 좋은 점이 많죠. 하지만 저 같은 경우는 구식이 되어서 그런 것을 잘 할 줄 몰라요. 그래서 아주 고색창연하게, 종이로 된 유인물을 가지고서 이야기를 하려고 합니다. 지금 현대적인 것에 익숙한 젊은 학생들은 조금 허전하게 느낄지 모르겠지만 도리가 없네요. 지금 이 나이에 그것을 새로 공부할

1) 서울시립대학교 부설 서울학연구소에서는 2006년 9월에 이른바 '인문주간'을 맞아 일련의 강연회를 개최한 바 있습니다. 이 글은 9월 26일에 제가 한 강연의 녹취록에 약간의 수정을 가하여 정리한 것입니다.

수도 없고……. 그래서 제가 그냥 익숙하게 배워 온 방식대로 이야기를 하도록 하겠습니다.

2. 20세기 한국소설과 서울

우선, 20세기의 서울을 얘기하면서 그것을 소설이라는 것과 관련시켜서 검토하는 일에는 어떤 의미가 있는지, 소설의 근본적 성격이란 어떤 것인지, 그런 문제를 조금 짚어보겠습니다.

소설이라는 장르는 원래 동양의 경우이건 서양의 경우이건, 그 바탕이 도시적인 것이었습니다. 소설이라는 문학 양식은 조용하고 한적한 자연의 품속에서 발달하고 성장해 온 것이 아니라, 사람들이 많이 모여서 떠들썩하게 뒤엉키고, 삶의 거칠고 야성적인 숨결을 뿜어내는 곳, 이를테면 시장바닥 같은 곳을 기반으로 삼고 있는 것이죠. 느닷없이 싸움이 벌어지는가 하면, 장사와 관련해서 여러 가지 숨가쁜 이해관계의 교차가 이루어지기도 하는 공간-그런 공간에서 소설은 생성되고 발전해 왔습니다. 그러니까 소설이라는 것은 도시의 세계를 탐구하고 그것을 형상화하고, 거기서 의미를 찾아내는 일에 아주 쉽게 연결될 수 있는 성격을 태생적으로 갖고 있다는 말을 할 수 있고요.

그러한 소설이 그 나름의 전개 과정을 거쳐 오다가 근대로 들어오게 됩니다. 이 근대라고 하는 시대는 다들 아시는 것처럼 자본주의의 시대죠. 부르주아지가 어떤 사회의 헤게모니를 장악하는 시대죠. 근대가 이런 시대라고 할 때, 그와 같은 근대 자본주의 혹은 부르주아지의 삶의 세계라는 것하고, 소설이 원래부터 가지고 있는 다분히 도시적이고 대중적인 성격하고가 잘 어울려서, 서로가 서로를 자극하고, 서로를 키워주는, 이런 방식으로 근대소설의 역사가 전개되어 왔다고 볼 수 있습니다.

그런데 근대 자본주의하고 근대소설하고, 이것들이 서로 상생관계로 맺어지는 이면에는, 또 다른 요소가 존재합니다. 그것은 기묘한 성격의 상호 갈등관계라고 할 수 있죠. 이것은 소설을 포함한 문학 전반에 대해 사람들이 가지고 있는 어떤 기대 혹은 희망사항하고 연결이 되는 것인데요. 많은 사람들은 근대 사회의 다양하고 복잡한 정치, 경제, 공적 차원의 갈등과 역사가 전개되어 가는 과정에서 이런저런 고민을 하게 되고, 피로를 느끼게 마련입니다. 그러면서 어떤 위안을 그리워하게 되죠. 이럴 때 그것에 대한 응답을 문학에 기대한단 말이에요. 소설도 물론 이런 문학에 포함되는 것이죠.

그러고 보면 이 소설이라는 것은 상당히 묘한 처지에 놓이게 됩니다. 그러니까 문학의 한 하위 범주라는 측면에서 보면, 근대 자본주의 부르주아지의 세계, 이것을 비판하고, 그와는 다른 어떤 꿈의 세계를 제시하는, 이런 역할을 하도록 요구받는 것인데요. 하지만 다른 측면에서 보면 소설이란 앞에서도 말씀드린 것처럼 시장의 문학, 도시의 문학, 이런 성격을 가지고 있는 것이고, 근대 자본주의와 함께 어우러지는 것이 자연스럽기도 한 장르입니다.

이런 점에서 소설은 상당히 양면적인 존재, 모순을 가진 존재라고 할 수 있습니다. 또 그렇기 때문에 더 다양하고 흥미로운 여러 가지 전개양상을 보이게 되는 존재이기도 하죠.

그런 것을 대표적으로 잘 보여주는 서양의 몇몇 위대한 작가들이 있지요. 발자크라든지, 플로베르 같은 사람들, 혹은 졸라 같은 사람들

—이런 프랑스의 대표적인 작가들이 파리를 탐구하고, 묘사하고, 형상화하는 모습을 본다든지, 아니면 러시아의 대작가인 도스토예프스키가 페테르부르크라고 하는 아주 독특하게 인공적으로 만들어진 대도시를 작품의 무대로 자주 다루면서 그 도시의 여러 가지 측면에 대해 애증이 함께 엉클어진 모습을 보이는 가운데 위대한 소설세계를 만들어간 양상을 보면, 상당히 복잡하고 모순투성이이면서 또한 대단히 긴장감 있고 풍부한 창조력을 가진 그러한 문학 세계가 만들어졌음을 확인할 수 있습니다.

그러면 이제 우리 한국의 경우를 검토해 보는 자리로 나아가기로 하죠. 그런데 20세기 한국의 도시문명이라고 하는 것, 도시화의 전개 과정이라고 하는 것을 소설적으로 탐구한다고 했을 때, 한국의 특수한 사정이 작용한 것이지만, 그럴 때 도시에 대한 이야기라는 것은 90%가 서울을 무대로 한, 서울의 얘기란 말이죠. 부산이라든지, 대구라든지, 광주라든지, 이런 다른 도시들을 무대로 해서 현대 자본주의의 문제, 도시의 문제를 탐구한 그런 소설의 전통도 분명히 존재하지만, 서울을 무대로 삼고 있는 소설의 비중에 비하면 그것은 대단히 미미하다는 것을 부정할 수 없습니다. 이것이 바람직한 현상인지, 자연스러운 현상인지 아닌지, 그런 것은 아마 사회과학이라든지 역사학 쪽에서 진지하게 검토해 보아야 할 과제라고 생각됩니다만, 어쨌든 실제로 나타난 양상은 그러하단 말이죠.

그래서 20세기 한국의 소설과 도시라는 문제를 이야기할 때는, 하여튼 90%가 서울과 관련해서 이야기를 할 수밖에 없다는 것이 부정하기 어려운 사실입니다. 그러니까 어떻게 보면 20세기 한국소설사를 얘기하는 것 자체가 그 대부분의 영역에서 서울과의 관련을 얘기하는 것과 겹친다고 볼 수도 있을 것입니다.

그런데 여기서 잠깐 유인물을 보시면, 서론의 마지막 네 번째 항목으로 「향토적 소설의 매력이 제기하는 문제」라는 소제목을 적어 둔 것이 보이실 텐데요. 이것이 상당히 흥미로운 문제를 제기합니다. 사실 우리 한국 문학을 좋아한다고 하는 보통의 독자들에게 '아주 감동적이고 기억에 오래 남는 명작으로 어떤 작품이 떠오릅니까?' 하고 물어보면 대체로 많은 사람들이 황순원의 「소나기」라든지, 이효석의 「메밀꽃 필 무렵」이라든지, 김유정의 「동백꽃」이라든지, 이러한 작품으로 답하리라고 생각이 듭니다. 그렇게 하지 않고 서울을 무대로 한 소설로 답하는 사람은 별로 많지 않을 것 같아요. 아까 말씀드린 것처럼 한국 현대소설의 주류는 어디까지나 서울을 중심으로 한 도시를 탐구하는 계열의 작품들이 차지하고 있는데, 비록 소수에 불과하더라도 많은 사람들의 마음속에 감동적인 추억으로 남아 있는 작품들은 향토적인 세계에 뿌리를 둔 것이 많다는 사실, 이것이 상당히 의미 있고 문학적으로도 심사숙고해 볼 필요가 있는 문제라고 생각이 되거든요.

이것은 문학에 대해 사람들이 기대하고 소망하는 것과 관계가 있다고 여겨집니다. 우리 한국의 경우에는 특히 그렇죠. 20세기의 100년 동안 다른 곳에서 비슷한 예를 찾아보기가 쉽지 않을 만큼 숨가쁘게 산업화, 도시화, 근대화의 과정을 질주해 온 셈인데, 그렇게 질주를 거듭하다 보니까, 아주 숨가쁜 삶을 살아오다 보니까, 자연히 일종의 상실감 같은 것도 거기에 비례해서 크고 절실하게 된 것 같습니다. 그 잃어버린 옛날이라는 것이 반드시 좋은 것이었는가, 하고 생각해 보면, 옛날 100년 전의 향토적이고 전통적인 삶이라는 게 뭐가 그리좋았겠어요. 좋지도 않았지요. 그렇지만 그것과 관계없이, 실증적인 것과 관계없이, 심정적인 차원에서, 잃어버린 그 무엇, 참 소중했고 따뜻했다고 여겨지는 그 무엇에 대한 향수의 세계, 이런 것이 분명히 있는 것이지요. 그리고 그런 것에 대한 보상을 「소나기」라든지 「메밀꽃 필 무렵」이라든지 「동백꽃」이라든지, 이런 유형의 작품들에서 찾는단 말이지요.

그런 심리는 충분히 자연스러운 것이고, 이해할 수 있는 것입니다. 실제로 시골에 고향을 두고 있는 사람은 말할 나위도 없고, 서울에서 태어난 사람, 잃어버린 것이 없는 사람조차도 공통의 상실감을 느끼고, 그런 작품을 읽고 나서는 감동했다고 한단 말이죠. 여기에는 실증의 차원을 넘어서는 깊은 곳에서의 심정의 논리랄까, 그런 것이 작용하는 것으로 생각이 됩니다.

이런 것은 분명히 의미 있는 현상이지만, 그러나 역시 현대 소설사의 주류는 서울과 관련된 소설이라고 보아야 하겠지요. 이와 같은 전제 아래서, 지난 100년 동안 서울과 관련된 문제를 다룬 소설들을 조금 살펴보겠습니다. 물론 수없이 많은 소설이 있습니다만, 특히 지금의 시점에서 더 깊이 생각해 볼 만한 의미가 있다고 여겨지는 작품들을 우선적으로 추려서 검토해 보려고 합니다.

3. 신소설에서 21세기의 소설들까지

(1) 신소설

20세기 한국소설의 서두를 장식하는 것은 신소설이라고 불리는 일군의 작품들입니다. 1906년부터 시작해서 한 20년 정도 활발하게 발표되고, 또 많은 독자들의 관심을 끌었던 소설들이죠.

이 소설들을 읽어볼 때 인상적인 것은, 서울이라는 곳이 아주 문명한 곳, 살기 좋은 곳으로 인식되고 있다는 점입니다. 또 서울 사람들은 법을 잘 지키는 사람들, 대체로 믿을 수 있는 사람들로 설정되고 있죠. 반면에 시골은 무뢰배가 날뛰는 암흑의 공간이고, 시골 사람들 중에는 흉악한 무리들이 많습니다. 이런 것은 오늘날 일반적인 상투형으로 유포되어 있는 이미지하고는 정반대가 되죠. 이 점은 당시의 우리 소설문학이 주로 어떤 사람들에 의해서 개척되었던가 하는 물음을 떠올려 보면 이해가 됩니다.

19세기 말까지 지속되어 온 전통적인 우리의 문화, 사상, 생활이 있었고, 그 속에 우리의 전통적인 문학도 존재했습니다. 그랬는데, 20세기로 넘어오면서 서양의 새로운 문화, 문학이 일본을 거쳐서 쏟아져 들어오기 시작했죠. 이때 새로운 문학, 새로운 양식의 소설이라는 것에 적극적인 관심을 가지고 열심히 읽은 사람들, 그리고 더 나아가서 직접 써 보기까지 한 사람들-이 사람들은 개화파라고 불리는 사람들입니다. 새로운 것을 찬양하고 긍정한 사람들이죠. 그런 사람들이 새로운 양식의 문학을 기쁜 마음으로 받아들이고 거기에 몸을 던집니다. 그런데 여기에 대립되는 위치에 서 있는 사람들도 있습니다. 그런 사람들은 새로운 문학을 안 하죠. 낡은 형태의 문학을 그대로 고수하는 것입니다.

이 시기에 서울이 보여주고 더 나아가서 대표하는 것은 새로운 문명이 도입되는 양상입니다. 전차가 놓이고, 여러 가지 새로운 서양적인 것, 일본적인 것들이 물밀듯 들어와서 낡은 삶의 틀, 문명의 틀을 바꾸어 놓는데, 그 선두주자가 서울을 비롯한 대도시인 것이죠. 그런데 이런 변화를 긍정하고 찬양하는 사람들이 신소설을 쓴 것입니다. 결국 20세기 초의 소설은 도시 찬양의 문학으로 출발했다고 볼 수 있죠.

(2) 이광수

이러한 흐름이 기본적으로 이광수 같은 사람에게로 이어집니다. 이광수의 『무정』은 1917년에 나왔죠. 이 『무정』은 아무리 그 중요성을 강조해도 지나치지 않다고 할 만큼, 거듭거듭 다시 읽혀지고 다시 검토되어야 하는 문제작입니다. 물론 현재의 일반적인 독자들이 지니고 있는 감수성을 기준으로 해서 따진다면 어설프고 유치하게 보이는 점도 많지만, 그런 것까지 감안해서 보더라도 정말 중요한 문학사적 가치를 지니고 있는 소설이죠. 이런 작품에서 서울을 어떤 식으로 보고 있는가, 도시를 어떤 식으로 보고 있는가 하면, 거기서도 희망 어린, 애정 어린, 긍정과 찬양의 어조가 지배적입니다. 서울이 제법 현대화되었다고 하지만 아직 부족하다, 더 현대화되어야 한다, 달리 말하자면 더 시끄러워져야 한다는 주장이 『무정』 속에서 강하게 제기되고 있습니다.

이광수가 『무정』에 바로 이어서 쓴 『개척자』라는 소설에서도 같은 시각이 나타나요. 제가 이 『개척자』라는 소설의 한 대목을 직접 읽어 보겠습니다. 서울에 대해 작가 이광수가 어떤 생각을 가지고 있었는가 하는 점이 뚜렷하게 나타나는 대목이죠. 작가는 이 문제가 너무나 중요하다고 보았기 때문에, 형상화의 과정을 아예 생략해 버리고, 직접 작품의 전면에 나서서, 일종의 선언서를 낭독하고 있는 형국입니다.

> 서울에는 확실히 생명이 있다. 북악(北岳)의 바람이 아무리 차게 내려쏜다 하더라도, 길과 지붕과 마당이 아무리 얼음 같은 눈으로 내려 눌렀다 하더라도, 그 밑에는 봄철에 움 돋고 잎새 필 생명이 있는 것과 같이, 서울에는 확실히 생명이 있다. 아직 의식이 발동하지 아니하고, 감각과 이성의 맹아(萌芽)가 모양을 이루지는 못하였다 하더라도 확실히 서울에는 생명이 있다.[2]

이런 식으로 서울에는 생명이 있다는 이야기를 웅변조로 계속 해요. 그 다음 부분을 조금 생략하고 다시 두 군데를 보겠습니다.

> 이 생명은 묵은 사해(死骸)와 새로운 공기와 광선으로 생장할 것이다. 묵은 사해는 사해 그 물건으로는 무용하다 하더라도, 그것을 생명적으로 분해한 화학적 원소는 넉넉히 신생명의 영양 될 수가 있다. 될 수가 있을뿐더러 그것은 영양으로 하지 아니하면 아니 된다.[3]

> 서울의 생명은 생장하지 아니치 못할 운명을 가졌다. 그런데 서울에는 생명이 있다. 서울을 보고 우는 자는 자기의 잘못임을 깨달아야 한다. 서울! 낡은 주검 위에 새로 설 새 서울! 제군은 북악의 열풍 속에, 남산의 월광(月光) 속에 탄생 축하의 기쁜 곡조를 알아들어야 한다.[4]

『개척자』를 읽어보면 성순이라는 여주인공이 여러 가지 장애를 물리치고 사랑의 승리를 획득하기 위해 몸부림치는 이야기가 전개됩니

---

2) 이광수, 『이광수전집』 1(우신사, 1979), p.254.

3) 위의 책, p.255.

4) 위의 책, 같은 페이지.

다. 이런 이야기가 전개되고 있는데, 갑자기 작가가 직접 나서서 책상을 치며 연설을 한단 말이죠. "제군은 북악의 열풍 속에, 남산의 월광 속에 탄생 축하의 기쁜 곡조를 알아들어야 한다" 이런 식으로요. 지금의 감각으로 보면 어이없는 장면이라고 할 수도 있을 법한데요. 하지만 당시의 독자들은 아마 상당히 감동하면서 그 메시지를 받아들였을 것 같아요.

이런 것은 이광수가 지니고 있었던 계몽사상가, 계몽소설 작가로서의 면모를 잘 보여주는 예가 될 것입니다. 여기서의 계몽이라는 것은 방금 보았다시피 근대화 혹은 도시화를 찬양하고 긍정하고, 그것을 가속화시키고자 안달하는 것이었어요.

이런 식의 도시에 대한 긍정과 기대는 한동안 더 이어집니다. 김동인도 그렇지요. 김동인은 많은 점에서 이광수를 비판하고 극복하고자 애썼던 작가이지만, 도시를 긍정하고 서울에 대해 희망적인 관점을 가졌던 점에서는 이광수와 같았습니다. 그의 첫 작품인 「약한 자의 슬픔」만 봐도 그런 사실이 확인되죠.

(3) 염상섭

그런데 이광수의 『무정』이 쓰인 해는 1917년이죠. 『개척자』는 거기에 바로 이어서 나온 것이고요. 이런 시대에 다양한 현대적 문물이 도입되고, 세상이 날마다 낡은 껍질을 깨뜨리고 앞으로 나아가는 모습을 보인 것은 사실이지만, 더 근본적인 차원에서 보면, 이 시대의 조선은 일본의 식민지였단 말이죠. 조선총독부가 군림하고 있고, 그 아래 엄청난 탄압과 왜곡이 이루어지는 상황에서 새로운 도시화 혹은 현대화가 진행된 것인데, 이것에 대해 심각한 고민을 하지 않을 수가 있을까 하는 질문이 가능합니다. 물론 이 문제에 대한 고민이 이광수의 소설에 보이지 않는 것은 아닙니다. 하지만 심층적인 고민은 미약한 편이었지요. 김동인의 경우도 마찬가지입니다. 이런 점을 주목해서 볼 때 염상섭이 얼마나 중요한 작가인가 하는 깨달음이 새삼 절실하게 다가옵니다.

염상섭은 서울 태생이죠. 서울 태생이기 때문에 좀 더 침착할 수 있었는지도 모르겠어요. 평안북도 정주의 돌고지 마을, 아득한 산골짜기에서 태어나 자란 이광수 같은 시골 사람이 서울에 와서 감탄하고 흥분을 하다가 동경(東京)에 가서는 더욱 감탄하고 더욱 흥분했던 것과 비교하면, 염상섭은 다르죠. 서울에서 태어난 사람이니까요.

유인물에서는 빠졌습니다만, 염상섭이 첫 번째로 쓴 작품이 「암야(闇夜)」라는 단편인데요. 이 작품은 「표본실의 청개구리」보다 나중에 발표되었지만, 염상섭이 실제로 쓰기는 제일 먼저 쓴 것입니다. 1919년 10월에 쓴 작품이죠. '암야'는 '캄캄한 밤'이라는 뜻입니다. 이 작품의 주인공은 여러 가지 시대적 문제와 내면적 정신의 고뇌로 아주 깊은 마음속의 아픔을 안고 있는 지식인입니다. 이 젊은 지식인이 서울 거리를 헤매면서 괴로워하고, 우울에 허덕이면서, 무언가 자신을 뜨겁게 태워줄 수 있는 어떤 것을 간절히 소망하는 모습이 상당히 모호한 표현을 동반하면서도 묵직하게, 또 절실하게 부각되어 있습니다. 여기서 제시되고 있는 서울의 공간이란, 총독부가 군림하고 있는 공간입니다. 옛 조선 왕조의 자취가 여지없이 모욕당하고 있는 공간이기도 하죠. 이러한 공간을 염상섭이 의도적으로 작품 속에 부각시키면서 주인공의 우울과 고뇌를 제시하고 있는 것인데, 이런 작품을 통해서 비로소, 문명의 차원과 더불어 정치의 차원까지 함께 의식하면서 '서울'을 문제화하는 태도가 한국소설 속에 본격적으로 등장했다고 볼 수 있겠습니다.

염상섭은 그 후에도 많은 작품을 썼지요. 서울을 주된 무대로 삼으면서, 최소한 해방 전의 한국문학 전체를 통해서 볼 때, 누구보다 깊이 있는 사회의식과 도시의식을 보여준 작가로 공인되고 있는 인물이 염상섭입니다. 그의 대표적인 장편 도시소설로는 『사랑과 죄』, 『광분(狂奔)』, 『삼대』 등을 지목할 수 있을 것 같은데요. 이 작품들 중 『삼대』를 제외한 두 편은 잘 알려져 있지 않습니다. 『사랑과 죄』는 1920년대의 한국 장편소설 가운데 제일 높은 수준을 보여주는 문제작인데, 읽어본 사람이 거의 없어요. 『광분』을 아는 사람도 정말 드뭅니다. 너무나 안타까운 사실이지요. 『삼대』는 잘 알려져 있으니까 제외하고, 그 두 편만 조금 언급해 보겠습니다.

『사랑과 죄』라는 두꺼운 장편소설을 보면 그 제1절의 소제목이 「서울」로 되어 있습니다. 그리고 그 첫 장면에서 부각되는 것이 당시 남산의 조선신궁(朝鮮神宮)을 짓는 공사에 동원된 노동자들의 모습입니다. 그 노동자들이 일하면서 부르는 노동요 속에 "장안에 놉기론- 브악산(北岳山)의 아방궁 남산의 조선 신궁!"[5]이라는 구절이 들어 있어요. 당시 조선의 서울을 무대로 한 현실 문제의 핵심을 다분히 풍자적인 어조로 언급하고 있는 것이죠. 아방궁이라는 표현 자체에 조선총독부의 권력을 풍자하는 뜻이 담겨 있는 것이고, 이런 것을 제시하면서 소설이 시작되고 있습니다.

이 소설 속에는 1920년대 당시 서울의 다양한 공간들이 탐사되고

5) 염상섭, 『염상섭전집』 2(민음사, 1987), p.12.

있어요. 하나의 거대한 범주로 일제의 권력집단이 있고, 이 권력에 저항하는 비밀결사의 지하운동이 묘사되죠. 그러면서 일종의 추리소설, 스릴러에 가까운 내용이 전개되고, 그런 와중에 살인이 벌어집니다. 『사랑과 죄』라는 제목에도 '죄'가 들어가 있지만, 소설 자체가 범죄소설의 면모를 지니게 되죠. 그런데 이때의 '범죄'라는 것에는 다양한 의미가 들어 있습니다. 그리고 또 한 가지 인상적인 점이 있어요. 당시 돈이 있고 사회적 지위도 있는 일본인들이 사는 동네는 서울 장안에서도 특히 조용하고 평화롭고 문화적인 공간으로 되어 있습니다. 겉으로 보기엔 가장 문화적인데, 깊은 층위에서는 가장 심각한 범죄성을 담고 있는 곳이 이런 공간이죠. 이런 문제에 대한 본격적인 탐구 내지는 형상화가 이루어지고 있는 것을 보면 지금 읽어보아도 마음에 다가오는 것이 있습니다.

그리고 『광분』 역시 살인사건을 포함하고 있는 소설입니다. 일종의 범죄소설이라고 할 수 있죠. 하지만 본격적인 추리소설은 아니고, 범죄라는 것을 작품 속의 중요한 한 고리로 삼으면서 그것을 통해 다양한 현실 탐구를 행하고 있는 소설입니다. 1929년에 총독부가 자기들의 치적을 자랑한다는 뜻으로 서울에서 대(大)박람회를 열었어요. 그리고 이것과 관련된 떠들썩한 정치 선전을 벌입니다. 이러고 있는 판에 광주에서 일어난 항일 학생운동의 여파가 서울에까지 밀려닥쳐서 격렬한 시위가 벌어지죠. 이와 같은 시대의 전개 양상을 작가는 노련한 솜씨로 소설 속에 펼쳐놓고 있습니다. 이런 것을 보면 우리가 1920년대 서울과 관련된 역사적, 정치적, 사회적, 문화적 문제들을 다시 음미하고 확인하고 질문하려 할 때 『광분』을 빼놓을 수 없겠다는 생각이 저절로 들게 되죠.

(4) 프로 소설

그 다음에 '프로 소설과 서울'이라는 것을 하나의 항목으로 생각해 볼 수 있습니다. 프로 소설이란 곧 프롤레타리아 소설을 말하죠. 그런데 프롤레타리아 소설이 이 영역에서 크게 성취한 것은 없다고 생각됩니다. 프롤레타리아 소설이 적어도 논리적으로, 또 이데올로기적으로 도시 노동자 문제에 깊은 관심을 가지고 적극적인 노력을 기울이고자 애를 쓰기는 했죠. 하지만 소설은 실감이 있어야 되는 것입니다. 어떤 논리, 이데올로기만으로 되는 것이 아니라는 얘기죠. 한국의 프로 소설이 실감 있게 성취를 거둔 것은 아무래도 농민소설의 영역에서였습니다. 거기에 비하면 도시, 서울을 배경으로 해서 노동자 문제를 다룬 것들은 약세를 면치 못했어요.

예를 들면 이기영은 당대 제일의 농민소설 작가였다고 할 수 있습니다. 그의 농민소설 가운데에는 기억할 만한 작품이 많죠. 그런 그도 서울을 무대로 한 작품을 쓰기는 했습니다. 이를테면 「원보」라는 단편소설이 있는데요. 이 작품을 보면, 어떤 농민이 신작로 공사에 동원되었다가 다리가 부러지는 큰 부상을 입고, 그 치료 때문에 생각지도 못했던 서울 구경을 하게 됩니다. 이처럼 우연한 계기로 서울 구경을 하게 된 농민과, 계급의식을 가진 노동자가 만나서, 노농동맹의 가능성을 모색하는 쪽으로 이야기가 나아가지요. 여기에는 작가의 의도가 분명하게 반영되어 있습니다만, 그다지 진도가 많이 나간 소설이라고는 할 수 없어요.

그리고 나중에, 1930년대 후반기에 프로 소설의 진영에서 나온 장편으로, 한설야의 『황혼』 같은 것이 있습니다. 이 작품은 노동자 문제를 본격적으로 제기한 소설로 그 무게가 작지 않지만, 역시 실감의 차원에서 볼 때 아쉬운 점이 있습니다.

(5) 박태원과 이상

이제는 자연스럽게 '1930년대 모더니즘 소설과 서울'이라는 주제로 넘어갈 때가 되었는데요. 박태원이나 이상 같은 사람들이 이 흐름을 대표하죠. 이들을 보면 확실히 서울 태생이냐 아니냐 하는 것이 중요한 의미를 갖는다는 생각이 듭니다. 앞에서 본 작가들 가운데서는 염상섭이 서울에서 태어난 사람이었는데, 박태원과 이상도 모두 서울 태생이에요. 태어나면서부터 도시적인 감수성과 도시적인 의식이 몸속 깊이 체화된 사람들인 거죠. 이런 사람들이 보여주는 서울에 대한 관찰과 묘사는, 촌사람이 뒤늦게 서울에 와서 놀라고 학습한 것과는 아무래도 다르죠. 말하자면 남들이 따라오지 못하는 부분을 이들은 갖고 있는 것입니다.

박태원의 경우를 보면, 「소설가 구보씨의 1일」이라는 중편이 1930년대의 문제작으로서 두고두고 다시 논의되고 연구되는 대표적 작품이지요. 참 따뜻한 작품입니다. 박태원의 소설이 대체로 그렇습니다만, 이 작가는 서울 태생으로, 도시인의 휴머니티라고 할 만한 것의 좋은 모델을 보여주죠.

그것은 박태원의 개인적 성격도 성격이지만, 그가 속한 세대의 위상과도 조금 관련이 되는 것 같습니다. 예컨대 염상섭 같은 작가는 14세에 경술국치를 맞이한 사람입니다. 그런데 박태원은 3세 때 경술국치가 되었어요. 경술국치 이전의 삶이라든지 세상에 대한 아무런 기억이 없는 사람이죠.

그러니까 완전히 식민지화된 세상에 길들여져서, 그 너머를 잘 꿈꾸지 못하는 것. 물론 망국의 슬픔은 공유하고 있고, 퇴락한 옛 왕궁의 모습을 보면서 마음의 애상(哀傷)을 느끼기는 하죠. 하지만 애상을 느낀다거나 애달픔을 느끼는 정도에서 더 나아가 염상섭처럼 선이 굵은 고뇌를 보여주지는 못한다는 거죠. 그 대신 염상섭에게는 없는 부드럽고 섬세하고 따뜻한 도시적 감수성이 박태원에게는 있습니다.

1930년대라는 시대는 일제가 군국주의 파시즘을 강화한 시대인데, 한편으로는 군국주의의 강화에 따르는 조선의 병참기지화가 이루어지고, 경제적으로는 전보다 약간 호전되면서, 백화점이라든지 카페라든지 하는 것들로 대표되는 현대적인 것, 모던한 것들이 새롭게 비중을 키워간 시대이기도 했습니다. 이런 시대의 감수성과 아름다움이라고 할 만한 것을 박태원의 소설에서 볼 수 있는 것입니다.

요즘의 국문학계에서는 박태원을 통해서 1930년대의 서울을 분석하고 여러 가지를 검토하는 작업이 많이 이루어지고 있는데요. 이럴 때 우리는 사실 신중해야 한다는 생각이 듭니다. 박태원이 가지고 있는 소중한 부분에 대해서는 충분히 애정을 가지고 받아들이면서도 그가 보여주는 한계 너머를 사유할 수 있는 그런 긴장을 연구자들로서는 잃지 않는 것이 반드시 필요하다는 생각을 하고요.

이러한 맥락에서 이상을 다시 생각해보게 됩니다. 이상의 경우에는 「날개」 같은 소설이 서울과 관련된 삶의 실감을 아주 독특하고 인상적인 모습으로 보여주죠. 그런데 이런 소설과 함께 그가 쓴 시들이 또한 중요합니다. 이상의 시들이 문학적인 내면 탐구의 차원에서 여러 가지 중요한 의미를 지니고 있다는 것은 널리 알려진 사실입니다만, 도시 연구, 서울 연구라는 측면에서도 이상의 시에는 아주 흥미롭고 의미 있는 성과를 기대하게 만드는 요소가 가득히 들어 있습니다.

이상은 정말 식민지가 되기 이전의 세상에 대해 아무런 체험이 없는 사람입니다. 철저한 식민지 시대의 자식인 거죠. 그런 가운데서도 자신의 실감으로는 알지 못하지만 그러나 무언가 모르게 천재적인 예술가의 직관에 의해서 그 너머를 동경하고, 그리워하고, 괴로워하는 마음이 작품 속에 스며들어 있습니다. 그래서 이상의 문학은 어떻게 보면 염상섭의 문학과 맞먹을 만큼의 긴장미와 밀도와 문제성을 가지고 있는 것으로 여겨집니다. 이런 점은 다른 측면에서도 많이 이야기가 될 수 있지만, 당대의 식민지 수도 서울을 사색하고 문학적으로 사유하는 자리에서도 역시 중요한 성취를 이룬 것이라고 평가할 수 있습니다.

(6) 김승옥

지금까지 살펴본 것 정도가 해방 전의 소설 가운데서 서울을 문학적으로 보여준 대표적인 성과라고 생각됩니다. 그리고 그 이후 한동안의 공백이 있습니다. 그러니까 일제 말기가 지난 다음 해방 직후, 그리고 6.25를 거쳐서 1950년대가 전개되죠.

일제 말기부터 1950년대까지에 걸쳐 나온 훌륭한 소설들은 많이 있습니다. 그 작품들 가운데 서울을 무대로 한 것도 굉장히 많죠. 하지만 서울에 대한, 서울이라는 도시가 가지고 있는 어떤 양상과 의미에 대한 깊이 있는 천착을 논의할 만한 성취는 찾아보기가 쉽지 않습니다. 그런데 이것은 이해할 수 있는 현상이에요.

차라리 일제강점기의 1920년대나 1930년대에는 상대적으로 좀 더 침착한 자리에서의 탐구가 가능했습니다. 그러나 일제 말기부터는 너무나 엄청난 격동과 혼돈과 폐허의 상황이 이어졌어요. 그래서 서울이

건 어디건 관계없이, 생존 자체가 절박했고, 격동과 혼돈을 일으키는 힘들로부터의 초극이라는 과제가 절박했기 때문에, 서울을 주제로 해서 소설적인 탐구가 이루어지기에는 매우 불리했습니다.

그러다가 1960년대에 들어가면 경제개발의 시동이 걸리고, 인구의 도시 집중, 특히 서울로의 집중 현상이 본격화되면서 다양한 현대적 도시 문제가 동시다발적으로 터져 나오게 되죠. 이런 단계에 이르러서야 비로소 서울에 대한 소설적 탐구의 작업도 본궤도를 회복하게 되는 것으로 보입니다.

1960년대의 소설들 가운데 서울을 이야기할 때는 아무래도 김승옥 씨를 첫 번째로 논의하는 것이 자연스럽지요. 앞서 살펴본 작가들 가운데 염상섭, 박태원, 이상 같은 사람들을 가리켜, 서울 태생으로서 서울과 관련된 문제의 문학적 탐구에서 중요한 성과를 거둔 대표적 작가들이라고 했는데요. 김승옥 씨는 그와 대조적인 작가죠. 촌사람이 대학에 입학하기 위해 서울에 처음으로 와 보고 놀란 전형적인 경우입니다. 바닷가 모래밭에서 뛰놀던 시골과는 딴판인 희한한 세상이 서울에 펼쳐져 있더라는 거예요. 그래서 그 엄청난 대조 때문에 충격을 받고, 이것이 무엇인가, 이것의 의미가 무엇인가, 이런 물음을 놓고 고민하는 자리에서 도시소설을 생성하게 된 거죠.

그렇게 해서 써진 「무진기행」이라든지 「서울 1964년 겨울」이라든지 하는 작품들은 처음 나온 지 벌써 40년 이상이 지났지만 지금도 상당히 많은 독자들에게 현재적인 감동을 안겨주고 있습니다. 그렇게 될 수 있었던 이유로는 여러 가지가 있겠지요. 그 중 한 가지로 지금 언급하고 있는 서울의 문제를 들 수 있습니다.

이때의 서울은 주로 문화공간으로서의 서울이지요. 여기서 말해지는 문화라는 것은 다분히 관념적이고 추상적인 존재로서의 문화입니다. 그러니까 시골서 뛰어놀고 경우에 따라서는 빨치산의 출현으로 피가 흐르고 했던 것이 실감의 세계였다고 한다면, 서울은 그 반대라는 거죠. 서울에 올라와 보니까 곳곳에서 클래식 음악이 울려 퍼지고, 대학 강단에서는 예링의 법철학을 강의하고 뭐 이렇게 하는데, 이런 것들이 다 세련된 문화의 외피를 쓰고 있기는 하지만, 결국 따지고 보면 관념이고 추상이라는 것입니다. 이런 데서 이질감과 불편함을 느끼지 않을 수가 없죠. 그러면서 또 한편으로는 걷잡을 수 없이 매혹당하는 마음이 되기도 합니다. 이 복잡한 심리구조, 이런 것이 어떻게 보면 서울을 상징적인 대표로 하는 근대라는 것이 일으키는 일종의 복합 반응이죠. 이런 것 앞에서 상당히 당황하는 한편 자기 나름의 새로운 응전 코드를 모색하게 됩니다.

이와 같은 양상이 김승옥 씨의 여러 중요 작품들, 그러니까 앞서 말한 「무진기행」이라든가 「서울 1964년 겨울」이라든가, 또 「환상수첩」이라든가 「역사(力士)」라든가 하는 등의 여러 소설 속에 두루 스며들면서, 40년이 지난 지금까지도 많은 한국인들의 감수성에 호소하는 힘을 갖추게 된 것으로 생각됩니다.

(7) 『서울은 만원이다』

그리고 서울을 이야기할 때 역시 빼놓을 수 없는 것이 이호철 씨의 『서울은 만원이다』라는 장편소설입니다. 이것도 40년 전에 나온 소설인데, 40년 전에 만원이었으면 지금은 무엇인지, 초만원도 아니고, 무엇으로 표현해야 할지 잘 모르겠습니다. 어쨌든 제목을 놓고 말하자면, 이른바 카피를 잘 뽑은 셈이죠. 1966년에 발표된 『서울은 만원이다』, 이 소설의 한 대목을 제가 천천히 읽어 보겠습니다. 같이 생각해 볼 만한 점들을 여러 가지로 함축하고 있는 대목입니다.

> 서울은 넓다.
>
> 아홉 개의 구(區)에, 가(街), 동(洞)이 대충 잡아서 삼백팔십이나 된다.
>
> 동쪽으로는 청량리 너머로 망우리, 동북쪽으로는 의정부를 바로 지척에 둔 수유리, 우이동, 서쪽으로는 인천 가도 중간의 영등포 끝, 동남쪽으로는 한강 건너의 천호동 너머, 서남쪽으로도 시흥까지 이렇게 굉장한 면적을 차지하고 있다.
>
> 그러나 이렇게 넓은 서울도 삼백칠십만이 정작 살아보면 여간 좁은 곳이 아니다.
>
> 가는 곳마다, 이르는 곳마다 꽉꽉 차 있다. 집은 교외에 자꾸 늘어서지만 연년이 자꾸 모자란다. 일자리는 없고, 사람들은 입만 까지고 약아지고, 당국은 욕사발이나 먹으며 낑낑거리고, 신문들은 고래고래 헛소리만 지른다.
>
> 거리에는 사철 차들이 붐비고 여관, 다방, 음식점, 술집, 극장, 당구장, 바둑집이 우글우글한다. 입으로는 못살겠다고 저저금 아우성인데, 다방도 음식점도, 바둑집도, 당구장도, 삼류극장도 늘어만 가고 있다.
>
> 대관절 서울의 이 수다한 사람들은 모두가 무엇들을 해먹고 사는 것일까.
>
> 하긴 돈을 찍어내는 곳이 서울의 조폐공사이니까 어차피 조폐공사에서 가장 가까운 거리에 있는 자들이 제일 큰 땡을 잡게 마련일 것이다. 그리고 이렇게 가장 가까운 거리에 있는 사람들이란 잘 아시다시피 그렇고 그런 사람들이다.
>
> 그렇게 한가운데 들어앉은 몇 안 되는 사람들로부터 바깥으로 향

하여 불꽃이 튀어나가듯 혹은 물이랑이 퍼져나가듯 몇 겹으로 층이 둘러싸인다.

첫째 그룹, 둘째 그룹, 셋째 그룹, 이렇게 수십 겹이 둘러싸인다. 첫째 그룹이나 둘째 그룹에 가까이 속하면 속할수록 위엄이 늠름하고 혈색은 좋으나 돈맛은 더 알아서 외곬으로 영악해진다. 천신만고로 얻은 현 지체를 유지하려고 전전긍긍이다.

한편 바깥쪽으로 가면 갈수록 타고난 대로의 구수한 인정은 있지만, 하루하루 살아가는 자질구레한 싸움은 노상 끊이지 않는다.

가운데쪽에서는 장막 너머에서 저희들끼리 큰 싸움이 끊일 사이 없고, 들러리쪽에서는 들러리대로 두부 한 모 가지고도 아옹다옹이다.[6)]

이것이 소설의 한 대목인데요. 여기서는 작가가 연설을 하고 있는 것이죠. 그런데 같은 연설 형식이지만, 과거에 이광수가 했던 '제군들이여, 희망을 가져라' 식의 연설에 비하면, 한 50년 정도 세월이 지나는 동안에 여러 가지가 굉장히 달라졌구나 하는 느낌이 들지 않을 수가 없습니다.

여기에 제시되고 있는, 당시의 서울에 대한 작가의 통찰은, 지금도 상당히 유효한 측면이 있는 것 같습니다. 물론 언급되어 있는 수치들은 바꾸어야 되겠지만 말이죠.

그런데 이 소설이 제가 보기에는 상당히 중요하고 의미 있는 작품으로 생각됩니다. 이 소설의 작가인 이호철 씨는 함경도 태생으로 6.25 때 남쪽으로 내려와 살게 된 사람이에요. 말하자면 뿌리 뽑힌 집단에

---

6) 이호철, 『이호철전집』 7(청계, 1991), pp.15~16.

속하는 사람이죠. 그래서 이호철 씨의 문학세계에서는 원래의 자기 터전으로부터 타의에 의해 뽑혀져 나온 사람이 어떻게 새로운 세상에 뿌리를 내리고, 다시 의미 있는 공간을 만들어내는가 하는 몸부림이 일관된 주제를 이루고 있어요. 그런데 사실 또 다시 뿌리를 내리는 일은 불가능하지요. 한번 뿌리 뽑힌 사람은 다시는 뿌리를 내릴 수 없단 말이죠. 그런 불가능성 속에서 그래도 생존은 해야 되죠. 살기는 살아야 되죠. 결국 어떻게 사느냐 하는 것이 문제가 되는데, 이런 처지에 있는 작가의 눈으로 관찰한 서울이라는 곳은, 구체적인 경위와 정도는 모두 달라도, 뿌리 뽑힌 처지라는 점에서는 동일한 사람들이 무수하게 모여서 서로 얽히고, 서로 지지고, 볶고 하면서, 다시 새로운 사회를 만들어가는 공간이에요. 어떻게 보면 굉장히 황량한 공간이죠. 하지만 또 다르게 보면 다이내믹한 공간이기도 하죠.

이 소설의 주인공은 경상도 통영에서 올라온 길녀라는 이름의 처녀입니다. 이 처녀가 처음에는 여러 가지 아름다운 꿈을 품고 올라왔지만, 우여곡절 끝에 윤락녀가 되고 말아요. 그런데 이 소설에서는 주인공 한 사람이 중요한 것이 아닙니다. 그 주인공을 가운데에 놓고 그와 얽히는 거의 모든 작중인물들이 뿌리 뽑힌 존재로서의 면모를 가지고 있어요. 그렇게 뿌리 뽑힌 존재로서의 상실감, 결핍감, 공허를 가지고 있는데, 그러면서도 한편으로는 그런 사람들끼리 얽히면서, 말하자면 일종의 허허벌판에다 새로운 삶의 터전을 만들어가는 겁니다. 오히려 조상 때부터의 서울 토박이라고 하는 부류들이 그 사람들을 당해내지 못하고 밀려나는 판국이죠. 당시 작가가 관찰한 서울은 그런 곳이었습니다. 이런 서울을 작가는 한편으로는 비판적이고 냉소적으로 보면서도 또 한편으로는 따뜻한 애정을 가지고 그려나갑니다. 이 소설에 대해서 깊이가 없다, 일종의 통속소설의 한계를 벗어나지 못했다, 하면서 비판을 하는 논자들이 많은데, 저는 그보다 조금 더 높은 평가를 해도 좋지 않을까 하는 생각을 가지고 있습니다.

(8) 1970년대

그 다음에 1970년대로 넘어가보면, 김승옥 씨가 쓴 「서울의 달빛 0장」이라는 소설이 있어요. 이 작품은 참 지저분한 이야기죠. 어떤 남자가, 갈비탕집을 경영하는 부잣집의 둘째 아들인데, 미모의 인기 탤런트와 결혼을 했습니다. 그런데 알고 보니 아내가 너무 성적으로 문란해서 이혼을 하게 됩니다. 이혼을 하고 나서는 일종의 복수심 같은 것도 작용해서 남자 자신이 방탕한 생활을 하게 된다는 이야기입니다. 그야말로 황폐한 이야기죠. 그런데 이런 소설에다가 '서울의 달빛'이라는 제목을 붙였어요. 이것이 상당한 의미를 갖는 것 같습니다. 내용 자체로 보면, 서울이라는 도시 자체가 작품 속에서 꼭 중요한 것은 아닙니다. 그런데도 작가가 굳이 '서울'이라는 단어를 제목 속에 집어넣은 것을 보면, 그 제목을 통해서 작가가 말하고자 하는 메시지가 있었다고 해석해야 되겠죠. 여기서 누구라도 금방 떠올리게 되는 것이 이 작가의 1960년대의 평판작이었던 「서울 1964년 겨울」입니다. 「서울 1964년 겨울」에서도 인간과 인간 사이의 단절과 소외 등이 절실하게 부각되었던 셈인데, 그 이후로 상황은 더욱 악화된 것이 아닌가 하는 데 대한 작가 나름의 아픔이 이 「서울의 달빛 0장」이라는 작품 속에 투영되어 있는 것으로 보입니다.

그런데 이런 식으로 서울, 혹은 도시, 대도시, 현대 대도시라는 것을 비판적으로 보는 관점, 타락한 공간이요 공허한 공간이라고 보는 관점은, 알고 보면 많은 소설들에서 거의 무슨 정해진 공식처럼 되풀이되고 있는 것이죠. 조세희 씨의 『난장이가 쏘아올린 작은 공』, 박완서 씨의 『도시의 흉년』 등등 많은 작품들에서 우리는 거듭 현대 대도시, 특히 서울의 부패, 비인간화, 타락, 이런 것들에 대한 작가들의 분노한 목소리를 들을 수 있습니다. 그리고 이런 것이 많은 독자들에게 공감을 불러일으켜 왔죠.

여기서 제가 한 가지 궁금하게 생각하는 것이 있는데요. 이렇게 서울을 비판하고, '서울은 못 살 곳이다'라고 쓴 작가들 가운데서, 실제로 서울 생활을 그만두고 산골에 가서 산다는 작가의 소식은 아직 별로 들은 바가 없단 말이죠. 아직까지는 거의 다 서울에서 살고 있다는 말입니다.

(9) 1980년대와 그 이후

이런 맥락에서 볼 때 주목할 필요가 있는 것이, 윤후명 씨의 중편소설 「돈황의 사랑」 같은 작품입니다.

이 작품은 참 독특한 소설이에요. 실직 상태에 있는, 그래서 생활이 상당히 어려운 어떤 남자가 있습니다. 그에게는 아내가 있는데, 이 아내는 지금 자궁에 병이 생겨 낙태수술을 해야 하는 상황이에요. 굉장히 삭막하고 우울한 상황이죠. 그런 상황 속에 놓인 하루가 소설의 시간적 배경입니다. 그 하루 동안 아내는 수술을 하러 가고, 남편은 할 일이 없어서 아내의 수술이 끝나기를 기다리는 동안 서울 시내를 왔다 갔다 합니다. 그런 현실적 배경 속에서, 일종의 몽상이 온갖 방향으로 자유분방하게 뻗어가는 거죠. 돈황으로 갔다가, 우리 옛날 고조선 시대의 노래라고 하는 「공무도하가」로 향해 갔다가, 북청사자놀음으로 갔다가, 합니다. 도시의 공간이 삭막하면 삭막할수록 더 절실해지는 아득한 꿈의 세계, 몽상의 세계, 이미 소멸해 버리고 없기 때문에 더 간절하게 그리워지는 피안의 세계가 다분히 서정적인 음조로 펼쳐지는 것입니다.

보통 소설과 서울을 관련시켜 논의할 때는 「돈황의 사랑」 같은 것은 언급을 안 하고 지나가는 것이 일반적인데, 저의 의견으로는 이런 작품이야말로 상당히 의미 있는 것이 아닌가, 소중한 것이 아닌가, 하는 생각이 들고요. 아주 쉽게 누구나 금방 생각할 수 있고 공감할 수 있는 사회 문제를 직접적으로 다루어서 분석하고 비판하고 화를 내고 하는 그런 소설보다는 이런 유형의 작품이 의미 있다는 생각입니다.

그리고 독특한 성취를 보여준 또 다른 예로서 강석경 씨의 「숲속의 방」이라는 중편이 있습니다. 이 작품의 주인공은 1980년대의 대학생입니다. 당시 치열한 반체제운동이 전개되는가 하면 또 한편으로는 현실주의적인 흐름이 강력하게 뻗어나가는 가운데에서 고민하고 방황하다가 자살하는 여대생이죠. 그리고 이 여대생의 언니가 관찰자 겸 또 하나의 주인공이 되어서 이야기를 진행하는데요. 이러한 소설 진행을 통해서, 그동안 다른 소설에서 좀처럼 다루어지지 않았던 서울의 또 다른 측면이 조명됩니다. 이 작품이 나오던 당시만 해도 종로통에 학원들이 많았어요. 지금은 대치동 같은 곳으로 대부분 이사를 가 버렸지만. 그 학원가를 중심으로 당시 젊은 세대들의 해방구와 같았던 공간에 대한 소설적 탐사가 이루어지고 있습니다. 소설로서의 문학적 성과에는 여러 가지 한계점도 없지 않지만 상당히 색다른 시도로서 기억할 만한 것이라고 생각됩니다.

1990년대에도 서울을 배경으로 한 수많은 작품이 나왔는데, 그 가운데 신경숙 씨의 『외딴방』을 특별히 주목할 필요가 있습니다. 이 작품은 많은 부분이 작가 자신의 체험에 바탕을 두고 있죠. 시골에서 태어나서 자란 사람이 고교생 정도의 연령이 되었을 때 서울로 올라와 구로공단에 취직을 해요. 여성노동자로 일하면서, 밤에는 야간학교에 다닙니다. 이런 주인공의 이야기를 통해 서울 대도시 노동자들의 세계를 보여줍니다. 1980년대에는 이 작품 이외에도 이를테면 한설야의 『황혼』의 세계를 이어받은 수많은 노동소설이 나왔는데요. 그런 작품들과 어떤 면에서는 겹치고 어떤 면에서는 구별되는 독특한 지점에 『외딴방』이 놓입니다. 신경숙 씨의 서정적이고 아름다운 문학세계가 가진 고유한 색깔하고, 이런 대도시 서울의 공단에 대한 소설적 탐구라는 것이 서로 만나면서, 독특한 성취를 이룬 것이죠.

그리고 지금은 2000년대 후반에 들어선 시점인데요. 2000년대에 들어와서는 새로운 양상이 보이기 시작합니다. 정미경 씨의 『이상한 슬픔의 원더랜드』라든지 정이현 씨의 『달콤한 나의 도시』라든지 하는 작품을 그 대표적인 예로 들 수 있죠. 이런 작품들을 읽으면서 느끼게 되는 것은, 서울이라는 것, 혹은 도시라는 것에 대해서, 이제는 그다지 특별하게 생각하지 않고, 흥분하지 않고, 담담하게 받아들인다, 말하자면 이제는 익숙해졌다 하는 인상입니다. 옛날 신소설 시대 이래로 말하자면 이광수는 이광수 식으로 흥분을 했고, 염상섭은 염상섭 식으로 흥분을 했고, 박완서 씨는 박완서 씨의 방식으로 흥분을 하면서, 서울, 대도시, 현대 문명, 이러면 좋든 나쁘든 굉장한 무엇인가가 있다고 생각을 해 온 것인데, 이제는 별로 그러지 않는단 말이죠. 자연스러워졌고 익숙해졌어요. 한 100년 정도 현대 도시문명이라는 것하고 얽혀서 구르다 보니 이제는 담담해졌다는 얘기지요.

『이상한 슬픔의 원더랜드』 같은 소설에서는 자본주의 최첨단의 세계라는 것이 펼쳐지는데, 그런 것을 일상으로, 생활로 받아들이고, 용해하고, 자기화하는 모습이 보입니다. 이런 작품을 보면 21세기에 들어와서 한국소설은 새로운 단계로 넘어온 것 같다는 생각이 저절로 들게 되죠.

4. 맺는말

이제까지 몇몇 대표적인 작품을 거론하면서 한 100년 동안의 흐름을 대충 짚어보았습니다. 그 작품들 가운데에는 서울을 상당히 예찬한 초기의 작품도 있었고, 최근에 와서는 비교적 담담한 접근을 보여준 작품도 있었습니다. 그러나 전체적으로 평균을 내어 보면, 아무래도 부정적이고 비판적인 관점을 보여주는 이야기, 숨이 막혀서 못살겠다고 말하는 이야기가 압도적이죠.

여기에 근대문학의 미묘한 위상이 걸려 있는 것 같습니다. 그러니까 현대문명의 전개과정에서 나타나는 다양한 현상들 가운데 특히 문제가 되는 것, 비판을 필요로 하는 것에 초점을 맞추고 그것을 집중적으로 타격하는 것이 문학의 사명이고, 책임이고, 보람이다, 뭐 이런 생각이 상당히 지배적인 것으로 보입니다. 그런데 이런 생각이 어떤 선을 넘어가면 하나의 고정관념이 되고, 그것이 또 하나의 경직된 억압이 된단 말이죠. 그 결과 출발점에서는 분명히 존재했던 미묘하고 섬세한 균형감각이라고 할까, 실감이라고 할까, 그런 것을 놓치게 되는 것이 아닌가 합니다.

이런 점에서 제가 읽고 특히 마음이 불편했던 것이, 이순원 씨의 『압구정동엔 비상구가 없다』라는 작품입니다. 이 작품을 보면 압구정동으로 상징되는 현대 대도시, 서울의 자본주의의 병리현상 혹은 문제점에 대해 작가 자신이 아주 격분해서 성토하고, 매도하는 모습을 보여줍니다. 그래서 소설 속에 얼굴 없는 테러리스트를 등장시켜 가지고서는 그런 병리현상을 대표한다고 여겨지는 인간들을 하나씩 죽여 나가는 쪽으로 소설이 전개돼요. 그러고 나서도 작가는 책의 후기에 쓰기를, 어떤 독자는 이 소설을 읽어보고서 너무 심하다는 얘기를 하는데, 사실 자신은 더 세게 쓰고 싶었지만 참은 것이다, 라고 해요. 그러면서 다시 현대 도시문명, 서울, 자본주의, 압구정동을 마구 매도하는데요. 제가 보기에 이런 것은 문학에 요청되는 균형감각으로부터 일탈하여 일종의 상투화된 부정으로 나아가 버린 경우가 아닌가 싶은 거죠.

그렇게 본다면, 21세기에 들어와서 좀 더 덤덤한 쪽으로 작가들의 의식이 바뀌어가는 것은, 마땅히 가야 할 방향으로 가고 있는 것이라고 보아도 좋지 않은가 싶어요. 이것을 가리켜 '성숙'이라는 표현을 쓸 수 있을 것인지는 더 생각해 봐야 되겠지만 말이죠.

이런 생각을 하면서 오늘날의 소설에서 나타나는 변화에 대해 애정 내지는 희망을 가져보려고 하는데, 여기에 또 새롭게 대두되는 문제가 있습니다. 한국소설을 정작 한국의 독자들이 별로 읽지 않는 현상이 나타나기 시작하고 있는 것이죠. 앞으로 이런 현상은 점점 더 심해질 것 같은데요.

물론 한국소설은 지난 100년 동안 여러 가지 한계도 보였고 실수도 했지만, 그래도 그동안은 한국인의 창조, 한국인의 고민, 한국인의 문화를 대표할 만한 존재로서 참 열심히 여러 가지 작업을 해 왔고, 그만큼 호응도 꽤 있었다고 생각됩니다. 그래서 좋든 나쁘든 상당한 위상을 유지했고, 어떤 면에서는 영광도 누렸다고 할 수 있는데, 지금에 와서는 그런 것이 과거의 부귀영화로, 추억 속의 한 장으로 들어가게 된 것이 아닌가 싶어요. 한편에서는 다양한 영화, 수많은 다른 예술 형태들이 소설로부터 수용자를 빼앗아가는 막강한 경쟁자로 등장하기 시작했고요. 또 다른 한편에서는 일본 소설을 비롯한 다른 여러 나라의 소설들이 더 매력적이고, 재미있고, 관심을 끄는 존재로 독자들에게 다가오면서, 결국 한국소설의 입지가 현저하게 좁아져가고 있죠.

이런 어려운 상황을 어떤 식으로 극복해 나아갈 것인지, 그것은 좀 더 두고 보아야 할 일이라고 생각됩니다. 그런 가운데서 적어도 희망 사항을 이야기하자면, 이제 한국소설은 근대성의 문제, 자본주의의 문제, 도시화의 문제 등, 한마디로 말해 서울이 야기하는 여러 가지 문제들에 대해서 침착하게, 흥분하지 않고 대면해서 문학적인 응답을 해 줄 수 있는 단계에 가까이 왔다고 하면, 이것을 심화시키고 발전시켜서 보다 더 성숙한 작업을 이제부터는 정말 할 수 있을 것 같은데요. 지금 소설 자체의 입지가 좁아지고 있다는 상황 때문에 이것이 좌절되어 버린다면 정말 아까운 일이 아닌가 하는 생각을 한편으로 하게 됩니다.

이러한 생각을 하다 보면 새삼 근대소설의 높은 봉우리에 해당하는 외국의 작가들, 그러니까 발자크라든지, 졸라라든지, 도스토예프스키 같은 작가들이 보여준, 도시에 대한, 자본주의에 대한, 근대성에 대한 아주 성숙한 문학적 대응과 탐구가 다시 상기되지요. 그러면서, 지금의 외적인 위기를 잘 극복해 나가기를 바라는 마음으로, 조금은 불안하면서 희망도 일어나는 마음으로, 우리 소설을 돌아보게 되고, 또 그와 관련해서 서울의 문학적 형상화라는 문제도 생각하게 됩니다.

아주 두서없이, 짧은 시간에 너무 긴 기간을 다루면서 이야기를 장황하게 한 것 같은데요. 오늘의 제 이야기가 반드시 결론을 내는 것이 아니고, 함께 더 생각해 보고, 고민하면서 토론해 볼 과제를 제기할 수 있었다면, 그것이 하나의 보람이고 의미였다고 생각하면서, 이만 강연을 마치도록 하겠습니다. 들어주셔서 감사합니다.

[참고자료: 사전에 배포한 유인물]

1. 들어가는 말
(1) 소설: 시정(市井)의 문학
(2) 근대소설과 도시: 서양의 경우
(3) 20세기 한국소설과 서울
(4) 향토적 소설의 매력이 제기하는 문제

2. 해방 전의 소설과 서울
(1) 신소설
(2) 이광수·김동인의 소설과 서울: 이광수의 『무정』(1917)과 『개척자』(1918), 김동인의 「약한 자의 슬픔」(1919)
(3) 염상섭의 소설과 서울: 『사랑과 죄』(1928), 『광분(狂奔)』(1930), 『삼대』(1931)
(4) 프로 소설과 서울: 이기영의 「원보」(1928), 한설야의 『황혼』(1936)
(5) 1930년대 모더니즘 소설과 서울: 박태원의 「소설가 구보씨의 1일」(1934)과 『천변풍경』(1938), 이상의 「날개」(1936)

3. 해방 후의 소설과 서울

(1) 1960년대: 김승옥의 「역사(力士)」(1963)와 「서울 1964년 겨울」(1965), 이호철의 『서울은 만원이다』(1966)

(2) 1970년대: 김승옥의 「서울의 달빛 0장」(1977), 조세희의 『난장이가 쏘아올린 작은 공』(1978), 박완서의 『도시의 흉년』(1979)

(3) 1980년대: 윤후명의 「돈황의 사랑」(1982), 강석경의 「숲속의 방」(1985)

(4) 1990년대: 이순원의 『압구정동엔 비상구가 없다』(1992), 신경숙의 『외딴방』(1995)

(5) 2000년대의 새로운 양상: 정미경의 『이상한 슬픔의 원더랜드』(2005), 정이현의 『달콤한 나의 도시』(2006)

4. 덧붙이는 말

(1) 다수의 소설가들이 서울을 보는 시각의 특징과 문제점

(2) 한국소설의 오늘과 내일

한국문학의 도시문제 인식에 대한 비판적 고찰[1)]

1. 세 편의 소설과 두 편의 시

박완서의 단편소설 가운데 「닮은 방들」이라는 작품이 있다. 결혼한 지 7년 만에 아파트를 사서 입주한 여성이 화자 겸 주인공으로 나온다. 주인공은 아파트 생활이 참으로 편리하고 안온한 것임을 인정하면서도, 자신의 내면에서 서서히 불만과 권태의 소리가 차오르는 것을 어쩌지 못한다. 그 불만과 권태의 소리는, 철저히 인공화·획일화·표준화된 아파트 생활의 구조 속에서 인간의 개성이 불가항력적으로 상실되어 간다는 사실로부터 연원하는 것이다.

> 비슷한 여편네들이 비슷한 형편의 살림을 하고 있었다. 우리 방과 철이네 방이 닮은 것만큼 우리의 상하좌우의 방들은 닮아 있었다.

---

1) 이 글은 1999년에 태학사에서 출간된 나의 저서 『한국문학 속의 도시와 이데올로기』에 실렸던 것이다. 오래전에 써진 글이고, 이 책에 실린 다른 글과 중복되는 부분도 있으나, 도시 문제에 관한 나의 사유를 가장 상세하게 밝힌 것으로 의미가 있기 때문에 여기에 재수록한다.

> 물론 어느 집은 딴 집보다 먼저 피아노를 들여 놓고 그 정도의 차이는 있었으나, 그 정도의 우월감조차 오래 누리지를 못했다. 곧 누가 그것을 흉내 내고 말기 때문이다.
> 서양 여자들이 체중을 줄이기 위해 다이어트를 하듯이 이곳 아파트의 여자들은 남의 흉내를 내기 위해, 순전히 남을 닮기 위해 다이어트를 했다. (…)
> 이렇게 나나 철이 엄마나 딴 방 여자들이나 남보다 잘 살기 위해, 그러나 결과적으론 겨우 남과 닮기 위해 하루하루를 잃어버렸다.[2)]

여기서 주인공은 뭔가 돌발적이고 파격적인 행동을 저지름으로써 이 불만과 권태의 상황으로부터 탈출할 것을 꿈꾸게 된다. 그 탈출행위는 "무지막지하고 억세기가 마치 짐승" 같다는 이웃집 남자와 간음을 저지르는 것으로 실현된다. 하지만 그 결과는 실망적이다. 성행위에 임하는 그 남자의 모든 점이 주인공의 남편과 너무나 닮아 있었기 때문이다. 이런 남자와 성관계를 가진 후 주인공이 갖게 되는 감정은 "이상할이만큼 해맑고 절망적인 기분으로" 자신을 "처녀처럼 느끼"는 것이다.

「닮은 방들」이라는 소설의 경개는 대강 이상과 같거니와, 이 작품을 읽어가면서 우리는 그 생동하는 문체와 독자의 의표를 찌르는 구성의 매력에 감탄을 금할 수 없게 된다. 그리고 현대의 아파트 문화-더 나아가서는 도시문화-의 인공성·획일성·표준성에 대해서 이 작품이 보여주고 있는 신랄한 비판적 시각에 전폭적으로 동의하지 않을 수 없는 기분이 된다. 그런데 작품을 다 읽고 나서 한참 시간이 흐르고

2) 박완서, 「닮은 방들」, 『세상에서 가장 무거운 틀니』(삼중당, 1979), pp.151~152.

나면, 다음과 같은 의문이 슬며시 고개를 드는 것을 막을 수가 없다 : '과연 현대의 아파트문화는—그리고 더 나아가서, 도시문화는—그렇게도 인공적·획일적·표준적이기만 한 것이며, 인간의 개성을 불가항력적으로 말살하기만 하는 것일까?'

한수산의 단편소설 가운데 「침묵」이라는 작품이 있다. 새로 건립된 아파트에 입주해 온 한 무리의 아이들이 '우리'라는 복수 일인칭 화자로 등장하는 작품이다. 그 아이들은 아파트 단지가 대대적으로 확장되는 바람에 싱싱한 자연과의 접촉을 잃게 되면서 급속도로 마음의 건강을 상실해 간다. 부모가 집을 비운 사이 장식장 서랍에서 발견한 포르노 잡지에 탐닉해 본다. 하지만 그것도 금방 싫증이 난다. 이런 판에 재미있는 장난감이 생긴다. 병아리를 사게 된 것이다. 이 아이들이 병아리를 가지고 벌이는 놀이는, 아파트 옥상에서 아래로 병아리를 던져서, 누구의 병아리가 더 늦게 죽는가를 가리는 것이다. 그런데 한 아이(동아리들 가운데 유일한 여자 아이)가 이 놀이에 동참하기를 거부한다. 자기는 병아리를 기르겠다고 나서는 것이다. 이에 격분한 다른 아이들은 한꺼번에 배반자(?)에게 덤벼들어 병아리를 빼앗고, 죽여 버린다.

> 계집애가 악을 쓰며 울어 대는 울음소리도 들려오지 않았다. 우리는 다만 이제는 누구도 가지지 못한 그 노오란 한 덩이의 움직이는 털에게 갑자기 온갖 적의를 번득이며 누가 먼저일 것도 없이 발길질을 쏟아 붓기 시작했다. 아무 소리도 들려오지 않았다. 계집애가 악을 쓰는 울부짖음도, 우리들의 날뛰는 모습을 보고 달려오며 질러대는 6동 아주머니의 목소리도, 무슨 일인가 싶어 이쪽을 기웃거리며 걸어

오는 수위 아저씨의 말도 들려오지 않았다. 이미 배가 터져버린 한 마리의 병아리를 향해 우리는 끊임없이 발길질을 계속하고 있었다.[3)]

이 작품을 읽어가는 동안 우리는 현대 도시의 아파트문화가 인간의 정신을 얼마나 불건강한 쪽으로 몰고 가는가를 새삼 절감하면서 깊은 고뇌에 사로잡히지 않을 수 없게 된다. "싱싱한 자연과의 접촉을 갖지 못하게 되면서 생명에 대한 사랑을 잃어버린 이 아이들의 모습이야말로 도시의 아스팔트 정글에 갇힌 채 날로 냉혹해져 가기만 하는 현대인들의 일반적인 초상, 바로 그것이 아니겠는가?"라는 생각에 사로잡히지 않을 수 없게 된다. 그런데, 작품을 다 읽고 나서 한참 시간이 흐르고 나면, 다음과 같은 의문이 슬며시 고개를 드는 것을 막을 수가 없다 : '과연 현대의 도시 문화는 그처럼 인간을 냉혹하게 만드는 방향으로만 작용하는 것일까? 자연 속에서 뛰어놀 때는 아이들이 그렇게 냉혹하지 않고 착하기만 했던가?'

이문열의 단편소설 가운데 「달팽이의 외출」이라는 작품이 있다. 하급공무원인 주인공 형섭이 어느 일요일 하루를 어떻게 보냈는가 하는 이야기이다. 그날따라 아침부터 저녁까지 '담'이라는 화두가 그를 따라 다닌다.

발길은 무거웠다. 그리고 주택가를 지나는 동안에는 갖가지 형태의 담들이 그날따라 유난히도 형섭 씨의 주의를 끌고 또 그런 그의

3) 한수산, 「침묵」, 김승옥 외, 『제1회 이상문학상 수상작품집』(문학사상사, 1977), p.213.

마음에 원인 모를 중압감을 더해 갔다. 봉건 영주의 성채를 연상케 하는 오만하리만큼 높고 당당한 것, 침입자에 대한 적의를 미학적으로 나타내려는 듯 타일을 박고 쇠창날에 산뜻한 페인트까지 칠해 놓은 것, 주인의 단적인 불신을 보여 주는 붉은 벽돌담에 그대로 철조망 꾸러미를 얹어 놓은 것, 스스로의 악의를 변명하려는 듯, 그래서 소심한 경계만을 표현하고 있다는 듯 낮은 담에 어린애 이빨만큼이나 듬성듬성 깨진 병조각을 꽂아 놓은 것 등-인간들은 자기의 불신과 적의를 나타내는 데도 참으로 다양한 방법을 고안하고 있었다.[4)]

위의 인용문이 잘 보여주듯, 이 작품에서 담은 도시생활을 지배하는 상호불신과 단절의 상징으로 나타난다. 그러한 의미에서의 담은 집과 집 사이의 자유로운 소통을 가로막고 있듯, 아니 그 이상으로, 사람과 사람 사이의 자유로운 소통도 철저히 차단하고 있다. 형섭은 그날 하루 동안 여러 명의 옛 친구들을 찾아다니며 마음의 담으로부터 해방된 만남을 시도하지만, 이미 철저한 도시인이 되어버린 그들로부터 계속해서 냉담한 거부만 당하고, 좌절감에 빠지게 된다. 결국 술에 취한 채 집으로 돌아온 그는 자기 아이가 담 안에 갇혀 있다는 환상에 사로잡혀 다음과 같이 외치면서 자기 집 담을 부수기 시작한다.

"그래, 욱아 너에게는 유년과 친구를, 나에게는 이웃과 자유를. 사람들은-자기의 조그마한 자유를 지키기 위해 담을 쌓지만 사실은 외부의 더 큰 세계를 잃어버리는 어리석은 짓이란다. 자기를 가두는 짓이며 이웃을 외롭고 슬프게 하는 거란다.……"[5)]

---

4) 이문열, 「달팽이의 외출」, 『사람의 아들』(민음사, 1981), p.211.

5) 위의 작품, p.236.

위와 같은 내용으로 되어 있는 작품을 읽어가는 동안 우리는 도시생활이 인간과 인간 사이의 자연스러운 소통을 얼마나 심하게 단절시키고 있으며 그것 때문에 얼마나 심각한 비인간화 현상이 야기되고 있는가를 새삼스럽게 절감하면서 주인공 형섭의 외침에 마음으로부터의 공감을 표시하지 않을 수 없는 기분이 된다. 그런데 작품을 다 읽고 나서 한참 시간이 흐르고 나면, 다음과 같은 의문이 슬며시 고개를 드는 것을 막을 수가 없다 : '과연 현대의 도시생활은 그처럼 인간과 인간 사이의 소통을 심하게 단절시키는 방향으로만, 그리고 비인간화 현상을 야기하는 방향으로만 작용하고 있는 것일까?'

지금까지 우리는 현대의 도시생활에서 소재를 구해 온 세 편의 소설 작품을 함께 검토해 보았다. 그 작품들은 구체적인 면모를 각각 달리하고 있지만, 철저히 부정적인 시각에 따라 현대의 도시생활을 그려나가고 있다는 점에서는 흥미로운 일치를 보여주는 것이었다. 그러면 이제는 시선의 방향을 돌려서, 현대의 도시생활에서 소재를 구해 온 시작품을 한번 살펴보기로 하자. 두 편만 인용한다.

움푹해라 내 욕망은
밥숟갈을 닮았다
천만 개의 숟갈이 한 냄비에 덤비듯
꿀꿀거리고 덜그덕대는 서울에서
나도 움푹한 욕망 들고 뛰어가고
보름달 뜨면 먹고 싶어라
둥근 젖
움켜 쥘 그때부터 나는 아귀였던가

부르도자가 움푹한 입 벌리며 굴러가고
기름진 돼지 머리가
웃고 있는 좌판 위의 서울
움푹해라 뒤뚱거리는 영혼도
밥숟갈을 닮았다
죽어서도 배가 부르게 해주십사
거위 주둥이를 벌린다[6)]

위에 인용된 작품은 최승호의 시 「밥숟갈을 닮았다」이다. 이 시를 읽어 보면, 인간의 욕망을 엄청나게 병적으로 팽창시키는 현대 도시문명의 소용돌이에 대한 시인의 비판적 시각이 강렬하게 가슴을 치는 것을 느끼게 된다. 물론 이 시에서 오로지 현대 도시문명만이 문제되고 있는 것은 아니다. 현대 도시문명에 대한 비판적 검토를 통하여 궁극적으로는 인간의 욕망 그 자체까지를 문제 삼고자 한 것이 시인의 의도일 것이다. 하지만 그 점은 어쨌든, 이 시에 나타나 있는, 현대 도시 문명에 대한 시인의 시각이 철저하게 부정적인 것이라는 사실에는 의문의 여지가 없다. 이 시에서 현대의 도시문명을 대표하는 존재로 등장하는 서울이라는 공간은 "천만 개의 숟갈이 한 냄비에 덤비듯/꿀꿀거리고 덜그덕대는" 곳으로 묘사된다. 지옥도를 연상케 하는 모습이다.

그런데, 이 시를 읽고 나서 한참 시간이 흐르고 나면, 역시 한 가지 의문이 슬며시 고개를 드는 것을 막을 수 없다 : '과연 서울은-그리고 서울과 그 본질을 같이하고 있는 수많은 현대의 대도시들은-그토록

6) 최승호, 「밥숟갈을 닮았다」, 『세속도시의 즐거움』(세계사, 1990), p.45.

지옥 같기만 한 곳인가?'

이번에는 젊은 시인 박용하의 「그러나 서울에 비가 내린다」라는 작품을 살펴보자. 매우 긴 시이기 때문에 일부만 인용한다.

> 섹스의 서울, 무너진 지하철 1호선의 서울, 거짓말의 서울,
> 배반당하기 전에 배반하는 서울,
> 그래도 서울을 눈부시게 노래해야 되지 않느냐고 떠드는 서울,
> 듣기 싫은 서울, 듣고도 못 들은 척하는 서울,
> 그래도 이 세계의 모든 고통은 시인을 향해 닥쳐오는 입 닥쳐! 서울,
> 어머니도 없는 서울, 한남대교만 있는 서울,
> 안개 속에 가장 아름다운 은행잎을 감춰두고 있던 춘천은 없는 서울,
> 우리의 서울, 너의 서울, 어쩔 수 없는 나의 서울, 줄 서는 서울,
> 줄도 안 서고, 줄도 없는 서울, 인상 쓴 이순신 동상의 서울,
> 빙산으로 뒤덮인 화산에서 얼음만 먹으며 살고 싶은 심장 위로
> 다이너마이트처럼 뭉쳐진 구름의 서울, 수도 파이프가 있는 골방의 서울,
> 헛둘헛둘 아침마다 운동하는 서울, 운동할 시간도 없는 서울,
> 아아아, 아아, 아름다운 서울에서 전혀 아름답지 못하게 사는 서울,
> 전혀 우아하지 못하게 품위 유지가 안 되는 서울,
> 밤의 성전인 서울, 고로 죽음의 성전인 서울,
> 어느 날 덕수궁을 나오면서
> 너무도 작아져서 분개할 그 무엇도 분개해도 그만인 서울,
> 어어어 서울, 억억억 서울,
> 오늘도 어제도 내일도 죽음뿐인 서울아,
> 너는 죽음에 관한 한 한국을 빰친다

무덤 속 칼리굴라의 자존심이 다 상할 지경이다
죽음의 중들, 죽음의 전도사들, 죽음의 화가들, 죽음의 음악가들,
무엇보다 개 같은 죽음의 방송들과 신문들과 매거진들,
그리고 가짜 삶을 색칠하는 가수보다 못한 시인들,
오 가여워라
앵무새 같은 선생과 핫도그 같은 학교와 핫도그 같은 후손들 앞에서
무엇을 노래하랴?[7)]

위의 시에서 서울은 “배반당하기 전에 배반하는” 곳으로, “죽음의 성전”으로, “오늘도 어제도 내일도 죽음뿐인” 곳으로 묘사된다. 시인은 이런 서울을 긍정적으로 보고자 하는 시도가 일각에서 이루어지고 있다는 사실을 인식하지만, 그런 시도는 시인에 의하여 단지 소란스러운 “떠들기”에 불과한 것으로 여지없이 매도된다. 서울은 워낙 철저하게 죽음의 세력에 의해 지배당하는 곳이어서, 학살을 일삼은 것으로 유명한 고대 로마의 황제 칼리굴라조차도 그 앞에서는 자존심이 상할 정도라고 한다. 이만하면 서울을 보는 박용하의 시각이 얼마나 부정일변도인지 알 만하다. 그런데 따지고 보면 사실 여기서 정말로 문제되고 있는 것은 서울이라는 특정의 도시라기보다는 서울이 대표적으로 상징하고 있는 현대 도시문명의 본질 그 자체일 것이다.

이 시를 읽어가는 동안 우리는 상당한 공감을 느낄 수 있다. 감동을 느낄 수도 있다. 하지만 이 시를 다 읽고 나서 한참 시간이 흐르고 나면, 역시 한 가지 의문이 슬며시 고개를 드는 것을 막을 수 없다

---

7) 박용하, 「그러나 서울에 비가 내린다」, 『바다로 가는 서른세번째 길』(문학과지성사, 1995), pp.37~39.

: '과연 서울은–그리고 서울과 그 본질을 같이하고 있는 수많은 현대의 대도시들은–오늘도 어제도 내일도 죽음밖에 없는, 그런 곳인가?'

2. 엄살과 통찰력 사이

방금 우리가 살펴본 두 편의 시는 현대 도시문명에 대하여 철저하게 부정적인 시각을 견지하고 있다는 점에서 앞서 검토한 세 편의 소설과 전적으로 일치하는 것이었다. 그러고 보면 이 글에서 내가 지금까지 거론한 다섯 편의 문학작품 전부가, '현대 도시문명은 철저히 비판되어 마땅하다'는 명제에 대해, 작가의 개성과는 상관없이, 그리고 장르의 차이와도 상관없이, 만장일치로 찬성표를 던지고 있는 셈이다.

이러한 결과는, 현대 도시문명을 다루고 있는 수많은 작품들 가운데서 특별히 부정적인 시각이 두드러지게 부각되는 작품들만을 내가 의도적으로 선택하여 다루었기 때문에 나온 것인가? 반드시 그렇지는 않다. 실제로 현대 도시문명을 다루고 있는 수많은 작품들을 아무리 폭넓게 조사해 보아도, 위에서 검토된 다섯 작품과 마찬가지로 부정적인 시각을 견지하고 있는 경우가 단연 압도적인 것으로 나타나기 때문이다. 소설의 경우나 시의 경우나 다 그러하다.

> 이러한 도시관 내지 도시인식에 근거되는 문학적 상상력은 도시의 이미지를 주로 미로, 사막, 감옥, 정글, 계곡, 무덤(고려장), 차가움, 쉿내, 닫힌 방, 계고장, 사막, 아스팔트, 구역질, 현기증, 늪(수렁), 쇠의 방, 몰매, 만원버스, 가파른 계단, 수표와 돈, 그물, 담, 달팽이, 부초(浮草), 아파트, 시계, 뿔, 셋방, 돈 및 쓰레기 등의 이미지 패러

다임으로 짜고 있는 것이다. 이것이 바로 오늘의 우리 소설에 나타나는 이미지의 그물망이요 이미지의 지도인 것이다. 그래서 여기에서 표상되는 의미는 주로 소외와 갇힘, 무력과 결핍, 잃음과 긴장, 압력과 눌림, 비정과 냉혹, 위축과 분열, 공해, 추락 등으로 체계화되는 것이다. 이런 도시의 그물 속에 걸린 소설세계의 인간들은 환상적 꿈의 비행기를 날리다 추락하는 난장이나 생의 편력을 채우는 사물 표상인 구두만을 남기고 실종하는 인간이거나 달팽이와 같은 공간에 위축·왜소화된 인간이다. 그런가 하면 욕망의 계단에서 추락하거나 냉랭한 돌처럼 버려지고 너무나 닮은 획일적인 일상의 공간에 유폐되는 수인이며, 정착의 집과 자리인 토포스를 잃어버린 채 떠도는 실향의 부랑인이다. 따라서 현대소설의 도시공간은 희망과 안락한 공간의 시학으로서보다는 폐쇄와 전락과 결핍과 소외 그리고 비정·해체의 시학-타락하고 와해되는 삶, 소유의 양극화와 분배의 불균형, 지뢰처럼 깔려 있는 폭력, 경제적 물질주의적 관계로 전락한 인간관계, 폐쇄된 개인주의, 정신상태의 병리적 증후화, 자아상실과 익명성, 사랑의 부재-으로서 편재화되어 있는 것이다.[8)]

위에 소개한 이재선의 언급은 현대 도시문명을 다루고 있는 소설들의 일반적 성격에 대한 설명으로 제시된 것이다. 그는 『현대 한국소설사 1945~1990』이라는 저서의 제5장에서 현대 도시문명만을 다루고 있는 우리 소설들을 가능한 한 폭넓게 조사, 검토한 다음, 그 최종적인 결론으로서 위와 같은 설명을 내놓고 있다. 그의 조사·검토 작업 자체가 워낙 방대한 자료를 대상으로 한 것이니만큼 우리로서는 위의 설명이 하나의 일반론으로서 타당성을 갖는다는 사실에 대해 의문을 품을

8) 이재선, 『현대 한국소설사 1945~1990』(민음사, 1991), pp.316~317.

여지가 전연 없다. 그리고 상식적으로 추론해 보건대, 소설을 대상으로 해서 제시된 위와 같은 설명은 시에 대해서도 아마 그대로 적용될 수 있을 것이 틀림없다.

물론 위와 같은 식으로 설명될 수 있는 작품이 현대 도시문명을 다루고 있는 작품의 '전부'를 차지하고 있는 것은 아니다. 분명히 예외도 존재한다. 하지만 위와 같은 식으로 설명될 수 있는 작품이 현대 도시 문명을 다루고 있는 작품들 가운데 '압도적인 다수'를 차지하고 있다는 사실만은 도저히 부정될 수 없다.

이것이 엄연한 사실임을 인정하면서, 다시 이 글의 앞부분으로 돌아가, 세 편의 소설과 두 편의 시에 대하여 논의했던 내용을 찬찬히 읽어 보자. 그렇게 할 경우, 그 작품들 하나하나에 대한 언급을 끝낼 때마다 내가 빠뜨리지 않고 의문을 제기했던 것이 새삼 눈에 뜨일 것이다. "작품을 읽어가고 있는 동안에는 그 작품에 담겨 있는 철저한 현대 도시문명 비판론(내지 부정론)에 대하여 깊은 감동을 느낄 수도 있고 전폭적인 공감을 느낄 수도 있다. 하지만 그 작품을 읽고 나서 한참 시간이 흐르고 나면, '그 작품들에 담겨 있는 비판론 혹은 부정론은 혹시 지나치게 과장된 일방적 견해가 아닌가?'라는 의혹을 금할 수가 없게 된다." 바로 이것이, 내가 그 작품들 하나하나에 대해 빠뜨리지 않고 제기했던 의문의 요체이다.

이것은 아마 선입견 없이 그 작품들을 읽어 본 독자들 가운데 상당수가 마음속으로 제기함직한 의문일 터이다. 사실 현대 도시문명 사회 속에서 생활을 영위하고 있는 평균적인 일반인들 가운데 다수가 자기들의 실제생활을 통하여 체득하고 있는 삶의 실감과, 그 다섯 작품들 —그리고 시야를 넓혀서 보면, 그 다섯 작품과 동궤에 놓이는 수많은 문학작품들-이 도시문명 사회 속에서의 삶을 이야기하고 있는 방식 사이에는, 상당한 거리가 놓여 있음을 부정하기 어렵다. 그러니, 내가 위의 다섯 작품들 하나하나에 관한 언급을 끝낼 때마다 제기했던 의문 사항에 대하여, 그 작품들을 읽은 독자들 가운데 상당수가 공감을 표시할 것으로 예상해도 그것은 아마 틀린 짐작이 아닐 법하다.

그러나 실제로 내가 제기했던 것과 동일한 내용의 의문을 일반 독자들 스스로 표면에까지 드러내어 적극적으로 개진하는 경우는 흔하지 않은 듯하다. 그런 의문이 떠오르더라도 마음속에만 그것을 품은 채 그냥 말없이 넘어가 버리는 경우가 대다수인 듯하다는 이야기이다. 왜 그럴까? '문학이란 으레 그런 식의 엄살을 일삼게 마련인 것'이라는 생각이 있기 때문일까?

이러한 의문을 품은 채 좀 더 생각을 진전시켜 보고자 할 때 불현듯 떠오르는 것이, 일찍이 이상섭이 「즐거운 문학과 괴로운 문학」이라는 글에서 했던 다음과 같은 말이다.

> 현대의 독자는 행복의 정치의 혜택을 톡톡히 입고 있다. 그는 옛날 사람이 꿈도 못 꾸었을 만큼 오랜 학교교육을 받은 사람이며, 십중팔구 텔레비전·라디오·냉장고 같은 문명인의 행복의 조건을 갖추고 있다. 아마 푹신한 소파도 있을 것이어서 때때로 세련된 문화인의 표시로 스테레오 음악을 들을 때나 문학작품을 읽을 때에 그 속에 편안한 자세로 파묻힐 것이다.
>
> 그런데 좀 생각해 보자. 현대문명은 극악한 것일 뿐 아니라 이미 존재하지도 않는 것이라는 '잔인한' 말을 서슴지 않고 하는 카프카의 소설을 냉방장치가 된 안락한 서재의 푹신한 소파에 비스듬히 누워, 과연 옳은 말씀이라고 고개를 끄덕이며 읽는 현대의 세련된 독자의

> 모습. 생활과 문학이 떨어져 있다는 개탄을 우리는 늘 듣지만, 그와 같은 형식적인 현대 독자의 꼴을 생각할 때에 정말 그 둘의 날카로운 분리상태는 무서울 정도이다.[9]

이상섭이 위의 글에서 재미있게 묘사한 '세련된' 현대 독자는 아마도 '문학이란 으레 그런 식의 엄살을 일삼게 마련인 것'이라는 생각을 가지고 있는 독자인 듯하다. '내가 실제 누리고 있는 현대 문명의 실상은 그렇게까지 비참하지 않지만, 문학이란 으레 현대 문명을 비참한 것으로 그리게끔 되어 있는 것이니까, 무슨 소리가 나오더라도 고개를 끄덕이며 읽어 주면 된다.' 이런 것이 그 '세련된' 현대 독자의 생각인 듯하다.

하지만 다시 한번 곰곰 생각해 보자. '문학이란 으레 그런 식의 엄살을 일삼게 마련인 것'이라니, 이게 과연 말이 되는 소리인가? 문제의 실상은 절대로 그렇게 간단한 것이 아닐 터이다. 그리고 물론 이상섭도 문제의 실상이 그렇게 간단한 것이라고 생각해서 위와 같은 글을 쓴 것이 아닐 터이다.

그렇다면, 방향을 정반대로 바꾸어서, 다음과 같이 생각해 보면 어떨까? '위에서 검토한 다섯 작품들—그리고 더 나아가, 그 다섯 작품과 동궤에 놓이는 수많은 작품들—이야말로 현대 도시문명의 실체적 진실을 정확하게 꿰뚫어 보인 것이다. 그리고 많은 독자들이 생활을 통하여 체득하고 있는 삶의 실감이 그 작품들에 나타나 있는 인식과 먼 거리에 있는 것은 그 독자들 자신이 허위의식에 길들여져 있기 때문이

9) 이상섭, 『언어와 상상』(문학과지성사, 1980), p.163.

다. 즉 그 독자들 자신이 현대 도시문명의 교활하고도 강력한 세뇌작용에 의해 길들여져 버린 존재이기 때문이다.'

이러한 생각은 조금 더 그럴듯한 것처럼 보일지 모른다. 하지만 좀 더 깊이 따져보면 이러한 생각 역시 사태를 지나치게 일방적으로 단순화한 것이라는 느낌을 지우기 어렵다. 위의 생각은 결국 '현대 도시사회를 구성하고 있는 다수의 평균적 일반인들=어리석은 허위의식의 포로', '현대 도시사회를 사막 같은 곳으로, 지옥 같은 곳으로, 죽음만이 지배하는 곳으로 묘사해 놓은 한 무리의 소설가·시인들=대다수 사람들이 어리석은 허위의식의 포로가 되어 있을 때 예외적으로 날카로운 각성의 상태를 견지하고 있는, 남달리 똑똑한 인간들'이라는 두 개의 등식으로 요약될 수 있는 것인데, 이런 등식은 아무리 보아도 소설가·시인들의 통찰력을 실제와는 전혀 다르게 일방적으로 과대평가하고 있는, 그릇된 엘리트주의의 소산으로 여겨진다.

문제의 진실은, 문학이란 으레 엄살을 일삼게 마련인 것이라는 데에도 있지 않고, 현대 도시문명을 지옥과 같은 것으로 그리고 있는 문학인들은 남달리 뛰어난 통찰력을 가진 존재라는 데에도 있지 않다. 이 점을 한 번 더 분명히 하고 넘어가기 위해서, 외국의 예를 하나 끌어와 보기로 하자. 18세기 말에서 19세기 초에 걸쳐 일어난 산업혁명으로 영국이 급속하게 도시화의 길을 치닫게 되었을 때, 유명한 시인 윌리엄 블레이크는 「런던」이라는 제목으로 다음과 같은 작품을 발표한 적이 있다.

나는 헤맨다 특허받은 거리들을,
특허받은 템즈강이 흘러가는 근처를,

그리고 내가 만나는 얼굴마다에서 본다
약함의 자국, 불행의 자국을.

모든 사람의 모든 외침에서,
모든 아기의 두려움의 외침에서,
모든 목소리에서, 모든 저주에서,
나는 듣는다 마음이 만든 수갑 소리를.

어떻게 굴뚝소제 소년들의 외치는 소리가
모든 검어지는 교회들을 오싹하게 하고,
불운한 병사의 한숨이
궁전의 성벽을 따라 피처럼 흐르는가를.

그러나 뭣보다도 한밤중 거리에서 나는 듣는다
어떻게 젊은 창녀의 저주가
갓 태어난 아기의 눈물을 마르게 하고,
결혼-영구차를 병으로 시들게 하는가를.[10]

위의 시가 단순한 엄살에 해당하는 것이라고 할 수 있을까? 그렇게는 말할 수 없다. 위의 시가 말하고 있는 것들 가운데 미성년자의 노동이라는 문제 하나만 생각해 보아도 그렇다. 실제로 산업혁명 당시의 런던에서는 미성년자의 과다한 노동이 심각한 사회문제로 대두되었는데, 어떻게 위의 시를 단순한 엄살로 치부할 수 있겠는가?

그렇다면 위의 시는 당대 현실의 심층적 진실에 대한 예외적으로 비상한 통찰력에 기초한 것이라고 할 수 있을까? 그렇게 믿고 주장하

10) 윌리엄 블레이크, 「런던」, 이재호 편역, 『낭만주의 영시』(탐구당, 1976), p.52.

는 사람들이 적지 않다. 하지만 그러한 생각 역시 잘못이다. 당대 현실의 심층적 진실은, "비록 산업혁명 시대에 이르러 많은 미성년자들이 과다한 노동에 시달린 것은 사실이지만, 그런 아이들 가운데 대부분은 산업혁명 시대 이전 같으면 아예 굶어 죽었거나 구루병으로 죽었을 아이들이며, 그 점에서 볼 때, 산업혁명은 어쨌든 이 아이들 개개인에게도, 이 아이들을 포함하고 있는 계급 전체에게도, 진보의 한 단계를 내디딘 것으로 간주될 수 있다"는 것이다.[11] 이러한 사실을 이해하지 못하고 당장 눈앞에 보이는 참상 그것에 대해서만 시야가 한정된 상태에서 분노에 사로잡혀 시대의 변화 자체를 부정하고 매도하는 것이 '당대 현실의 심층적 진실을 통찰한 것'으로 찬양받을 수는 없다. 무언가 다른 말로 찬양받을 수는 있을지 모르지만 말이다.

---

11) "수없이 되풀이되어 온 유명한 옛 이야기로 이런 것이 있다. 공장들이 부녀와 아이들을 고용했는데, 이들은 공장에서 일하기 전에는 만족한 상태에서 살아왔다는 것이다. 이 이야기야말로 역사의 가장 엄청난 허구 가운데 하나다.
공장에서 일하게 된 주부들은 요리할 것이라곤 아무것도 가지지 않았다. 그들은 공장에서 일하기 위해 그들의 집이나 주방을 나서는 것이 아니라, 주방이 없기 때문에 공장으로 들어갔다. 또한 주방이 있다 하더라도 그들은 주방에서 요리할 음식거리가 없었다. 그리고 어린이의 경우 안락한 가정이 있는데도 공장으로 갔던 것이 아니다. 그들은 굶주려 죽어가고 있었다.
그리고 초기 자본주의의 공포에 대한 이야기도 다음과 같은 간단한 통계로 논박할 수 있다. 영국 자본주의가 전개된 시기, 다시 말해서 영국 산업혁명의 시기인 1760년에서 1830년까지의 시기, 바로 이 기간 동안 영국의 인구는 배증(倍增)했다. 이는 곧 수많은 아이들-일찍이 죽었을-이 살아남아 성장하여 성인 남녀가 되었다는 이야기다.
자본주의 이전 시대의 상태가 극히 만족스럽지 못했다는 것은 의심할 여지가 없다. 그 상태를 개선한 것이 자본주의가 한 일이었다. 노동자들의 필요에 응해 직접적이든 간접적이든 제품을 수출하고, 식료품과 원료를 다른 나라로부터 수입하여 필수품을 공급한 것은 바로 이들 초기의 공장들이었다. 초기의 자본주의사가들은 거듭하여 역사를 왜곡-온건한 말로는 할 수 없다-했던 것이다." (루드비히 폰 미제스, 『자본주의 정신과 반자본주의 심리』(김진현 편역, 교보문고, 1988), pp.25~26.

3. 하비 콕스의 『세속도시』

지금까지 나는 제법 많은 지면을 소비하면서 논의를 진행해 왔다. 하지만 그처럼 긴 논의가 진행되어 오는 동안 무대 위에 등장한 존재는 결국 둘뿐이었다. 현대 도시문명 사회를 철저히 비판적·부정적으로 묘사하는 데 골몰해 오고 있는 문학인들이 그 하나요, 그들의 작품 속에 그려져 있는 도시의 모습과 자신들이 현실 속에서 실제로 영위하고 있는 삶의 현장으로서의 도시 사이에는 상당한 거리가 존재한다는 것을 느끼고 있는 이름 없는 일반인들이 다른 하나이다. 이 둘을 무대 위에 등장시켜 놓고 이야기를 전개해 오는 동안 어느새 나의 논의는 막다른 골목에 봉착하여 더 이상의 진전을 보기 어렵게 된 느낌이 있다. 그렇다면 이쯤에서 제3그룹의 인물들을 등장시키는 것이 현명한 방책이 될 수 있을 법하다. 그 제3그룹의 인물은 문학인도, 익명의 일반인도 아닌 존재라야 할 것이다. 그렇다면 지식인으로서 현대 도시 문명에 대하여 나름대로의 성찰을 행하고 있는 존재이되, 문학인이 아닌 사람이라야 한다는 이야기가 된다. 그러한 신분을 가지고 있는 사람 가운데서, 지금까지 우리가 살펴본 여섯 사람의 문학인들(다섯 사람의 한국 문학인과 영국의 블레이크)과 뭔가 뚜렷하게 다른 견해를 지니고 있는 사람이면 더욱 좋을 것이다. 이러한 기준을 마음속에 품은 채 어떤 사람들이 제3그룹의 인물로 가장 적절한가를 한참 동안 탐색한 끝에, 나는 한 사람의 신학자와 한 사람의 동물학자를 무대 위에 등장시키기로 하였다. 『세속도시(The Secular City)』를 쓴 신학자 하비 콕스와 『인간동물원(The Human Zoo)』을 쓴 동물학자 데즈먼드 모리스가 바로 그들이다. 차례로 살펴보기로 하자.

미국의 신학자 하비 콕스가 1965년에 출간한 『세속도시』는 20세기의 기독교사상을 대표하는 명저의 하나로 그 위치가 확립된 지 오래다. 이 책은 이른바 세속화 신학을 20세기 후반기 기독교사상의 주류 가운데 하나로 올려놓았다. 그러나 어차피 신학에 대한 논의를 목적으로 하고 있지 않은 이 글에서 『세속도시』의 전모를 살펴볼 필요는 없을 것이다. 우리로서는 단지 이 책에서 제시되고 있는, 현대 도시문명에 대한 독특한 시각이 어떤 것인지를 간략하게 검토해 보는 것으로 충분하다.

이 책의 제2장을 보면, 키에르케고르와 오르테가 이 가제트의 저서들, 릴케의 소설 『말테의 수기』, 카프카의 소설들 등에 거듭거듭 나타나는, 현대 도시문명에 대한 통렬한 비난이 언급되고 있다. 그 비난의 내용은 우리가 익히 잘 아는 것들이다. 이 글의 앞부분에서 길게 검토되어 온, 우리나라 안팎의 여러 문학인들에 의해 행해진 비난들과 그것은 기본적으로 궤를 같이한다. 그런데 콕스는 이러한 비난이 그릇된 것이라고 정면으로 반박한다.

예를 들어 이야기하자면 이러하다. 위에서 거명된 사상가·작가들 모두는, 현대 도시인들의 삶을 지배하고 있는 익명성(anonymity) 현상이 인간의 삶을 황폐화시키는 것이라 보고 개탄해 마지않는다. 소규모의 마을 사회에서는 사람들이 이웃들을 다 알고 지냈다. 우리 속담을 빌려서 표현하자면, 누구네 집의 부엌에 숟가락이 몇 개 있는지도 알고 지냈다. 그들 모두는 이웃에 대해서 '이름'을 가진 존재들이었다. 그런데 현대 도시사회에서는 같은 아파트에서 서로 마주보고 있는 집에 사는 사람끼리도 상대방의 이름을 모른다. 서로 상대방에 대하여 익명인으로 존재한다는 이야기이다. 그런가 하면 현대 도시생활 가운데서 우리는 은행원·기계수리공·상인 등등의 사람들과 수많은 접촉을 갖지만 그러한 접촉들 역시 서로가 서로에 대해 익명으로 존재하는 상태에서 짧은 시간 안에 끝나고 만다. 이것은 참된 만남이라 할 수 없으며 인간다운 만남이라 할 수도 없다는 것이 앞서 거명한 사상가·작가들의 일치된 주장이다. 아니, 그들만이 아니라, 지금까지 현대 도시 문명을 비난해 온 셀 수도 없이 많은 사람들의 일치된 주장이기도 하다. 그런데 콕스는 이런 주장이 틀렸다고 보는 것이다.

콕스는 질문한다—그런 주장을 펴는 많은 사람들은, 현대 도시생활에 수반되는 익명성이야말로 인간에게 더 큰 자유의 가능성을 열어주는 것이며, 해방의 길을 펼쳐 보이는 것이며, 주체적인 판단에 따른 만남으로 나아가게끔 유도하는 것이라는 사실을 전혀 모르고 있는 것이 아니냐고.

소규모의 마을 사회에서는 사람들의 삶이 제한된 관계 속에 얽매여 있고, 넓은 세계의 감각을 갖지 못한 상태에 있으며, 사생활과 공적 생활이 구분되어 있지 않고, 뒷공론이 판을 친다. 거기에서는 사람이 만남의 대상을 주체적으로 선택할 수 없다. 경우에 따라서는, 마을 사람들끼리의 사교성이라는 것이, 적개심에다 가면만 덮어씌운 것이 되기도 한다. 그러나 현대 도시사회에서는 그 모든 것이 달라진다. 더 큰 자유와 해방과 주체적인 판단에 따른 만남의 세계를 향해 나아가는 쪽으로, 모든 상황이 일변하는 것이다.

현대 도시사회의 사람들은 아파트의 맞은편에 사는 사람과 사귐을 가지지 않는다고 해서 비난받거나 혹은 연민의 대상이 된다. 하지만 그들은 그 대신 자기 자신이 주체적으로 선택한 사람과 사귐을 갖는다. 그렇게 함으로써 그는 그 자신의 방식으로 진정한 만남을 갖는 것이다. 자기 자신이 선택한 사람과의 만남으로 자신의 교류 범위를 한정하지 않고 모든 이웃 사람, 모든 은행원, 모든 기계수리공, 모든 상인들과 '이름을 알고 지내는' 수준의 만남을 가지라고 요구하는 것은 어리석은 일일 뿐 아니라 해로운 일이다. 우리의 전화번호를 우리가 만나는 모든 사람들을 향해 동등하게 개방해 놓는다면 전화를 통한 판매를 시도하는 장사꾼들을 비롯한 수많은 사람들의 전화공세로 인해 우리는 모든 인간관계를 상실해 버릴 위험에 처할 것이다. 그래서 우리는 그렇게 하지 않고, 우리가 선택한 일부의 사람들에게만 우리의 전화번호를 알려 준다. 그것이 현명한 태도가 아닌가?

게다가 현대 도시사회의 주민들이 이웃 사람·은행원·기계수리공·상인들과 맺고 있는 익명의 관계라는 것도 수많은 현대 도시문명 비판론자들이 생각하는 것처럼 그렇게 "천하고 불쾌하며 잔인스러운" 접촉이 아니다. 그것은 그것대로의 방식으로 인간적이며 참된 것이다.

이러한 견해를 피력하면서 콕스는 현대 도시 아파트 주민들의 생활방식을 비판하고 있는 사람들은 혹시 마을 시대의 인습적인 관념을 고수하고 있는 결과로 그런 주장을 펴게 된 것이 아닌가라는 질문을 던진다. 그리고 그는 한 사람의 신학자로서, '율법'과 '복음'의 대비를 여기에 끌어들인다. 그에 따르면, 과거로부터 이어받은 규례에 우리가 무비판적으로 붙들려 있도록 강요하는 것이 율법이라면, 복음은 우리에게 자유를 주고 우리로 하여금 스스로 주체적인 결정을 내리도록 격려하는 것이다. 인간이 미숙한 상태, 관례, 전통의 노예로 머물러 있도록 만드는 모든 문화적 현상이 율법에 해당한다면, 복음의 신은 그와 반대로 인간이 자유와 책임을 지닌 존재이기를 원하는 자이다. 그렇다면 전통적인 마을에서의 삶과 현대 도시문명 속에서의 삶 가운데 어느 쪽이 율법에 가깝고 어느 쪽이 복음에 가까운가라는 물음에 대한 해답은 명백하다는 것이 콕스의 견해이다.

또한 그는 현대 도시문명을 비난하는 많은 사람들이 현대 도시생활의 이동성(mobility)을 부정적인 것으로 보아 공격하는 데 대해서도 단호히 맞선다. 수많은 현대 도시문명 비판론자들이, 정착된 상태에서 한가한 상황을 누릴 수 있는 시대가 사라져가고 있다는 것에 대해 개탄을 금치 못하며, 현대 도시문명의 이동성이라는 것이 삶의 깊이를 없애 버리고 모든 사람을 뿌리가 뽑힌 존재로 만들어 간다는 주장을 편다. 이러한 주장들에 대해 콕스는 다음과 같은 말로 반박한다.

> 정착되고 한가한 상황을 얻을 수 있다고 생각하는 시대가 지나감을 비통하게 여기는 사람들은 아주 중요한 사실을 망각하였다. 그것은 다름이 아니라 다만 아주 극소수의 사람만이 이러한 시골의 영속성을 정말 즐길 수 있다는 사실이다. 이동성 사회 이전의 사람들 대다수는 우리가 다시는 그런 상태로 돌아가기를 원치 아니하는 방법으로 살고 일했다. 오늘날 우리의 대부분의 사람들은 우리의 고조부가 살던 집에서 살고 하던 일을 하는 것을 힘차게 반대할 것이다. 사실상 우리 고조부들의 대부분이 아주 가난하게 그리고 오두막집에서 살았다. 오늘날 우리 대부분은 한결 나아졌다. 그것은 우리의 선조들이 움직였기 때문이다. (…) 이동하는 것을 반대하기를 원하고 거주 및 직업의 불이동성을 격려하는 것은 반동적 정신상태에서 나온 낭만적인 왜곡이다.[12]

---

12) 하비 콕스, 『세속도시』(손명걸 외 5인 공역, 대한기독교서회, 1967), pp.71~72.

그리고 더 나아가서 콕스는 이동성을, 그리고 변화를 반대하는 사람들은 대체로 현상을 유지하고자 하는 자들—다시 말해 기득권자들—이라는 사실에 주목하면서, 이동성에 대한 종교적 반대의 배후에 사회 계급적 편견이 있음을 발견하기란 어려운 일이 아니라고 말한다. 그리고 이러한 편견에 따라 이동성을 저지하는 것은 사회 전체를 파멸시키는 길이 된다는 사실을 지적한다. 『구약성서』를 보면 이동을 거부하는 태도와 이동을 지향하는 태도의 대비는 바알과 야웨의 대비에 상응한다는 말도 덧붙인다. 바알이 "어떠한 종류의 변화이든 싫어하는 정착민들의 신"이었던 반면 야웨는 "그의 백성과 더불어 이동했을 뿐만 아니라, 오히려 그들보다 앞서간" 신이었다는 것이다.[13)]

이처럼 여러 가지 각도에서 볼 때 현대 도시문명에 대한 수많은 사상가·작가들의 비난과 우려는 근거 없는 것이라는 주장을 거듭 개진하면서, 또 한편으로 콕스는 현대 도시사회의 주민들이 보여주고 있는 실용주의(pragmatism)와 불경성(profanity) 역시 전적으로 긍정되어야 한다는 견해를 피력한다. 이러한 입장에 서 있기 때문에 그는 많은 현대 도시인들이 "실제적인 혹은 물질적인 일"에 몰두하는 반면 "궁극적인 혹은 종교적인 문제들"에 대하여서는 거의 시간을 소비하지 않는 현상도 당연히 긍정한다. 현대 도시인들은 "세상을 고요하고 존경의 느낌을 불러일으키는 한 두려운 수수께끼"로 보기보다는 오히려 "능력의 응용을 필요로 하는 복잡하고도 상호 밀접한 관계가 있는 사업의 연속"으로 보며,[14)] 종교적인 질문을 제기하지 않고서도 이 세상

13) 위의 책, p.76.

14) 위의 책, p.86.

일을 처리해 갈 수 있다는 신념을 갖고 있는데, 이 모든 것이 다 바람직한 태도일 뿐 아니라 『성서』의 인간관과도 일치한다는 것이다. 도시 이전의 문화–그러니까 부족 형태의 문화나 마을 형태의 문화–속에서 살았던, 종교적이요 추상적이었던 조상들보다도, 기능 위주의 사고를 하는 현대 도시인이 어느 모로 보나 『성서』의 정신에 더 충실하다는 것이 콕스의 결론이다.

하비 콕스가 『세속도시』에서 피력하고 있는 현대 도시문명에 대한 견해는 대략 이상과 같은 것으로 정리될 수 있거니와, '현대 도시문명 사회를 철저히 비판적·부정적으로 묘사하는 데 골몰해 오고 있는 문학인들'의 눈으로 본다면 그의 견해는 아마도 격렬한 분노를 불러일으키거나 '어이없는 망언'이라는 평가를 내리도록 만들기에 모자람이 없을 것이다. 그러나 '많은 문학인들의 작품 속에 그려져 있는 도시의 모습과 자신들이 현실 속에서 실제로 영위하고 있는 삶의 현장으로서의 도시 사이에는 상당한 거리가 존재한다는 것을 느끼고 있는 이름 없는 일반인들'의 눈으로 본다면 콕스의 견해에 대한 평가는 당연히 다르게 나올 터이다. 어떤 사람은 콕스의 견해를 참으로 인상적이며 참신한 것으로 간주하여 적극적으로 지지할 것이다. 또 어떤 사람은, "언뜻 보기에 그럴듯한 점도 조금 있기는 한데…… 하지만 정말 그럴까? 그렇기만 할까?"라는 식으로 반신반의하는 반응을 보일 것이다. 이 자리에서는 우선 이 정도만 얘기해 두고, 데즈먼드 모리스의 『인간 동물원』으로 넘어가 그 내용 가운데 우리의 주제와 직접 관련되는 부분을 살펴본 다음에 나 자신의 입장을 종합적으로 밝히고자 한다.

4. 데즈먼드 모리스의 『인간동물원』

『인간동물원』은 영국의 저명한 동물학자인 데즈먼드 모리스가 1969년에 출간한 책이다. 그의 이름을 처음으로 전 세계에 널리 알린 저서는 1967년에 출간한 『털 없는 원숭이(The Naked Ape)』였거니와, 『털 없는 원숭이』에서 인간 그 자체를 문제 삼았던 그는 『털 없는 원숭이』보다 2년 후에 나온 『인간동물원』에 이르러서는 그 인간이 건설한 현대 도시문명으로 초점을 이동시켜 논의를 전개하고 있는 셈이다. 그러면 그는 모처럼 현대 도시문명을 논하면서 왜 하필 『인간동물원』이라는 표제를 선택한 것일까? 이 물음에 대한 답변은 『인간동물원』의 머리말에 제시되어 있다.

> 현대생활의 압박이 날로 커짐에 따라, 중압감에 시달리고 있는 도시 거주자들은 사람들로 우글거리는 세계를 흔히 콘크리트 정글로 표현한다. 이것은 인구밀도가 높은 도시 공동체의 생활방식을 생생하게 묘사하는 방법이지만, 부정확하기 짝이 없는 표현이기도 하다. 진짜 밀림을 연구한 사람이라면 누구나 이 사실을 확인해 줄 것이다.
> 자연 서식지에 살고 있는 야생동물은 정상적인 상황에서는 결코 자해행위나 자위행위를 하지 않고, 어버이나 자식을 공격하지도 않으며, 위암에 걸리거나 비만에 시달리거나 동성애관계를 맺거나 자살하지도 않는다. 그런데, 구태여 말할 필요도 없는 일이지만, 도시에 거주하는 인간들 사이에서는 이런 일들이 모두 일어난다. 그렇다면 이것은 인간과 다른 동물의 근본적인 차이를 드러내는 것일까? 언뜻 보기에는 그런 것 같다. 하지만 여기에 현혹되면 안된다. 다른 동물들도 좁은 곳에 갇혀 있는 부자연스러운 상황에서는 이런 식으로 행동하기 때문이다. 동물원 우리 속에 갇혀 있는 동물들은 인간사

회에서 너무나 흔히 볼 수 있는 이런 비정상적인 행동을 모두 보여준다. 그렇다면 도시는 콘크리트 정글이 아니라 인간동물원인 게 분명하다.

우리는 도시 거주자와 야생동물을 비교할 게 아니라, 도시 거주자와 우리에 갇힌 동물을 비교해야 한다. 현대인이 살고 있는 상황은 더 이상 인간이라는 종에게 어울리는 자연스러운 상황이 아니다. 동물 사냥꾼이 아니라 자신의 뛰어난 두뇌에 사로잡힌 인간은 거대하고 불안한 동물원에 스스로 갇혀 버렸다. 이 동물원에서 인간은 극도의 중압감에 짓눌려 깨져 버릴 위험에 항상 노출되어 있다.[15)]

모리스의 위와 같은 설명을 듣고 나면 우리는, 현대 도시사회를 '인간동물원'이라는 말로 표현한 것은 과연 적절한 것임에 틀림없다고 수긍하지 않을 수 없게 된다. 그리고 또 한편으로 우리는, 위와 같은 말로써 자신의 책을 시작하고 있는 것을 보니 이 모리스라는 사람 역시 저 키에르케고르처럼, 오르테가 이 가제트처럼, 또 누구처럼 현대 도시문명에 대하여 단호히 부정적인 시각을 견지하고 있는 인물이겠구나라는 판단을 내리지 않을 수 없게 된다.

그러나 『인간동물원』을 계속 읽어 나가다 보면, 머리말을 보고서 우리가 성급하게 내렸던 위와 같은 판단은 잘못된 것이었음을 차츰 깨닫게 된다. 알고 보면 모리스는 결코 현대 도시문명을 부정적으로만 보고 있지 않은 것이다.

그는 도시의 구성원, 즉 시민집단을 전통적인 부족(tribe)과 구별하기 위해 초부족(super-tribe)이라는 말을 만들어낸다. 그러면서 그는,

15) 데즈먼드 모리스, 『인간동물원』(김석희 역, 한길사, 1994), pp.12~13.

인류가 도시를 만들어내고 그렇게 함으로써 그들 각자가 부족의 구성원에서 초부족의 구성원으로 변모하게 되었을 때 직면한 가장 큰 괴로움은 "초부족에서는 구성원 각자가 더 이상 개인적으로 직접 알지 못한다는 점"[16]이었다고 지적한다. 이러한 사실을 문제 삼고 있다는 점에서 그는 현대 도시사회의 익명성에 주목하였던 수많은 사상가·작가들 및 하비 콕스와 상통한다. 그런데 정작 이 문제에 대하여 모리스가 구체적으로 취하고 있는 입장은 그들 가운데 어느 누구와도 같지 않다. 그는 이러한 도시 사회의 익명성이 사람들에게 큰 고통을 안겨주었다는 점을 강조하고 있는 점에서는 콕스로부터 비판당하였던 많은 사람들과 공통되지만, 그것이 반드시 부정적으로 보아야 할 현상은 아니라고 생각하는 점에서 그들과 뚜렷이 구별되는 것이다. 이러한 그의 입장은 비단 익명성의 문제에 대해서만이 아니라 현대 도시문명의 다양한 측면들 전반에 대해서 일관되게 적용된다. 그리고 참으로 인상적인 것은, 이러한 그의 일관된 입장이 동물학자로서의 오랜 연구를 통해 획득된 과학적 인간관에 기초하고 있다는 사실이다.

> 인간이라는 동물은 초부족의 혼란 속에 내던져지는 것에서 깊은 만족을 얻는 생물학적 자질을 타고났다. 그 자질은 만족할 줄 모르는 호기심, 풍부한 창의성, 지적인 활동성 등이다. 도시의 혼란은 인간이 이런 자질을 더욱 왕성하게 발휘하도록 부추기는 것 같다. 한곳에 둥지를 틀고 사는 바닷새가 번식기에 밀집집단을 이루어 번식 욕구를 자극받는 것과 마찬가지로, 인간이라는 동물도 인구가 밀집한 도시공동체를 이루어서 지적인 자극을 얻는다. 도시공동체는 인간에게

16) 위의 책, p.28.

는 창의적인 생각을 낳는 번식집단이다. 이것이 도시공동체의 유리한 점이다. 불리한 점이 그렇게 많은데도, 이 한 가지 이점 때문에 초부족 체제는 계속 유지되고 있는 것이다.

(…) 대도시에 사는 개인은 다양한 스트레스와 긴장에 시달린다. 소음, 공기 오염, 운동 부족, 비좁은 공간, 인구 과밀, 지나친 자극, 그리고 역설적이지만 일부는 고독과 권태로 고통을 받는다.

여러분은 초부족 구성원이 너무 값비싼 대가를 치르고 있다고 생각할지도 모른다. 조용하고 평화롭고 명상적인 생활이 훨씬 바람직하다고 생각할 것이다. 초부족 구성원도 물론 그렇게 생각한다. 하지만 그가 늘 운동을 하겠다고 다짐하면서도 거의 운동을 하지 않는 것과 마찬가지로, 조용한 생활을 하기 위해 적극적으로 노력하는 경우는 거의 없다. 기껏해야 교외로 이사하는 것이 그가 갈 수 있는 한계점이다. 교외에서는 숨막히는 대도시의 긴장에서 벗어나 유사부족적인 분위기를 만들어낼 수 있지만, 월요일 아침이 되면 그는 다시 긴장 속으로 뛰어들어야 한다. 교외로 이사할 수는 있지만, 그는 환경이 제공해 주는 사냥터 가운데 가장 크고 가장 좋은 사냥터에서 가장 큰 사냥감을 잡으러 떠나는 새로운 사냥꾼의 흥분을 그리워할 것이다.

(…) 지속적인 혁신은 오직 도시에서만 진정한 기회를 얻을 수 있다. 반항적인 독창성과 창조성의 파괴적인 힘을 견뎌낼 수 있을 만큼 강하고 안정된 곳은 순응세력이 결집해 있는 도시뿐이다.[17)]

위에 인용된 대목에 잘 나타나 있듯이, 한 사람의 동물학자로서 모리스는 인간이라는 동물을 오랫동안 정밀하게 관찰한 결과, 이 동물은 도시생활의 혼란과 흥분 속에서 한편으로는 스트레스와 긴장으로 고

17) 위의 책, pp.49~50.

통을 겪지 않을 수 없지만 다른 한편으로는 바로 그 혼란과 흥분을 즐기고 그것으로부터 만족을 얻는 이중적인 존재로 진화해 왔다는 결론을 내리게 되었다. 전자는 현대 도시문명의 부정적인 측면에 해당하며, 후자는 그것의 긍정적인 측면에 해당한다. 전자의 측면을 주목하는 점에서 모리스는 콕스로부터 비판받았던 많은 사상가·작가들과 상통하지만, 후자의 측면을 주목하는 점에서 그는 오히려 콕스와 상통한다. 그러고 보면 모리스는 현대 도시문명에 대한 부정론과 긍정론 양자를 종합하는 자리에 서서 나름대로 균형을 잡고 있는 셈이다. 그러나 좀 더 자세히 살펴보면, 적어도 지금까지 인류가 걸어온 길이 문제되는 한에서는, 다음의 인용문에서 드러나듯, 부정론보다는 긍정론 쪽에 조금 더 기울어져 있는 것으로 보인다.

> 불과 몇천 년 전만 해도 단순한 부족 사냥꾼이었던 인간이라는 동물에게 초부족은 비정상적인 상태이고, 이 비정상은 비정상적인 행동양식을 낳았다. 우위 흉내에 지나치게 몰두하는 것, 폭력행위를 보고 흥분하는 것, 동물이나 어린이 같은 하위자들을 고의적으로 학대하는 것, 살인행위, 그리고 이런 것들이 모두 실패했을 때 자학과 자살행위로 치닫는 것 등이 모두 초부족 상태가 낳은 비정상적인 행동양식이다.
>
> (…) 동물원 우리에 갇혀 있는 동물한테서만 인간과 어느 정도 비슷한 상태를 목격할 수 있다. 한 우리에 갇혀 있는 동물의 수가 너무 많아서 우리가 혼잡해지고, 게다가 적절하지 못한 환경이 겹치면, 분명히 심각한 문제가 발생할 것이다. 학대·자해·살육이 일어날 것이다. 신경증이 나타날 것이다. 하지만 아무리 경험이 없는 동물원장도 동물을 수많은 인간이 우글거리는 오늘날의 도시처럼 빽빽하게 우리

에 채워 넣을 생각은 절대로 하지 않을 것이다. 그렇게 비정상적으로 모아 놓으면, 그 동물의 정상적인 사회형태가 완전히 붕괴되어 무너질 거라고 동물원장은 자신 있게 예언할 것이다.

(…) 하지만 인류는 자신한테 기꺼이 이런 짓을 한다. 인간은 바로 이런 상황에서 허덕이면서도 어떻게든 살아간다. (…) 내가 앞에서 설명한 여러 종류의 이상 행동이 존재한다는 것은 물론 놀랄 만한 일이지만, 그보다는 오히려 인구에 비해 그런 이상 행동이 지극히 드물다는 사실이 더욱 놀랄 만하다. 초부족 사회에서 기를 쓰고 살아가는 사람들 가운데 내가 설명한 극단적인 행동으로 치닫는 사람은 놀랄 만큼 드물다. 필사적인 지위 추구자, 가택 침입자, 살인자, 자살자, 학대자, 궤양환자가 한 사람이라면, 초부족 상황에서 살아남을 뿐 아니라 성공까지 하는 남녀는 수백 명에 이른다. 이것이야말로 우리 인류의 엄청난 인내력과 유연성과 창의력을 입증해 주는 놀라운 증거다.[18)]

위에 인용된 대목 가운데 앞부분만을 읽어 보면, 모리스는 현대 도시사회가 인간이라는 종에게 얼마나 맞지 않는 것인가를 강조하면서, 현대 도시문명 부정론자들의 주장에 힘을 보태주고 있는 것처럼 보인다. 그러나 뒷부분까지를 마저 읽어 보면, 그의 참뜻은 그런 것이 아니라, 그처럼 자신에게 맞지 않는 상황 가운데서도 놀랄 만큼 건강한 모습으로 살아남아 온 인간의 "엄청난 인내력과 유연성과 창의력"을 부각시키고자 한 것임을 알 수 있다. 그렇다면 그는 현대 도시문명 부정론과 긍정론의 양자에 두루 통하는 논리를 전개하면서도 궁극적으로는 긍정론 쪽에 좀 더 큰 무게를 두고 있다는 결론이 나온다.

---

18) 위의 책, pp.97~98.

하지만 이것은 앞에서도 말했듯 어디까지나 인류가 지금까지 걸어온 길을 돌아보는 자리에서만 확실한 것으로 성립된다. 위의 인용문에서 언급되고 있듯, 인류가 그동안 "엄청난 인내력과 유연성과 창의력"을 발휘한 결과 지금까지는 결정적인 파탄에 빠지지 않고 간신히 버티어 왔음이 사실이라 하더라도, 장차 그가 어떻게 될 것인가 하는 점은 별개의 문제로 다루어져야 하는 것이다. 앞으로도 대도시의 인구는 더욱 늘어나기만 할 것이고, 도시인들의 스트레스와 긴장은 더욱 강화되어 가기만 할 터인데, 그런 상황에서도 여전히 인류는 파탄에 빠지지 않고 견디어낼 수 있을 것인가?

이러한 물음 앞에서 우리가 한 가지 떠올려 볼 수 있는 방안은 현대도시의 문명사회로부터 벗어나 옛날의 공동체로 돌아가는 운동을 많은 사람들이 지금부터라도 다양하게 전개해 보는 것이다. 이것은 현대도시문명 부정론자 가운데서 단순한 부정론을 개진하는 것으로 만족하지 않고 뭔가 나름대로의 적극적인 프로그램을 모색하고자 하는 사람들이 쉽게 도달할 수 있는 결론이기도 하다. 그러나 모리스는 이러한 방안이 과연 얼마만큼이나 유효한가에 대해서 상당히 회의적이다. 어차피 현대인들이라면 누구나 "초부족 사회의 공포만이 아니라 그 흥분까지 맛본"[19] 상태에 있거니와, 그러한 현대인들이 옛날의 공동체로 돌아가는 운동을 벌일 경우 그 운동은 이미 참다운 의미에서의 소박함과 단순함을 회복하는 것이 아니라, 그것 자체로서 하나의 적극적인 탐험이 된다는 사실을 그는 지적한다. 그러니까 현대인이라면 아무리 다양한 아이디어를 동원해도 참다운 의미에서 옛날의 공동체로 돌아

---

19) 위의 책, p.247.

가는 것은 불가능하다는 얘기가 된다. 그리고 설령 일시적으로 옛날의 공동체를 되찾았다는 환상에 잠길 수 있게 된다 하더라도, 그것은 역시 오래갈 수 없는 운명이라고 그는 말한다.

> 그들의 두뇌는 더 높은 초부족 수준에 맞춰 훈련되었고, 한번 받은 훈련은 취소할 수 없다. 그런데 유사 원시공동체의 단조로움이 이 두뇌를 괴롭히기 시작하면 환멸이 싹튼다. 그러면 공동체는 무너지든가 활동을 일으키기 시작한다. 새로운 활동이 성공적이면, 공동체는 곧 조직되고 팽창할 것이다. 그러면 순식간에 초부족의 격렬한 경쟁장 안으로 되돌아오게 될 것이다.[20)]

사정이 이러하다면, 현대 도시문명에 따르는 다양한 위험성을 극복하기 위하여 옛날식의 공동체로 돌아가고자 하는 노력은 아무래도 우리가 크게 희망을 걸 만한 것이 못 되는 듯하다. 그렇다면 과연 우리는 어떻게 해야 하는가?

이 물음 앞에서 모리스는 사회를 이끌어가고 있는 정치가·행정가·도시계획가·교육자들에게 한 가지 충고를 주는 것으로써 답변을 대신한다. 그 충고는, 인간의 창의성을 적극적으로 육성하는 쪽으로 정치·행정·도시계획 그리고 교육을 바꾸어 나가는 것이다. 어차피 현대 도시문명이 더욱더 강화되는 방향으로 나아갈 수밖에 없는 것이 인류의 운명이라면, 지금까지처럼 획일적이고 기계적인 틀에 인간을 맞추어 넣고자 애쓰는 식으로 사회를 운영하려 들지 말고, 사람들의－그 가운데에서도 특히 자라나는 젊은 사람들의－자유분방하고 재기발랄

---

20) 위의 책, p.248.

하며 독창적인 측면을 적극적으로 키워내는 일에 노력을 쏟아야만, 결정적인 파탄을 모면할 수 있는 가능성이 그래도 조금이나마 높아지리라는 것이다.

모리스가 『인간동물원』의 말미 부분에 이르러 위와 같은 처방을 내놓고 있는 것을 보면, 이 책이 나온 시기가 프랑스의 5월혁명과 미국의 반전운동 등으로 대표되는 전 세계적 격동의 시대였던 1960년대 말이라는 사실이 새삼스럽게 상기되기도 한다. 그 점은 여하간에, 모리스가 내놓고 있는 처방 자체는, 뭔가 더 자신 있고 포괄적인 해답을 기대했을 어떤 부류의 독자에게는 조금 실망스러운 것일 수도 있으리라 여겨진다. 하지만 아무리 그렇더라도, 그 처방에 일고의 가치도 없는 것은 결코 아닐 터이다.

앞서 『세속도시』에 나타나 있는 콕스의 도시화론에 대한 소개를 마치는 자리에서 나는, "『인간동물원』에 나타나 있는 모리스의 도시화론에 대한 검토까지를 끝낸 다음 두 사람의 견해와 관련된 나 자신의 입장을 종합적으로 밝히겠다"는 말을 한 바 있다. 이제는 그 말을 실행에 옮길 때가 된 셈이다. 콕스와 모리스 두 사람의 도시화론에 대해 나 자신은 어떤 생각을 가지고 있는가?

눈치가 빠른 편에 속하는 독자라면, 내가 이 글의 첫 부분에서 박완서의 「닮은 방들」을 비롯한 다섯 편의 작품을 논의할 때 한 편 한 편에 대한 이야기를 끝낼 때마다 계속 동일한 취지의 의문을 제기하고 나서야 다음으로 넘어가는 모습을 보면서 도시화 문제에 대한 나 자신의 입장이 어떤 것인지 이미 대강 짐작한 바가 있었으리라. 그리고 블레이크의 시 「런던」을 거론하면서 '당대 현실의 심층적 통찰'이라는 차원에서 비판을 가하는 모습을 보고도 무언가 짐작한 바가 있었으리라.

그 짐작은, '아마도 이 사람 자신이야말로, 많은 문학인들의 작품 속에 그려져 있는 '지옥 같은' 도시의 모습과 자신이 현실 속에서 실제로 영위하고 있는 삶의 현장으로서의 도시 사이에는 상당한 거리가 존재한다는 것을 느끼고 강한 의문을 품게 된-그리고 더 나아가서, 비판적인 생각까지 가지게 된-사람 가운데 하나가 아닐까?'라는 짐작일 것이다.

그러한 짐작은 옳다. 나 자신이 바로 그러한 사람인 것이다.

나 자신이 바로 그러한 사람이니만큼, 콕스의 『세속도시』를 처음으로 읽었을 때 나는 참으로 강렬한 인상을 받지 않을 수가 없었다. 나 자신의 실감과는 너무나 다르게 현대의 도시를 "소외와 갇힘, 무력과 결핍, 잃음과 긴장, 압력과 눌림, 비정과 냉혹, 위축과 분열, 공해, 추락" 등등의 부정적인 요소들에 의해서만 거의 일방적으로 지배당하다시피 하는 공간으로 묘사하는 소설과 시, 그리고 이론서들만을 계속해서 지겹게 대면해 오다가 이 책을 만났을 때 내가 느낀 신선한 기쁨은 그것 자체로서 하나의 소중한 감동이었다고 말해도 지나치지 않을 듯하다.

그러나 내가 이 책의 메시지에 대하여 전폭적인 공감만을 느낀 것은 아니다. 분명히 나는 콕스가 비판하고 있는 키에르케고르나 오르테가 이 가제트, 릴케, 카프카식(式)의 도시관(都市觀), 혹은 블레이크식의 도시관에 대하여 콕스 자신 못지않게 강한 이의를 품어 온 터이지만, 정작 콕스 자신은 그러한 도시관을 비판하고 그것에 대립되는 주장을 개진하는 과정에서 그들과는 정반대의 극단론으로 지나치게 나아가 버린 것이 아닌가라는 의문을 나로서는 금하기 어려웠던 것이다. 현대 도시문명이 많은 사람들에게 견디기 쉽지 않은 수준의 긴장을 요구한다는 것, 또한 그것이 심각한 공해문제를 야기하고 있다는 것, 현대 도시문명 속에서 이루어지는 인간관계의 상당 부분이 지나치게 삭막한 면모를 가지고 있다는 것 등등은 모두 부정할 수 없는 사실이 아닌가? 콕스는 이런 어두운 측면을 부당하게 무시하거나 경시하고 있는 것이 아닌가?

물론 저 키에르케고르나 블레이크식으로 부정적인 시각 일변도인 도시관과 콕스식으로 긍정적인 시각 일변도인 도시관 가운데 하나만을 선택하라고 한다면, 나는 주저 없이 후자를 선택할 것이다. 하지만 그 두 가지 선택지(選擇肢) 모두보다도 더 바람직한 것은 콕스처럼 현대 도시문명의 긍정적인 측면을 투철하게 인식하고 있으면서도 콕스와는 달리 현대 도시문명의 부정적인 측면도 간단히 무시하거나 경시해 버리지 않는, 더 신중하고 균형 잡힌 태도라고 나는 생각하지 않을 수 없었다.

내가 모리스의 『인간동물원』을 만난 것은, 바로 그처럼 신중하고 균형 잡힌 태도의 한 전범을 발견했다는 의미를 갖는 것이었다. 나로서는 현대 도시문명의 빛과 그늘에 대하여 이 책이 서술하고 있는 내용이야말로 우리가 이 문제에 대하여 폭넓게 관찰하고 깊게 사색한 끝에 도달할 수 있는 가장 적절한 해답에 가까운 것이라고 평가하지 않을 수 없었다. 물론 앞에서 "어떤 부류의 독자에게는 조금 실망스러운 것일 수도 있으리라"는 표현을 통하여 이미 시사했던 바와 같이, 이 책의 결론 부분이 다소 허약한 느낌을 준다는 사실에 대해서는 나 자신 약간의 아쉬움을 느끼기도 했다. 하지만 나의 아쉬움은 '그 결론에 다시 뭔가 새로운 내용이 덧붙여졌으면 더 좋았을 텐데……' 하는 아쉬움이었지, 그 결론 자체에 정당성이 결여되어 있다는 느낌으로부터

오는 아쉬움은 아니었다. 그러하였으므로, 나는 바로 그 '뭔가 새로운 내용'을 찾아내는 것은 나 자신을 포함한 많은 사람들에게 주어져 있는 미래의 과제라고 결론지음으로써 그 아쉬움을 별반 어렵지 않게 정리할 수 있었다.

『인간동물원』에서 모리스가 현대 도시문명에 대하여 논하고 있는 다양한 내용들 가운데서도 나에게 가장 뚜렷한 인상을 남긴 것을 하나만 들라면, 현대 도시문명 사회로부터 벗어나 옛날식의 공동체로 돌아가고자 하는 노력은 결코 성공할 수 없다고 한 그의 통찰이라고 대답할 수 있을 것 같다. 『인간동물원』 속에서 그 대목을 만났을 때 나는 금방, 바로 그 주제에 대하여 오래전 칼 포퍼와 찰즈 스노우가 모리스와는 조금 다른 각도에서, 그리고 모리스보다 훨씬 강경한 톤으로 언급했던 내용들을 연상하지 않을 수 없었다. 나 자신이 그들의 단언으로부터 깊은 감명을 받은 바 있는 터이기 때문에 그러했을 것이다.

> 우리는 결코 소위 닫힌 사회의 순진함과 미로 되돌아갈 수 없다. 천국에의 꿈은 지상에서는 실현될 수 없다. 일단 우리의 이성에 의존하기 시작하고 우리의 비판력을 활용하기 시작한 이상, 개인적인 책임의 요구와 더불어 지식의 증진을 위해 조력해야 한다는 책임감을 느끼기 시작한 이상, 우리는 부족적 마술에 전적으로 복종하는 국가로 되돌아갈 수는 없다. 지식의 열매를 먹은 자는 천국을 잃어버린 것이다. 우리가 부족주의의 영웅적 시대로 돌아가고자 하면 할수록, 우리는 종교재판에, 비밀경찰에, 낭만화된 깡패행위에로 가는 것이 더욱 확실해진다. 이성과 진리를 억압하는 것으로 시작하기 때문에, 우리는 인간적인 모든 것을 가장 야만적이고 포악한 파괴로 끝내고 말 것이 확실하다. 자연의 조화된 상태로 되돌아갈 수는 없다. 만약

우리가 되돌아간다면, 우리는 길 전체를 다 가야만 한다–우리는 금수로 돌아가야 한다.

(…) 우리는 금수로 돌아갈 수 있다. 그러나 우리가 인간으로 남고자 한다면, 오직 하나의 길, 열린 사회로의 길이 있을 뿐이다. 우리는 우리에게 주어진 이성을 시용하여 안전과 자유를 위해 계획하면서–이 계획은 우리가 할 수 있을 뿐만 아니라 해야만 한다–미지의 세계, 불확실하고 불안정한 세계로 나아가지 않으면 안 된다.[21]

물론 간단명료한 진리가 하나 있으니, 그것은 산업화가 가난한 사람들의 유일한 희망이라는 것이다. 여기서 나는 '희망'이라는 말을 조잡하게, 그리고 산문적인 의미로 사용한다. 나는 너무 세련된 사람들의 도덕적 감정을 만족시킬 만큼 이 말에 익숙하지 못하다. 우리는 편히 앉아서 생활의 물질적 기준 같은 것은 아무래도 좋다고 생각할 수도 있다. 혹은 개인의 선택 여하에 따라 산업화를 거부하는 사람도 있을 것이다.

원한다면 현대의 '월든'(소로의 1854년 작품으로, 숲 속의 생활을 기록하고 있다)을 시도해 보는 것도 좋다. 식량이 넉넉하지 못하고, 대부분의 아이들이 유아기에 죽는 것을 보며, 읽고 쓰기의 즐거움을 경멸하고, 자기의 수명이 20년이나 단축되는 것을 받아들인다면, 나는 당신이 미적 감각을 바꾼 힘을 존경한다. 그러나 만일 선택의 자유를 갖지 못한 사람들에게 당신의 선택을 강요한다면, 나는 조금도 당신을 존경하지 않을 것이다. 사실 그들이 어떤 선택을 하리라는 것을 우리는 알고 있다. 즉 어느 나라를 막론하고 기회만 주어진다면 가난한 사람들은 토지를 떠나 그들을 흡수해 주는 공장으로 옮겨간다는 점에 있어서 이상하리만큼 일치하고 있기 때문이다.[22]

---

21) 칼 포퍼, 『열린 사회와 그 적들』 1(이한구 역, 민음사, 1982), p.271.

22) 찰즈 P. 스노우, 『두 문화』(오영환 역, 민음사, 1996), pp.38~39.

5. 인문적 지성의 일반적 속성

이쯤에서 다시 앞의 논의로 돌아가 보기로 하자. 독자들은 잘 기억하고 있겠지만, 사실 내가 하비 콕스와 데즈먼드 모리스 두 사람을 다루게 된 것은 원래 현대 도시문명에 대한 문학인들의 태도를 검토해 나가다가 논의가 교착상태에 빠져 버린 상황을 타개하기 위해서였다. 제3의 인물들을 무대 위에 새롭게 등장시켜 검토해 보노라면 이 글에서 내가 다루고 있는 주제에 대한 더 진전된 성찰이 가능해지리라는 생각 때문에 그 두 사람을 거론하게 되었던 것이다. 이제 그러한 원래의 의도가 어느 정도 달성된 듯하니만큼, 다시 문학에 대한 이야기로 돌아가기로 한다. 그렇게 할 경우 우리가 지금 이 자리에서 제기할 수 있는 물음은, '『세속도시』와 『인간동물원』까지 검토해 본 마당에서 우리는, 다수의 문학인들이 현대 도시문명에 대하여 부정일변도의 태도를 취해 오고 있는 현상을 도대체 어떻게 보아야 할 것인가?'라는 물음이 될 것이다.

이러한 물음 앞에 섰을 때 우리가 맨 먼저 한 가지 분명한 사실로 전제해 두고 넘어가야 할 것은, 현대 도시문명에는 분명히 부정적인 요소들도 존재하지만, 그것 못지않게, 아니 어쩌면 그것 이상으로 긍정적인 요소들도 다수 존재한다는 점이다. 그 긍정적인 요소들 가운데 일부는 콕스의 『세속도시』에서 언급되었고 또 다른 일부는 모리스의 『인간동물원』에서 언급된 셈이거니와, 그 두 권의 책에서 언급된 것들만 가지고 계산하더라도 '긍정적인 요소들'의 무게는 '부정적인 요소들'의 무게에 필적하거나 혹은 후자를 능가하는 것임에 의문의 여지가 없다. 사정이 이러함에도 왜 다수의 문학인들은 그토록 집요하게 현대의 도시를 "소외와 갇힘, 무력과 결핍, 잃음과 긴장, 압력과 눌림, 비정과 냉혹, 위축과 분열, 공해, 추락" 등등의 언어로 설명하면서 부정적인 매도의 목소리만을 높여 온 것일까? 왜 그들은 현대 도시문명의 긍정적인 요소들에 대해서는 거의 언급하지 않거나 혹은 더 나아가 아예 무시해 버리는 태도를 견지해 온 것일까?

이 물음에 대한 답을 찾는 데에는 다시 콕스의 『세속도시』로 돌아가 두 개의 대목을 살펴보는 것이 유익하다. 그 두 개의 대목이란, 현대 도시생활을 지배하고 있는 익명성이라는 현상에 대하여 부정 일변도의 태도로 임하는 기독교 지도자들을 가리켜 콕스가 "마을의 신학을 가지고 도시에"[23] 온 사람들이라고 부른 대목과, 현대 도시문명의 특징을 이루고 있는 이동성을 부정적으로만 보는 사상가·작가들을 가리켜 그가 "반동적 정신상태에서 나온 낭만적 왜곡"[24]을 일삼는 사람들이라고 부른 대목이다. 이러한 그의 언급은 지금 우리가 문제 삼고 있는 많은 문학인들의 태도를 이해하는 데에도 상당한 도움을 줄 만한 것임에 의문의 여지가 없는 것이다.

하지만, 콕스의 위와 같은 언급을 끌어오는 것만으로 우리 앞에 놓여 있는 물음에 대하여 완전한 해답을 얻을 수 있으리라고 기대하는 것은 무리일 듯싶다. 말하자면, '콕스가 관찰한 다수의 종교지도자나 사상가·작가들은 낡은 인습적 관념에 사로잡혀 있는 보수주의자들이고 우리나라의 많은 문학인들 역시 그러한 성격을 지니고 있는 사람들이기 때문에 그들 모두 거의 부정 일변도의 시각으로 현대 도시 문명을

23) 하비 콕스, 앞의 책, p.63.

24) 위의 책, p.72.

바라보게 된 것이다'라는 식의 설명이 어느 정도의 타당성을 지니고 있는 것임에는 틀림없지만, 그것만으로는 아직도 밝혀지지 않는 부분이 남아 있음을 또한 부정할 수 없다는 것이다.

그 '남아 있는 부분'이란 무엇인가? 내가 생각하기에 그것은 문학을 포함한 인문적 지성 일반의 고유한 속성과 관련되어 있는 부분이다. 그 점을 분명하게 밝히는 데에는 수년 전 내가 한 학술대회에서 토론자로 나섰을 때 했던 이야기를 끌어와 보는 것이 도움을 줄 것 같다. 좀 더 구체적으로 말하자면 1995년 가을 대산재단이 해방 후 50년의 한국문학사를 정리한다는 주제로 학술대회를 열었을 때 소설 부문의 주제발표자로 나선 조남현이 "그동안 우리 소설은 이렇듯 시대에 따라 다른 원인과 양상을 제시하면서 '상처'의 문학을 만들어 오고, 가꾸어 왔다"는 이야기를 한 것을 보고 나는 다음과 같은 발언을 한 바 있거니와, 그때 내가 했던 발언은 "문학을 포함한 인문적 지성 일반의 고유한 속성이라는 것이 도대체 무엇이기에 수많은 문학인·인문적 지식인들로 하여금 현대 도시문명을 거의 부정 일변도의 시각으로 보게 만드는가?"라는 질문에 대한 해답의 일부를 불충분한 대로 담고 있다고 여겨지는 것이다.

> 조남현 교수에 의하면 해방 후의 우리 소설은 "시대에 따라 다른 원인과 양상을 제시하면서 상처의 문학을 만들어 오고, 가꾸어 왔다"고 한다. 이것은 올바른 지적이다. 그런데 여기서 우리가 한 가지 제기할 수 있는 질문은, 해방 후의 우리 역사가 오로지 상처의 기록만으로 점철된 것은 아닌데—어쩌면 상처의 기록에 못지않게 발전의 기록도 많았다고 할 수 있는데—왜 우리 소설을 살펴보면 발전의 기록과

관련된 것은 별로 나타나지 않고 오로지 상처의 기록만이 압도적인 비중을 점하고 있는가 하는 질문이다. 조남현 교수의 논문에는 이러한 질문에 대한 답변이 나타나 있지 않다. 하지만 필자가 이러한 사실을 들어 조남현 교수의 논문을 비판하고자 하는 것은 결코 아니다. 필자가 아는 한, 이러한 질문에 대한 답변은 지금껏 어느 누구도 제대로 제시한 바가 없는 터이다. 아니, 필자가 아는 한, 이러한 질문을 제대로 된 질문으로 의식한 사람조차 이제까지 거의 없었던 터이다. 그런 형편인데, 어찌 하필 조남현 교수의 이번 논문에 대해서만 위와 같은 질문을 가지고 비판을 가할 수 있을 것인가? 그러니까 필자가 위와 같은 질문을 거론하는 것은, 조남현 교수의 논문을 문제 삼기 위해서라기보다는, 이번의 기회를 빌려 필자 자신이 전부터 지녀 온 의문사항을 한번쯤 짚어 보고 지나가기 위해서이다. 이러한 사실을 명백히 밝혀 두면서, 다시 그 질문 자체로 돌아가 약간의 논의를 덧붙여 보기로 하자. 왜 해방 후의 우리 소설사는, 실제의 우리 역사와는 다르게, 거의 전적으로 상처의 기록에 의해서만 지배당하고 있는가? 언뜻 보면 우문 같기도 한 이런 질문을 필자가 자꾸만 문제 삼는 것은, 필자 자신이 이 질문에 대해 어떤 명료한 답변을 준비해 가지고 있기 때문이 아니다. 단지, 언뜻 보면 우문에 불과한 것 같은 이런 질문을 끈질기게 밀고 나가 보면, 이른바 근대문학의 위상과 가치와 한계에 대해서, 그리고 이른바 인문적 지성의 위상과 가치와 한계에 대해서 상당히 의미 있는 재조명을 가할 수도 있으리라는 판단이 서기 때문이다. 엉성한 잠정적 가설에 불과하다는 전제를 달고 얘기해 보자면, 인간의 지적 활동이 고도의 분업화로 특징지어지게 된 20세기의 사회에서는 문학적 지성의 활동방식 역시 그 분업화의 대세에서 크게 벗어날 수 없었으며, 일단 분업화의 대세 속으로 말려들어간 이상 그들에게는—그들이 그들 자신의 최고 수준을 지키고자 하는 한—발전의 측면은 가볍게 처리하거나 무시해 버리고 상처의 측면을 기록하는 일에만 주력한다고 하는 선택이 가능하게 되었을 뿐 그 양면을 균형 있게 두루 아우르는 것은 거의 원천적으로 불가능하게 되어 버린 것이 아닌가, 그러니만큼 흔히들 말하는 '총체성'의 면모를 확보한다는 것은 20세기의 문학인들에게는 아예 처음부터 불가능한 노릇이 아닌가, 해방 후 50년의 우리 소설사가 보여주는 특징도 이러한 맥락에서 이해될 수 있는 것이 아닌가 하는 생각을 해 볼 수 있으며, 인문적 지성 일반의 활동양식에 대해서도 이와 꼭같지는 않지만 얼마쯤 유사한 논의를 펴 볼 수 있지 않은가 싶다.[25)]

독자들이 읽어 보면 알 수 있는 바와 같이, 1995년 당시 내가 문제를 제기했던 대상은 우리 시대의 문학인들과 인문적 지식인들이 현실을 바라보는 시각 전반에 걸치는 것이었다. 그런데 지금 이 글에서 내가 다루고 있는 주제와 관련해서 생각해 보면, 우리 시대의 문학인들· 인문적 지식인들이 현실을 바라보는 시각이란 과연 어떠한 것인가를 가장 전형적으로 보여주는 사례 가운데 하나가, 바로 현대 도시문명을 바라보는 그들 대다수의 시각이 부정적인 것 일변도로 되어 있다시피 하다는 사실이라고 여겨진다. 그렇다면 우리 시대의 문학인과 인문적 지식인 일반이 현실을 바라보는 시각 전반을 대상으로 해서 1995년 당시 내가 제기하였던 문제와 그 문제에 대한 내 나름의 답변은, 지금 이 자리에서 제기되고 있는, '문학을 포함한 인문적 지성 일반의 고유한 속성이라는 것이 도대체 무엇이기에 수많은 문학인·인문적 지식인들로 하여금 현대 도시문명을 거의 부정 일변도의 시각으로 보게 만드

25) 이동하, 「해방 후의 소설사에 관한 네 가지 질문」, 유종호 외, 『한국 현대문학 50년』 (민음사, 1995), pp.180~181.

는가?'라는 물음에 대한 해답의 일부를 불충분한 대로 제시해 주는 것으로 간주되어 무방할 것이다.

이제 우리는, '왜 다수의 우리 문학인들은 그토록 집요하게 현대의 도시를 소외와 갇힘, 무력과 결핍, 잃음과 긴장, 압력과 눌림, 비정과 냉혹, 위축과 분열, 공해, 추락 등등의 언어로 설명하면서 부정적인 매도의 목소리만을 높여 온 것일까?'라는 질문에 대하여, 반드시 충분하지는 못한 대로, 두 가지 차원에서 해답을 내놓은 셈이다. 콕스에 의해 제시된 일반론적인 차원에서의 해답과, 나 자신에 의해 제시된, 문학을 비롯한 인문적 지성 일반이 가지고 있는 어떤 독특한 속성을 문제 삼는 차원에서의 해답이 그것이다.

6. '한국의 특수성'이라는 문제

그런데 논의의 구체적인 대상이 '우리나라의 현대 문학인'이라는 사실을 감안하면, 여기에 다시 세 번째 차원에서의 해답을 추가해야 마땅할 듯하다. 그것은 우리나라의 현대사에 초점을 맞춘 해답이다. 구체적으로 말하자면 이러하다 : "우리나라에서 현대문학이 생성·발전되기 시작한 것은 식민지 상황 아래서였다. 일본 제국주의자들이 '근대화'의 이름으로 침략과 수탈을 합리화하고 있는 마당에서 우리의 현대문학은 출발하였다. 따라서 우리의 현대문학은 그 출발점에서부터 비판과 부정의 언어라는 성격을—조남현식으로 표현하자면 '상처의 언어'라는 성격을—강하게 지닐 수밖에 없었다. 그리고 일제의 침략과 수탈이 '근대화'의 명분을 업고 진행되었던 것인 만큼, 이른바

'근대화'라는 것이 문제될 때는 특히 더 그러할 수밖에 없었다. 이러한 방향으로 우리 문학은 수십 년 동안 한 길을 걸어왔다. 그러다 보니 관성이 붙게 되었다. 해방이 된 후에도 우리 문학이 압도적으로 비판과 부정의 언어, 상처의 언어라는 성격을 유지하게 된 데에는 이러한 사정이 개재해 있다. 기본적으로 근대화 과정의 일환이라는 성격을 지니고 있는 '도시화'라는 현상에 대해서 이야기할 때 거의 천편일률적으로 부정적인 시각이 부각되게 된 사정도 이러한 맥락에서 얼마쯤의 설명이 가능하다."

이러한 세 번째 차원의 해답을 앞서 제시된 두 가지 차원의 해답에다 보태고 그 셋을 종합해 보면 사태의 윤곽은 어느 정도 명료하게 정리되는 것이 아닐까 한다.

그런데 이러한 나의 자평(自評)에 대해, 다음과 같은 말로써 비판을 가해 오는 사람이 반드시 있으리라고 예상된다.

"당신은 세 번째 차원에서의 해답을 모색하면서 우리나라의 현대사에 초점을 맞추겠다 해 놓고, 왜 해방 전의 상황만 문제 삼는가? 해방 후에도 우리나라의 도시화 과정은 다른 나라에서 비슷한 예를 찾기 어려울 만큼 심각한 부정적 면모들을 드러내면서 진행되어 오지 않았는가? 다들 알다시피 서양에서는 자본주의가 프로테스탄티즘의 윤리에 기초하여 비교적 건실하게 전개되어 온 반면, 우리나라에서는 유례없는 부정부패와 특혜, 투기, 독점 따위로 얼룩진 천민자본주의가 판을 치는 가운데 해방 후의 현대사가 진행되어 온 것 아닌가? 그리고 이러한 우리 상황의 특수성은 해방 후의 도시화 과정에도 고스란히 반영되어 있는 것이 아닌가? 우리나라의 문학인들이 현대 도시문명에 대하여 부정적인 시각을 남달리 강렬하게 드러내고 있는 것은, 해방

후 우리나라의 도시화 과정이 그러했던 것이고 보면, 지극히 당연한 귀결이 아닌가?"

이것은 언뜻 보기에는 그럴 듯한 비판으로 여겨질 수도 있다. 하지만 나 자신은 그러한 비판이 타당하다고 생각하지 않는다. '해방 후 우리나라에서 진행되어 온 도시화의 과정은 다른 나라에서 비슷한 예를 찾기 어려울 만큼 심각한 부정적 면모들을 드러낸 것이었다'는 주장에 아무런 근거가 없다고 보기 때문에 그러하다.

물론 해방 후 우리나라에서 전개되어 온 도시화의 과정에 그것 나름대로 여러 가지 부정적 면모들이 존재하였다는 것은 틀림없는 사실이다. 그 점을 인정하지 않을 사람은, 나를 포함하여, 아무도 없다. 하지만 그 부정적인 면모라는 것이 다른 나라에서 비슷한 예를 찾기 어려울 만큼의 심각성을 띠었다고 하는 주장은 아무런 근거도 없는 자학적 과장에 불과하다.[26)]

---

26) "자학적 과장"에 대한 이야기가 나온 김에, 내가 얼마 전 바로 이 문제를 주제로 해서 썼던 수필 한 편을 이 자리에 인용하면서 독자 여러분의 관심을 환기해 보고자 한다. 짧은 글이기 때문에 전문을 인용한다. 제목은 「한국인의 고난을 과장하는 주장들에 대한 비판」이다.

"지난 백 년 동안은 우리 한국인들에게 있어서 참으로 아픈 고난으로 점철된 기간이었다. 이것은 그 누구도 부정할 수 없는 진실이다.

그런데 한국의 지식인 가운데에는, 이러한 사실을 유별나게 강조하면서, 다음과 같은 주장을 전개하는 사람이 예전에도 있었고, 지금도 있다 : "우리 한국인들이 지난 백 년 동안 겪어 온 고난은 세계사에서 유례를 찾아볼 수 없을 정도로 혹심한 고난이다." 지금의 시점에서 이러한 주장을 전개하고 있는 대표적인 인물은 소설가 조세희이다. 그가 계간지 『당대비평』의 창간호를 내면서 쓴 발간사 속에 다음과 같은 발언들이 나오고 있는 것을 보면 이 점을 알 수 있다 :

> 세계에서 우리처럼 숨막히고 슬픈 모순의 나라는 아무리 눈 씻고 보아도 찾을 수가 없다.
>
> 독재와 전제를 포함한 지난 백 년은 악인들의 세기였다. 이렇게 무지하고 잔인

하고 욕심 많고 이타적이지 못한 자들이 마음 놓고 무리 지어 번영을 누렸던 적은 역사에 없었다.

지난 백 년 동안이 우리 한국인들에게 있어서 참으로 아픈 고난으로 점철된 기간이었다는 것이 누구도 부정할 수 없는 진실인 것과 마찬가지로, 위와 같은 조세희의 발언들에 의하여 대표되고 있는 주장도 진실을 말하고 있는 것으로 볼 수 있는가?

그렇게는 볼 수 없다.

지난 백 년 동안이 우리 한국인들에게 있어서 참으로 아픈 고난으로 점철된 기간이었다는 것은 누구도 부정할 수 없는 진실이지만, 우리 한국인들이 지난 백 년 동안 겪어온 고난이 세계사에서 유례를 찾아볼 수 없을 정도로 혹심한 고난이라는 주장은 다분히 과장된 것으로서, 진실과는 전혀 거리가 먼 것이다. 그런 주장을 펴고 있는 사람들에게 이 점을 증명해 주기 위하여서는, 『20세기 지구촌의 분쟁과 갈등』(이정록·김송미·이상석 공저, 푸른길, 1997)이라는 책 한 권을 펼쳐서 그 목차를 읽어 주는 것만으로 충분하다. 그 목차가 이미 모든 것을 말해 주기 때문에, 더 이상의 논증과정은 전혀 필요하지 않은 것이다. 물론 목차를 읽어 주는 것으로 그치지 않고 본문까지 다 읽어 준다면 더욱 좋다(위에 인용된 조세희의 발언 역시 과장된 것임은 물을 필요도 없다. 특히 그중 두 번째로 인용된 문장은 단순한 과장으로 그치지 않으며 진실의 부당한 왜곡까지를 포함하고 있다는 점에서 더 큰 비난을 받아야 마땅하다).

> 분쟁과 갈등의 지구촌/ 20세기 지구촌의 집시들/ 유대인과 아랍인의 영원한 갈등 지역 팔레스티나/ 중동 지역의 유랑 민족 쿠르드의 갈 길은?/ 중동지역의 풍운아들 이란·이라크/ 종교와 민족 분쟁으로 몸살을 앓는 레바논/머나먼 인종화합의 길, 남아프리카 공화국/ 종족간의 갈등으로 번민하는 중앙아프리카/ 끝이 보이지 않는 민족분쟁과 내전, 소말리아/ 이념과 부족 간의 갈등으로 복잡한 앙골라/ 이슬람과 크리스트교도의 갈등 지역 수단/타결의 실마리를 찾은 흑백간의 갈등, 모잠비크/ 아비시니아의 부흥을 꿈꾸는 에티오피아/ 인종 청소로 얼룩진 보스니아 내전/ 인종·민족·언어의 전시장 카프카스 지역/ 운명공동체, 발트 3국의 미래는?/ 러시아 속의 핀란드, 카렐리야인의 운명은?/ 기로에 선 북아일랜드 분쟁/ 「게르니카」의 고향 바스크/ 에스파냐로부터의 독립을 꿈꾸는 카탈루냐/ 대륙의 켈트, 브르타뉴의 지역주의/ 그리스와 터키의 갈등 지역 키프로스/ 영국 식민통치의 유산, 스리랑카 내전/ 필리핀의 이슬람교도 모로족의 독립운동/ 인도네시아의 압제에 신음하는 동티모르/ 일본과 중국의 힘겨루기 조어도 분쟁/ 혼란의 와중에 있는 '킬링 필드'의 본고장 캄보디아/ 소련의 베트남, 아프가니스탄의 미래는?/ 분쟁이 끊이지 않는 인도 반도/ 카슈미르 지방과 인도·파키스탄전쟁/ 아시아의 맹주를 꿈꾸는 중국의 소수민족 문제

위에서 인용한 조세희의 경우는 그렇지 않지만, '우리 한국인들이 지난 백 년 동안 겪어 온 고난은 세계사에서 유례를 찾아볼 수 없을 정도로 혹심한 고난이다'라는 주장

서양의 자본주의와 해방 후 한국의 자본주의가 상호 정반대의 극점에 놓이는 것으로 보는 주장에 대해서도 똑같은 지적을 할 수 있다. '서양에서는 자본주의가 프로테스탄티즘의 윤리에 기초하여 비교적 건실하게 전개되어 온 반면 해방 후의 우리나라에서는 유례없는 부정부패와 특혜·투기·독점 따위로 얼룩진 천민자본주의가 판을 치는 가운데 해방 후의 현대사가 진행되어 왔다'고 하는, 참으로 많은 수의 한국인들이 공유하고 있는 통념은, 한국의 도시화 과정만이 특별히 부정적인 문제점투성이의 형태로 전개되어 왔다는 생각과 마찬가지로, 근거 없는 자학적 과장의 소산에 불과한 것이다. 해방 후의 한국사회에서 자본주의가 진선진미의 형태로 전개되어 온 것은 아니지만, 그런 통념을 고수하는 사람들이 믿고 있는 것처럼 특별히 극악한 형태로 전개되어 온 것도 결코 아니었다.[27)]

을 전개하는 사람들 가운데 상당수는, 나름대로의 민족적 자부심 혹은 사명의식에 기초하여 그런 주장을 전개하고 있는 듯하다. '고난이 큰 곳에 영광도 크다'라든가, '남달리 많은 고난을 겪은 민족은 그만큼 위대한 세계사적 책무를 지니고 있는 것이다'라든가 하는 식의 논리가 그런 주장에 곧잘 따라나오곤 하는 것을 보면 이 점을 알 수 있다.
하지만 그들의 논리 속에 깔려 있는 민족적 자부심 혹은 사명의식이란, 그들의 논리가 진실에 기초하지 않고 있는 것인 이상, 다 헛된 것이라 하지 않을 수 없다. 민족적 자부심 혹은 사명의식을 정립하고자 애쓰는 것 자체가 문제라고 말할 수는 없지만 그것은 어디까지나 진실에 기초하여 이루어지는 노력이라야 참으로 의미 있는 것이 될 수 있다."

27) 이것은 매우 중요한 사항이기 때문에 좀 더 자세하게 논의하고 싶지만 이 글의 범위를 벗어나는 것으로 판단되므로 생략한다. 그 대신 이 문제에 대해서 귀중한 시사를 주는 참고문헌들 가운데 세 가지만 소개해 두고자 한다. 공병호, 『시장경제란 무엇인가』(한국경제연구원, 1996) ; 황인학, 『경제력 집중 한국적 인식의 문제점』(한국경제연구원, 1997) ; 김인영, 『한국의 경제성장』(자유기업센터, 1998). 이 가운데에서도 특히 『시장경제란 무엇인가』의 pp.383~386은 정독할 가치가 있다.

7. 비판적 동행자들의 가치와 한계

이제는 이 글을 마무리지어야 할 때가 가까워져 온 것 같다. 본론에 해당하는 이야기를 제대로 한 것 같지도 않은데 벌써 마무리를 해야 한다는 과제 앞에 서게 되었음을 느끼고 당황하는 순간, 머릿속에 떠오르는 글이 있다. 안삼환이 1977년에 발표했던 「산업사회의 비판적 동행자들」이라는 글이다. 이 글의 도입부를 조금 길게 인용해 보기로 한다.

> 두 사람은 친구였다. 그들의 구체적인 인적 사항은 중요하지 않으므로 그들을 E1·E2라 하자. 둘 다 E로 표시될 수 있음은 그들이 다같이 저 격동하던 60년대에 대학생활을 보낸 소위 새 세대의 엘리트였기 때문이요, 그들을 1·2로 표시함은 그들이 얼마든지 유형화될 수 있는 임의의 인물이기 때문이다.
>
> E1·E2는 다같이 성적이 우수하고 정의감이 강한 학생들이었다. 특히 E1은 장래가 촉망되는 젊은이로서 그의 학업에의 열의와 사회현상에 대한 탁월한 비판정신은 주위의 찬탄과 감복을 자아내었다. 그에 비하면 E2는 잘 눈에 띄지 않는 편이었으며, 교수들은 학기말에 답안지를 채점하고 나서야 비로소 그의 존재에 괄목하게 되곤 하였다. 어떤 모임 같은 데서, 그가 와 있을 듯하여 찾아보면 없고, 존재도 잊고 있노라면 어느 구석엔가 버텨 앉아 있곤 하였다. 빈 강의실 같은 데서 창밖을 내다보며 홀로 휘파람을 불고 있는 그의 뒷모습은 초라해 뵈면서도 의연한 데가 있었다.
>
> 이를테면 당시 유행하던 이른바 매판자본 운운에 대한 그들의 태도를 보자면, E1은 노여운 나머지 입에 거품을 물고서 그의 비판론을 전개하는 편이었고, E2는 "쳇, 소설 한 권 제대로 읽은 적이 없는 사람들이거든!" 하고는 휘파람을 불어대곤 하는 것이었다.

70년대에 이르기까지 두 친구는 서로 다른 자기의 길을 걸었다. E1은 상위 중진국을 향해 도약하는 이 나라의 중견 지도층이 되었고, 한 2천만 원짜리 주택과 승용차의 소유자가 되었다. 그의 일과는 눈코 뜰 새 없이 바쁘고, 사업상 하루에 억지 커피를 열다섯 잔 정도는 보통 마셔야 했다. 그는 더 이상 비판하는 입장이 아니라 결정하는 입장이 되었으며, 자신을 현대산업사회의 찬연한 주역으로 자부하였고, 자신이 앞으로 이룩해 낼 여러 가지 일에 비해 하루하루의 활동시간이 너무나 짧은 것이 아쉬울 지경이었다. 한편 E2는 작가가 되었다. 6개월마다 책보따리를 들고 전세방으로 전전하다가 최근에 와서야 무슨 아파트 한 간을 마련하였는데, 그의 새 집에 대해 화제가 돌아가노라면 그는 이상하게도 부끄러움을 탔다. 그는 더 이상 예의 휘파람을 부는 일이 없었다. 그 대신 가끔 가다가 잡지 같은 데 예의 휘파람처럼 수수께끼 같은 작품을 발표하였는데 실상 그런 것에 주목하는 사람도 별반 없는 듯하였다. 버스간에서 손잡이를 잡고 군중들 틈에 서 있는 그의 뒷모습은 예나 다름없이 초라해 뵈면서도 의연한 데가 있었다.

70년대에 들어선 이래 두 친구는 한 번도 만난 적이 없었다. 서울은 너무나 커졌고, 산업사회의 일꾼들은 너나 할 것 없이 서로 바빴으며, 국민소득도 올라 서로 아쉬운 소리를 할 필요도 없어졌기 때문이었다.[28)]

안삼환의 글을 여기까지 읽어온 독자들은, 그 독특한 스타일에 흥미를 느끼는 한편, '도대체 이것은 무슨 종류의 글이기에 이런 식으로 시작되는가?' 하고 의아심을 품을지 모른다. 알고 보면 이 글은 그 무렵에 출간된 세 권의 소설집－이청준의 『자서전들 쓰십시다』, 송영

---

28) 안삼환, 「산업사회의 비판적 동행자들」, 『문학과지성』 1977년 겨울호, pp.1110~1111.

의 『부랑일기(浮浪日記)』, 최인호의 『개미의 탑』-에 대한 서평으로 쓰인 것이다. 안삼환은 그 세 권의 소설집을 차례로 읽어가는 동안 1970년대 당시 한국 사회의 실상과 그 시대 문학의 사회적 위상에 대하여 나름대로의 종합적인 그림을 그려볼 수 있었고 그 그림을 위와 같이 독특한 스타일의 글로 표현하게 된 셈이다.

안삼환은 위와 같은 방식으로 「산업사회의 비판적 동행자들」이라는 글의 서두를 연 후, 자신이 서평의 대상으로 삼은 세 권의 소설집을 구체적으로 살펴 나간다. 그가 보기에 이들 세 권의 소설집은 모두 '70년대 대한민국의 도시-서울의 체험'에 초점을 맞춘 작품들을 모아 놓았다는 특징을 공유하고 있는 것으로 이해된다. 그리하여 그는 바로 이 '도시-서울의 체험'이 그 세 작가의 소설들 속에 구체적으로 어떻게 형상화되고 있는가 하는 점에 관심을 집중시킨다. 이러한 측면에서 세 권의 소설집을 검토해 나간 끝에 그가 떠올리게 되는 개념이 바로 '비판적 동행자'라는 것이다. 즉 이 세 권의 소설집을 펴낸 작가들은 모두 1970년대 당시의 한국 도시사회를 부정적인 시각에서 바라보고 있지만, 그들 가운데 어느 누구도 현대 도시사회가 가고 있는 길에 '동행'하는 일 자체를 근본적으로 거부하고 있는 것은 아니며, 단지 '비판'의 역할을 주로 담당하는 '동행자'로 머무르는 데에서 자신의 존재 이유를 찾고 있는 것으로 판단된다는 것이 안삼환의 결론이다. 이러한 결론을 내리면서 그는 다시 자기 글의 서두에서 사용하였던 특이한 스타일로 돌아와, 다음과 같은 이야기로 끝맺음을 하고 있다.

> 이상 송영·최인호·이청준 세 작가의 작품들을 주마간산 격으로 살펴보았지만, 그들은 제각기 상이한 입장에서 '도시'를, 아니 70년

대 한국의 산업사회의 제 현상을 포괄하고 있는 '서울'을, 체험하여 그것을 성실하게 기록하고 있다. 이 체험들이 부랑이든 허무든 자성(自省)이든, 또는 어떤 다른 이름으로 불려지든 간에, 이들이 결과적으로 발견해 내고 제시해 주는 것은 이 사회의 비리와 거짓이다. 이 비리와 거짓은 일견 추악하고 성가시게 생각되기 쉬울 것이다, 특히 이 사회의 주역으로서 눈코 뜰 새 없이 바쁜 E1에게는. 그렇다고 해서 E1은 이러한 E2의 진지한 작업들을 산업사회의 이단으로 몰아 중세 때처럼 화형에 처하려 들지는 않을 것이다. E1은 60년대의 현명한 엘리트이었기에. 오히려 그는 E2에게 감사하게 느낄 것이다. 왜냐하면 복잡한 일과에 쫓기는 산업사회의 주역 E1은 그가 옛날에 탁월한 비판정신의 소유자였다 하더라도 미처 이와 같은 성찰을 할 수 있는 여가를 일일이 낼 수 없기 때문이며, 이와 같은 성찰의 결과를 간접적으로나마 E2의 작품들을 통하여 접할 수 있기 때문이며, 결국 E2가 산업사회의 이단자가 아니라 그의 비판적 동행자임을 알고 있기 때문이다. E1은 아직도 E2의 말을 기억하고 있을 것이다 : "쳇, 소설 한 권 제대로 읽은 적이 없는 사람들이거든!" 그래서 E1은 소설을 읽게 될 것이다. 적어도 그가 자주 갖게 되는 커피 마시는 시간에, 소설을 읽은 자의 이야기를 경청하게 될 것이다. E1과 E2는 70년대에 들어선 이래 한 번도 만난 적이 없다. 그러나 그들은 간단없이 서로 교감하게 될 것이다－두 사람은 친구, 동행자이기 때문에, E1+E2=E라는 평범한 등식이 주는 의미를 잘 알고 있기 때문에.[29]

위에 인용된 끝 대목만 보아도 누구나 짐작할 수 있듯, 안삼환은 그가 다룬 세 권의 소설집 전부에 대하여 상당히 따뜻한 시선을 보내고 있다. 그리고 이러한 그의 태도로 미루어 짐작하건대, 이 세 권의 소설

---

29) 위의 글, p.1118.

집과 마찬가지로 현대의 도시문명을 부정적으로 그리고 있는 많은 문학작품들에 대해서도 그는 기본적으로 상당히 우호적인 견해를 갖고 있을 것으로 생각된다.

그러면 우리는 과연 이러한 안삼환의 견해를 어떻게 보아야 할 것인가?

그가 제시하고 있는 "비판적 동행자"라는 개념을 도시화라는 명제와 관련해서 다시 한번 정리한다면, '도시화로 나아가는 역사의 행진에 보조를 맞추어 걷는 것 자체는 거절하지 않되—다시 말해 그 행진 자체를 정지시키고자 한다거나 사람들을 정반대의 방향으로 잡아끌고자 노력한다거나 하지는 않되—도시화의 과정에서 많은 사람들이 간과하기 쉬운 부정적 측면 혹은 문제점들을 끊임없이 끄집어내어 사람들에게 환기시키는 것을 자신의 업무로 삼는 사람' 정도가 될 것이다. 안삼환은 그의 글에서 이청준·송영·최인호 등 세 명의 작가를 그 예로 들었지만, 따지고 보면 참으로 많은 작가·시인들이 이 범주에 속하는 존재로 규정될 수 있을 법하다. 내가 이 글의 앞부분에서 거론하였던 박완서·한수산·이문열·최승호·박용하 그리고 윌리엄 블레이크도 물론 예외 없이 이 범주에 들어간다.

안삼환은 이러한 "비판적 동행자" 그룹에 대해서, "그들은 도시화의 과정이 바람직한 방향에서 이루어져야 한다는 과제의 실현에 그 나름의 방식으로 기여하고 있는 셈이며, 따라서 마땅히 긍정적인 평가를 받아야 한다"는 평가를 내리고 있으며, 그렇기 때문에 그들 모두에 대해 우호적인 시선을 보낼 수 있었던 것으로 이해된다.

이러한 안삼환의 견해에 대해서 나는 일단, 그것이 상당히 매력적인 것임을 인정하지 않을 수 없다. 하지만 그 점을 인정한다고 해서,

현대 도시 문명을 부정적인 시각 일변도로 그리는 데에만 열중하고 있는 다수의 문학인들을 향한 나 자신의 비판을 중단하거나 완화시킬 의사는 전혀 없다. 안삼환의 논의가 나에게 실제로 어떤 영향을 주었다고 한다면, 그것은 내가 그들 다수의 문학인들을 향한 나 자신의 질문을 다음과 같은 형태로 다듬어서 제출할 수 있게끔 만들어 주었다는 점일 것이다 : '왜 당신들은 E2로만 머무르는 데에서 멈추지 않고 한 걸음 더 나아가서 E 자체가 되지는 못하는가?'

내가 이러한 취지의 질문을 던지지 않을 수 없는 이유 가운데 한 가지는, 많은 수의 문학인들 자신이 흔히 '총체성의 확보' 혹은 '전체적 진실의 표현'을 운위해 온 것을 내가 잊지 않고 있기 때문이다.

많은 수의 문학인들이, "문학은 총체성의 확보 혹은 전체적 진실의 표현을 목표로 해야 한다"는 주장을 펴 왔다. 그런데 E1+E2=E라는 의미에서의 E가 되지 못하고 언제까지나 E2의 한계 내에만 머무르는 문학은 바로 그러한 목표에 도달한 문학이라고 할 수 없다. 그러한 목표에 가까이 접근한 문학이라고도 할 수 없다. 아니, 그러한 목표를 향하여 나아가고 있는 문학이라고 부르는 것조차 불가능하다. 그러한 목표를 향하여 나아가는 것을 처음부터 포기하고 있는 문학이라고 할 수밖에 없다.

그런데 이 지점에서 잠시 장르의 문제를 끌어들여서 생각을 좀 더 구체화시켜 보면, '총체성' 혹은 '전체적 진실'이라는 것이 원칙적으로는 모든 장르의 문학에 다 요구되는 것이지만, 그 요구의 정도는 장편소설이 문제될 때 제일 강하며, 단편소설이라든가 서정시라든가 하는 장르의 경우에는 그 정도가 덜하다는 사실을 상기하지 않을 수 없게 된다. 단편소설이나 서정시의 경우라 해서 그 요구가 전적으로 무시되어도 좋다는 얘기는 아니지만, 이들 장르의 경우 그 요구의 정도가 현저히 덜하다는 사실만은 확실한 것이다.

이러한 사실을 고려한다면, '문학작품에서 현대 도시문명의 문제를 다룰 때 오로지 부정적 시각 일변도로 치닫는 것이 바람직하지 않다는 점은 어느 장르의 경우나 다 마찬가지지만, 특히 그 작품이 장편소설일 경우에 가장 크게 비판받아야 한다'는 결론이 자연스럽게 내려진다. 이쯤에서 다시 앞으로 돌아가, '왜 다수의 우리 문학인들은 그토록 집요하게 현대의 도시를 소외와 갇힘, 무력과 결핍, 잃음과 긴장, 압력과 눌림, 비정과 냉혹, 위축과 분열, 공해, 추락 등등의 언어로 설명하면서 부정적인 매도의 목소리만을 높여 온 것일까?'라는 질문에 대하여 내가 세 가지 항목으로 답변하였던 것을 상기해 보기로 하자. 그 세 가지 항목은 (1) 낡은 인습적 관념에 기초한 보수주의적 사고, (2) 문학을 포함한 인문적 지성 일반의 어떤 고유한 속성, (3) 식민지 상황에서 형성된 사고방식의 관성 등 세 가지였다.

그런데 가만히 생각해 보면, 안삼환이 '비판적 동행자'라는 말을 동원하여 설명하고자 한 것은 내가 제시하였던 세 가지 항목 중 두 번째의 것과 상당 부분 겹친다는 사실을 알 수 있다. 그렇다면 설령 어떤 사람이 안삼환의 논리를 전폭적으로 받아들이면서 그가 말하는 'E2'의 문학을 옹호해 주고자 시도하더라도 그것은 크게 성공하기 어렵다는 결론이 나온다. 안삼환의 논리는 내가 문제 삼았던 세 가지 항목 중 두 번째의 것에 대한 방어의 논리는 될 수 있을지 모르지만 첫 번째의 것과 세 번째의 것에 대한 방어의 논리는 되지 못함이 명백하기 때문이다.

8. 덧붙이는 말

우리 문학 속에 집요하게 되풀이되면서 나타나고 있는 '현대 도시문명 비판론'에 대하여 내가 할 수 있는 이야기는 이상으로써 다 끝난 것인가? 그렇지는 않다. 안삼환이 말하는바 '비판적 '동행'자'의 자리에 서 있지 않고, 아예 '동행' 자체를 거부하며, 'E1 타도' 내지 '현대문명사회 체제 자체의 타도'를 외치고, 그러한 '타도'의 작업을 위한 이데올로기적 프로그램을 작성하며, 그같은 프로그램의 실천에 '복무'[30]하노라고 자임하는 문학이 또 다른 한편에 엄연히 존재하기 때문이다. 이러한 부류의 문학에 대해서는 '비판적 동행자'에 해당하는 문학작품과 그 작가들을 논의할 때와는 또 다른 시각으로 검토, 분석, 평가하는 것이 마땅할 터이다. 하지만 이 점에 대한 구체적인 논의는 다른 기회로 미루어 두고자 한다.

30) 이 단어가 나온 김에, 한마디 얘기해 둘 것이 있다. 언젠가부터 우리나라의 문학비평계나 학계에서는 기회 있을 때마다 이 단어를 사용하는 것이 하나의 유행을 이루다시피 했다. 나는 문학을 논하는 자리에서 본래 군사용어인 이 말을 즐겨 사용하는 사람들을 볼 때마다 도대체 그들의 정신상태를 이해할 수 없다는 느낌에 빠져들면서, 마음 한편으로 상당히 강한 경멸감을 품게 되곤 했다. 요즘 들어와서는 그 유행도 한물 간 듯하니 다행이다.

최근의 서울을 다루는 문학의 두 가지 방식

최근의 30여 년 동안 서울 사람들의 삶은, 여러 가지 점에서 예전보다 분명히 개선되고 향상되었다. 하지만 아무리 부분적인 개선과 향상이 있더라도, 심각한 문제들은 계속해서 발생할 수밖에 없다.

이러한 시대를 살면서 많은 문학인들은 서울의 과거와 현재에 나타난 다양한 문제들을 파헤치고 그 의미를 성찰하며 더 나은 세상에 대한 비전을 모색하는 작업을 꾸준히 계속해 오고 있다. 그와 같은 작업은 아무래도 시보다 소설 장르 쪽에서 더 많은 성과를 내고 있다. 그 성과 가운데서 인상적인 경우 몇 가지를 아래에 열거해 보기로 한다.

(1) 신경숙의 『외딴방』(1995)—1963년 전라북도 정읍에서 태어난 신경숙은 1970년대 말 서울에 올라와 구로공단의 한 여공으로 일한 적이 있다. 『외딴방』은 이러한 그의 자전적 체험을 바탕으로 쓰인 소설이며 그 체험의 실감을 강하게 전달해 주는 소설이기도 하다. 이 작품은 30대의 성공한 소설가로 성장한 화자가 여공으로 일하던 자신의 열여섯 살 때를 되돌아보며 과거와 현재 사이의 내적 대화를 펼쳐 나가는 방식으로 진행된다. 작가의 섬세한 감수성이 인상적인 성장소설이면

서, 1970~80년대 서울 노동자들의 현실에 대한 문학적 형상화를 보여준 사회소설이기도 하다.

(2) 이명랑의 『나의 이복형제들』(2004) – 이명랑은 영등포 시장에서 자라난 작가이다. 지금까지 나온 그의 소설들 중 특히 주목되는 것이 『꽃을 던지고 싶다』(1998), 『삼오식당』(2002), 『나의 이복형제들』(2004) 등 세 편으로 이루어진 이른바 '영등포 3부작'이다. 이 작품들에서 그는 영등포의 재래시장을 무대로 하여 발랄한 생명감각과 사회적 문제의식, 그리고 사람들 간의 진정한 연대에 대한 포기할 수 없는 꿈을 일관되게 보여준다. 그 중에서도 특히 『나의 이복형제들』은 인도에서 온 노동자, 조선족 여성, 신체적 장애를 지닌 남녀 등 특별한 핸디캡을 지닌 사람들을 다양하게 등장시켜 보다 확대된 문학세계를 개척한 것으로 높이 평가될 만하다.

(3) 정이현의 「삼풍백화점」(2005) – 서초구 서초동에 서 있던 삼풍백화점 건물은 1995년 6월 29일에 붕괴되었다. 이 사고로 502명이 사망하고, 937명이 부상했으며, 6명이 실종되었다. 그로부터 10년의 세월이 흐른 시점에서 정이현은 삼풍백화점 사고와 관련된 단편소설 한 편을 써냈다. 이 작품에서 그는 삼풍백화점 사고를 다룬 소설이라면 누구라도 쉽게 상상할 수 있는 일반적인 접근방법을 택하지 않고, 특이한 시도를 보여준다. 작품이 전체적으로 산뜻한 여성 성장소설의 면모를 지니게 하면서, 사회적 차원의 복합적인 문제 제기를 그것에다 자연스럽게 결합시킨 것이다. 그 결과 이 작품은 감성적인 면에서 남다른 매력을 획득하는 한편 주제적 차원에서의 설득력도 높이는 데 성공하였다.

(4) 이홍의 『성탄 피크닉』(2009) – 이 소설은 로또 복권에서 당첨되

는 행운을 맞이하게 된 어떤 가족이 그 당첨금으로 평소 동경해 오던 강남에 아파트를 사서 이사 갔다가 결국 그 행운 때문에 파국을 맞이하게 된다는 이야기를 담고 있다. 이런 독특한 사건 전개를 통해서 작가 이홍은 현대 한국 사회의 가장 민감한 쟁점 가운데 하나인 이른바 '강남 문제'에 대한 나름대로의 문제 제기를 시도하고 있다.

(5) 손아람의 『소수의견』(2010) – 도시 재개발 계획을 추진하기 위해 기존 건물들을 철거하는 과정에서 철거에 반대하여 저항하는 사람들(주로 세입자들)과 경찰이 충돌한 끝에 다섯 명의 저항자들과 한 명의 경찰이 사망한 사건이, 2009년 1월 20일, 용산에서 발생하였다. 손아람의 『소수의견』은 이 사건을 계기로 해서 쓰인 소설이다. 그는 도시 재개발 계획, 세입자들의 저항, 폭력사태, 세입자와 경찰의 죽음 등등 이 사건의 중요한 모티프들을 소설 속에 그대로 끌어들이되, 세부적인 차원에서 다각도로 적극적인 변용을 가한다. 그렇게 한 결과 현실과 변별되는 독특한 작품공간이 만들어진다. 특히 이 소설에서 작가가 법률과 재판의 세계에 대해 치밀한 연구와 조사를 행하고 그 성과를 생동감 있는 언어로 살려낸 점은 희유한 성취라 할 만하다.

(6) 김의경의 『청춘 파산』(2014) – 부모가 사업에 실패하고 거액의 채무를 지게 되는 바람에 자신도 덩달아 빚더미에 올라앉게 된 여성이 있다. 끊임없이 닥쳐오는 빚쟁이들의 압박에 시달리면서 이리저리 피해 다니는 처지이지만 어쨌든 먹고 살기는 해야 한다. 봉고차를 타고 주택가에 상가 수첩을 돌리는 아르바이트를 하며 서울의 온갖 동네를 누빈다. 그가 바로 소설 『청춘 파산』의 주인공이다. '3포(抛) 세대'니 '7포 세대'니 하는 명칭으로 불리며 악전고투하는 가운데서도 생기와 순수성을 잃지 않는 2010년대 한국 젊은이의 한 전형적인 초상을 보여

주는 인물이다.

지금까지, 1990년 이후에 발표된 소설 가운데 다섯 편의 장편과 한 편의 단편을 간단히 일별해 보았거니와, 이 작품들은 모두 서울의 과거와 현재를 다루되 정공법으로 사회 문제 혹은 인생 문제와 대결하고 있다는 점에서 공통된다. 그런데 문학의 마당에는 반드시 이런 유형의 작품들만 존재하는 것이 아니다. 이런 유형의 작품들과 나란히, 일찍이 윤후명이 「돈황의 사랑」에서 모범을 보였던 사례를 이어받은 작품들, 다시 말해 '몽상의 힘'을 전면에 내세우는 작품들이 비록 적은 양으로나마 또한 꾸준히 나오고 있는 것이다. 그 중에는 상당히 인상적인 작품들도 있다. 이를테면 서울 한복판에 옛 궁궐로 통하는 비밀 지하도가 있다는 상상을 바탕으로 한 편의 몽환적인 로맨스를 전개해 나간 이승우의 『끝없이 두 갈래로 갈라지는 길』(2005)이라든가, 북촌의 한옥 마을을 무대로 하여 꿈결처럼 왔다가 가버린 사랑의 이야기를 펼쳐 보임으로써 그곳 일대를 아스라한 환상의 빛깔로 물들이고 있는 이혜경의 「북촌」(2009)과 같은 소설이 그런 예에 해당한다. 말할 나위도 없이, 서정시의 영역에서도 우리는 이와 근사한 상상력을 만날 수 있다.

> 동짓달에도 치자꽃이 피는 신방에서 신혼 일기를 쓴다 없는 것이 많아 더욱 따뜻한 아랫목은 평강공주의 꽃밭 색색의 꽃씨를 모으던 흰 봉투 한 무더기 산동네의 맵찬 바람에 떨며 흩날리지만 봉할 수 없는 내용들이 밤이면 비에 젖어 울지만 이제 나는 산동네의 인정에 곱게 물든 한 그루 대추나무 밤마다 서로의 허물을 해진 사랑을 꿰맨다

……가끔……전기가……나가도……좋았다……우리는……[1)]

위에 인용한 것은 박라연의 시 「서울에 사는 평강공주」(1990)의 첫 연이다. 온달장군과 평강공주의 전설에 기대어 가난한 서울 산동네에서의 삶을 견디고 초극해 가는 시적 화자의 모습은 장르의 차이를 떠나 「돈황의 사랑」의 세계에 아주 가까이 다가서 있는 것이라 하지 않을 수 없다.

이러한 「돈황의 사랑」 계열의 작품들은 위에서 말한 대로 몽상의 힘을 전면에 내세우는 특징을 보여주지만, 좀 더 깊이 생각해 보면, 이 작품들 역시 앞서 살펴본 여섯 편의 소설들과 궁극적으로 동일한 작업을 수행하고 있는 것임을 알 수 있다. 무슨 작업인가? '서울의 과거와 현재에 나타난 다양한 문제들을 파헤치고 그 의미를 성찰하며 더 나은 세상에 대한 비전을 모색하는 작업'이다.

근자에 들어와 문학의 사회적 위상이 예전만 못하게 된 것은 부정할 수 없는 사실이다. 하지만 세상의 다양한 문제들을 파헤치는 일이나, 그것의 의미를 성찰하는 일이나, 더 나은 세상에 대한 비전을 모색하는 일이나, 기본적으로 언어에 의존하지 않고서는 이루어질 수가 없다. 아무리 다양한 매체가 개발되고 현란한 시청각 예술이 발달한다 해도 인간의 삶에서 언어의 비중이 줄어들지 않는 한 문학의 몫은 중요한 것으로 남는다. 이러한 이야기는 서울의 과거와 현재와 미래를 생각하는 자리에서도 예외 없이 성립될 것이다.

---

1) 박라연, 『서울에 사는 평강공주』(문학과지성사, 1990), p.11.

제2부

문학이 포착한 서울/정치의 몇몇 장면들

탈퇴의 타이밍을 놓치다

이태준의 「해방전후」

이태준이 『문학』 1946년 8월호에 발표한 단편소설 「해방전후(解放前後)」는 여러 가지 면에서 연구자들의 각별한 관심을 끌어당길 만한 작품이다. 작품의 그러한 면모에 걸맞게, 「해방전후」에 대해서는 이미 상당한 수의 논문이 쓰인 바 있다. 그리고 이 논문들 가운데에는 감탄을 금할 수 없을 만큼 예리한 분석의 광채를 발하고 있는 것도 여럿 존재한다.

이런 기존 연구의 성과에 내가 지금 새로이 보탤 것은 별로 없다. 여기서는 다만 「해방전후」를 읽으면서 내가 가장 흥미롭게 느꼈던 대목 하나만을 간단히 짚어 보고 넘어가기로 한다. 그것은 "'문협'의 상당한 책임자 하나가 묶어놓은 연합국기 중에서 소련 것만을 끄르더니 한아름 안고 가 사층 위로부터 행렬 위에 뿌리는" 행동을 하는 바람에 생긴 소동과 그 사후 처리 과정을 서술하고 있는 대목이다.

여기서 언급되고 있는 '문협'이란 '조선문화건설중앙협의회'의 약칭이다. 소설의 주인공 현은 8.15 해방을 맞아 서울로 올라오자마자 그 단체의 사무실을 찾아간다. 처음에는 "전부 좌익이었던 작가와 평론가가 중심"이 되어 그 단체를 조직했다는 사실을 미리 알고, "마음속으로

든든히 그들을 경계하면서", 일단 한번 보기나 하자는 생각으로 찾아간 것이었다. 하지만 실제로 그들을 만나보고 나자 "그들의 태도와 주장에 알고 보니 한 군데도 이의를 품을 데가 없"다는 것을 알고 기꺼이 그 단체의 일원이 되어 활동을 같이 한다. 그러던 어느 날, 한차례 소동이 벌어진다. 그 대목을 잠깐 보자.

> 좌익대중단체 주최의 '데모'가 종로를 지나게 되었다. 연합국기 중에도 맨 붉은기뿐이요, 행렬에서 부르는 노래도 적기가(赤旗歌)다. 거리에 서 있는 군중들은 모두 이 '데모'에 냉정하다. 그런데 '문협'회관에서만은 열광적 박수와 환호로 이 '데모'에 응할 뿐 아니라, 이제 연합군 입성 환영 때 쓸 연합국기들을 다량으로 준비해 두었는데, '문협'의 상당한 책임자 하나가 묶어놓은 연합국기 중에서 소련 것만을 끄르더니 한아름 안고 가 사층 위로부터 행렬 위에 뿌리는 것이다. 거리가 온통 시뻘개진다. 현은 대뜸 뛰어가 그것을 막았다. 다시 집으러 가는 것을 또 막았다.
>
> "침착합시다."
>
> "침착할 이유가 어디 있소?"
>
> 양편이 다 같이 예리한 시선의 충돌이었다. 뿐만 아니라 옆에 섰던 젊은 작가들은 하나같이 현에게 모멸의 시선을 던지며 적기를 못 뿌리는 대신, 발까지 구르며 박수와 환호로 좌익 '데모'를 응원하였다. '데모'가 지나간 후, 현의 주위에는 한 사람도 가까이 오지 않았다. 현은 회관을 나설 때 몹시 외로웠다.[1]

마음이 상한 현은 회관에 나가지 않고 자기 집에 틀어박힌다. 이틀

---

1) 권영민 외 4인 공편, 『한국 대표 중단편소설 50』 1(중앙일보사, 1995), pp.35~36.

을 그렇게 하자, 그 자(이제부터 편의상 '책임자'라 칭하기로 하자)가 찾아와 다음과 같은 말로 사과를 한다.

> "현형, 내 솔직한 고백이오. 적색데모란 우리가 얼마나 무고몽매간에 그리던 환상이리까? 그걸 현실로 볼 때, 나는 이성을 잃고 광분했던 거요. 부끄럽소. 내 열 번 경솔이었소. 그날 현형이 아니었다면 우리 경솔은 훨씬 범위가 커졌을 거요."[2)]

'책임자'의 이런 말을 듣고 화가 풀린 현이 다시 회관에 나가 부지런히 활동을 전개하기 시작하는 것으로 이 소동은 마무리된다.

누구나 아는 바와 마찬가지로, 「해방전후」의 주인공 현은 작가인 이태준 자신을 거의 그대로 갖다 놓은 것이다. 그러니까 작품 속에서 그려지고 있는 위와 같은 단막극은 실제로 이태준에게 일어났던 일이거나, 적어도 그것을 조금 변형하여 묘사한 것일 가능성이 높다.

그렇다면, 그런 사건이 발생했을 때 이태준은 그것을 좋은 기회로 삼아 '문협'을 탈퇴하고 그 '책임자' 같은 부류의 사람과 관계를 끊어 버리는 것이 현명했을 터이다. 그렇게 했더라면 이태준은 나중에 월북하여 『농토』처럼 문제가 많은 작품을 쓰고 거기서 다시 더 나아가 「첫 전투」니, 「고향길」이니, 「백배 천배로」니 하는 등속의 북한 측 공식에 맞춘 기계적인 작품을 억지로 내놓는 일을 하지 않아도 되었을 것이다. 또 반동분자라는 오명을 덮어쓰고 숙청당하여 지방 신문사의 교정원이니 콘크리트 블록 공장의 파고철(破古鐵) 수집 노동자니 하는 직책

2) 위의 책, p.37.

을 전전하다가 죽어가지 않아도 되었을 것이다. 뿐만 아니라 그의 아내와 다섯 자녀까지 모두 비극적인 몰락의 수렁으로 굴러떨어지는 일도 없었을 것이다.[3)]

위에서 언급된 「해방전후」의 한 대목으로 다시 돌아가 보자. '책임자'가 현을 찾아와 사과했을 때 실제로 그가 한 말의 내용은 무엇이었던가? 그는 그 자신이 오래전부터 '적색데모'를 꿈꾸어 온 공산주의자라는 것을 말했다. 실제로 눈앞에 그런 데모의 장면을 보았을 때 금방 "이성을 잃고 광분"할 만큼 철저한 공산주의자라는 것을 말했다. 그런 사실을 먼저 고백투로 밝히고 나서, 한 가지 점에 대해서만 사과를 했다. 상황이 무르익을 때까지 자신이 그토록 철저한 공산주의자라는 사실을 잘 숨기지 못하고, 상황이 무르익는 것을 좀 더 느긋하게 기다리지 못하고, '경솔'하게 자신의 진심을 드러냈다는 것, 그 점 한 가지에 대해서 사과를 한 것이다.

이러한 그의 사과는, 그와 현 사이에 분명한 이념적 간극이 존재한다는 사실을 확인시킨 것이었다. 적어도 이 시점에서의 현은 공산주의의 신념을 가진 사람이 아니었기 때문이다. 이것은 즉 소설 속의 이 대목에 해당하는 시점에서는 작가 이태준 자신이 아직 공산주의자가 아니었다는 사실을 의미하기도 한다. 그랬던 만큼, 이 시점에서 이태준은 '문협'을 탈퇴해도 부자연스러울 것이 없었다. 아니, '문협'을 탈퇴하는 것이 가장 자연스러운 일로 느껴질 수 있는 타이밍이 그때였다. 그런데 이태준은 그 타이밍을 놓쳤다. 안타깝게도.

---

3) 이태준과 그의 가족들이 숙청의 폭풍에 휘말려 겪게 되는 비극의 구체적인 양상은 조영복의 『월북예술가, 오래 잊혀진 그들』(돌베개, 2002), pp.282~293에 자세히 서술되어 있다.

통일민족국가의 수립을 향한 열망 혹은 몽상

염상섭의 『효풍』

염상섭은 1945년 8월 15일의 해방을 중국의 단둥에서 맞이하였고, 그해 10월에 압록강을 넘어 신의주로 옮겼다. 신의주에서 8개월가량 체류하다가, 1946년 6월에 38선을 넘어 서울로 왔다. 그러고 보면 염상섭은 소련군이 진주한 후 급속도로 변모해 간 해방 후 북한의 실상을 상당한 기간 동안 직접 체험하고 또 관찰할 수 있었던 셈이다.

해방 후에 그가 처음 쓴 작품은 단편 「첫걸음」이다. 서울에 온 지 두 달이 지난 1946년 8월에 써서, 같은 해 11월 『신문학』 4호에 발표한 작품이다. 일제 말기부터 해방 직후까지에 걸쳐 상당한 기간 동안 잠들어 있던 그의 창작열은 이 작품을 발표하면서부터 다시 불붙기 시작하여, 여러 편의 단편소설들을 연이어 쓰게 만든다. 그리고 그 연장선상에서 마침내 장편 『효풍(曉風)』의 창작이 이루어진다. 『효풍』은 1948년 1월 1일부터 11월 3일까지 총 200회에 걸쳐 『자유신문』에 연재, 완결된다.

『효풍』은 신문 연재가 끝난 후 단행본으로 출간되지 못하였으며 그 때문에 극소수의 전문 연구자들에게만 알려졌을 뿐 완전히 사장되다시피 한 상태로 오랜 세월을 보내야 했다. 그러다가 발표 후 꼭 50년이 지난 1998년에 이르러 비로소 단행본으로 출간되는 기회를 맞이하였다. 실천문학사에서 나온 이 책의 권말에는 김재용의 해설이 붙어 있다. 원래 그가 『한국문학평론』 1997년 여름호에 발표하였던 「8.15 이후 염상섭의 활동과 『효풍』의 문학사적 의미」라는 글이다. 이 글을 보면, 염상섭이 『효풍』을 구상하고 써나가기 시작하던 무렵 어떠한 생각을 가지고 있었는가에 대한 다음과 같은 설명이 나온다.

> 이 작품을 연재하기 시작할 무렵인 1948년 초는 염상섭의 작가의식에 있어 일대 전환을 맞이하는 시기다. 이미 앞에서 보았던 것처럼 그 이전에는 남북좌우의 분열을 보면서도 조만간 해결될 수 있을 것이며 통일민족국가의 성립이 결코 먼 훗날의 일이 아니라고 생각하였다. 그럴 수밖에 없었던 것은 미소공동위원회가 열리고 있었고 이들 강대국들이 어느 정도 양보하여 우리 민족의 진정한 독립을 보장할 수 있을 것이며 이러한 국제적 흐름에 맞추어 우리 민족의 양식 있는 사람들이 협조한다면 충분히 가능할 것이라는 기대가 있었기 때문이다. 그러나 냉전체제가 굳어지면서 이것이 어려워졌음을 알자 우리 민족이 이제 스스로 나서서 싸우지 않으면 안 된다는 것을 인식하게 되었다. 그렇기 때문에 이전의 소극적 태도에서 벗어나 적극적 태도로 외세에 대하여 강하게 비판하기 시작하였으며 그것에 빌붙어 한몫 보려는 세력에 대해 강도 깊게 비판하였다. 바로 이러한 현실인식의 전반적 변화와 이 작품의 연재가 맞물려 있는 것이며 이러한 현실인식은 이 작품에서 현실을 묘사하는 작가 시각의 근간을 이룬다.[1)]

---

1) 김재용, 「8.15 이후 염상섭의 활동과 『효풍』의 문학사적 의미」, 염상섭, 『효풍』(실천문학사, 1998), p.356.

실제로 『효풍』을 읽어 보면 이 작품에 나타나 있는 염상섭의 입장이 위에 인용된 김재용의 설명에 언급된바 그대로임을 확인하게 된다. 그리고 염상섭의 이러한 입장은 『효풍』 전편을 통하여 상당한 정도의 절실성을 동반하면서 부각되고 있음을 느끼게 된다. 바로 이 '절실성' 이야말로 『효풍』이 오늘날의 독자들에게까지도 일말의 감동을 안겨주는 원천이 되고 있다.

1948년을 전후한 시기의 염상섭은 『효풍』에 나타나 있는, 당대 상황에 대한 자신의 입장, 즉 '통일민족국가의 성립을 위하여 우리 민족이 스스로 나서서 싸우지 않으면 안 된다'고 하는 입장을 단지 소설의 문면을 통해 피력하는 것으로 그치지 않고 실제적인 행동을 통해서도 관철시키고자 노력하였다. 그 행동의 구체적인 세목은 역시 김재용의 글에서 잘 설명되고 있다. 이를테면 남한 단독정부를 수립하는 데 반대하는 것을 기본 노선으로 삼은 『신민일보』라는 신문의 창간에 참여하고 그 신문의 편집국장으로 활약하다가 필화를 겪은 일[2]이나 김구·김규식·김일성 사이의 이른바 남북회담을 지지하는 문화인들의 성명에 적극 참여한 일 등이 그 대표적인 사례에 해당한다. 이처럼 소설 창작과 현실 참여의 양면에 걸쳐 혼신의 힘으로 '분단 방지'를 위해 싸운 염상섭의 노력은 그러나 헛된 것이 되고 말았다. 『효풍』의 연재가 계속되고 있던 1948년이 다 가기 전에 남과 북에는 각각 독립된 정부가 들어섰고, 염상섭 자신은 이듬해에 창설된 국민보도연맹에 강제로 가입당하는 처지로 떨어졌던 것이다.

---

2) 1948년 4월 염상섭은 당국에 연행되어 구류 처분을 받았고, 5월에 『신민일보』는 폐간되고 말았다. 김재용, 위의 글, p.347.

염상섭이 『효풍』의 창작을 전후한 시기에 걸어갔던 이상과 같은 행로를 볼 때 우리는 숙연한 마음이 되지 않을 수 없다. 그것은 『효풍』이라는 소설을 읽으면서 우리가 느끼게 되는 감동과 기본적으로 동일한 성격을 지니는 것으로 생각된다.

그런데, 염상섭이 걸어갔던 행로를 보면서 우리가 갖게 되는 '숙연한 마음'에는, 그리고 그가 쓴 『효풍』이라는 소설을 읽으면서 우리가 느끼게 되는 '감동'에는, 또한 어쩔 수 없이, 일말의 안타까움이 따라붙는다. 1948년이 되기 전에 염상섭이 지녔던 낙관적인 생각—김재용의 글 중 한 대목을 다시 빌려와서 표현하자면, "남북좌우의 분열을 보면서도 조만간 해결될 수 있을 것이며 통일민족국가의 성립이 결코 먼 훗날의 일이 아니라고 생각하였"던 것—은 애초부터 어림도 없는 착각이었다는 사실을 오늘의 우리는 아주 잘 알고 있기 때문이다.

염상섭이 1948년 이전에 무슨 낙관적인 전망을 품고 있었건 간에, 한반도의 분단은 이미 오래전부터, 정확히 말해 1945년 9월부터, 그 누구도 막을 수 없는 현실로, 일찌감치 확정되어 있었다. 염상섭은 세상이 어떻게 돌아가는지 모르는 상태로 헛된 꿈을 꾸고 있었던 것이다. 염상섭만 그랬던 것이 아니다. 김구도 그랬다. 김규식도 그랬다. 여운형도 그랬다. 심지어, 김규식과 여운형을 중심으로 하는 좌우합작의 플랜에 대한 집착을 오랫동안 버리지 못했다는 점에서, 어느 면으로는, 미군정 당국자들조차도 그랬다.

어째서 1945년 9월이냐고? 이정식이 우리에게 알려준 다음의 정보 속에 그 답이 있다.

> 무슨 얘기냐 하면 일본 『마이니치 신문』 기자가 소련 문서고에서

1945년 9월 20일자 스탈린의 지령을 찾아냈다는 것입니다. (…) "북조선의 광범위한 반일 민주주의 정당들의 연합을 토대로 해서 부르주아적 민주주의 정권을 수립하라", "소련군은 반일 민주주의 조직들의 형성을 방해하지 말 뿐 아니라 그들을 원조해주라", 이것이 지령의 주된 내용이었습니다. 그런데 이 지령에는 미군하고 교섭을 하라, 협조를 하라, 의논하라는 그런 것이 없었습니다. 그냥 소련 점령지역에 민주정권을 수립하라는 명령인데, 다시 말하면 단독정부를 세우라는 겁니다.[3)]

스탈린은 왜 1945년 8월 15일로부터 한 달밖에 지나지 않은 시점에서, 이처럼 북조선 단독정부 수립의 결정을 했을까? 이 점에 관한 이정식의 설명을 더 들어 보자.

저는 북한의 중공군 후방기지화가 남북분단을 고착화하는 데에 결정적인 역할을 했다고 생각합니다. 저는 스탈린이 북한을 중공군의 후방기지로 사용하도록 허용한 그날부터 한반도의 통일은, 그가 원했다고 하더라도 원천적으로 불가능하게 되어버렸다고 봅니다. 왜 제가 그렇게 생각하게 되었을까요?

저의 대답은 이렇습니다. 만주에서의 중공군 패배는 북한을 더없이 중요한 전략기지로 변화시켰기 때문입니다. 만일 북한이 미국 영향권하에 놓여 있는 남한과 합쳐지게 될 경우 그 전략적 가치는 급전직하(急轉直下) 영점(零點)으로 떨어질 겁니다. 한반도가 통일될 경우 어떤 형태로든 미국이 관여하게 될 텐데 소련이 지원하는 팔로군이 북한으로 대피하는 것을 미국이 허용할 리가 없겠죠. 당쇠에쑹

3) 이정식, 『21세기에 다시 보는 해방후사』(허동현 편, 경희대학교 출판문화원, 2012), p.51.

등이 지적했듯이 팔로군이 북한을 '음폐기지', 즉 비밀기지로 삼았던 이유가 바로 그 점이었습니다. 중공군이 지금까지 '성소'로 이용하던 북한을 상실할 경우 만주가 장제스의 국민당 정권과 후원국인 미국의 영향권하에 들어가게 될 것이 불을 보듯 뻔했지요. 이러한 상황에서 여러분이 스탈린이었다면 한반도가 통일되기를 원했겠습니까?

북한이 중공군의 후방지역 내지는 국공(國共) 내전의 연장지역으로 변한 상황에서 남과 북이 합해서 통일을 이룬다는 생각은 춘몽에 지나지 않았습니다. 남북이 통일되어야 한다는 주장은 스탈린에게는 만주를, 그리고 나아가서 중국을 국민당과 미국에 넘겨주라는 얘기로 들렸을 것입니다. 이러한 상황에서 우리 겨레는 통일을 꿈꾸고 있었지요. 우리의 염원이니까요. 때문에 같은 우익진영 내에서도 서로 다투고 싸웠지요. "이렇게 해야 통일이 된다", "저렇게 해야 통일이 된다"고 갑론을박하면서요. 한마디로 국제 정세에 너무나 어두웠습니다.[4)]

다시 말하거니와, 1945년 9월 20일부터 이미, 남과 북이 합하여 통일국가를 수립한다는 구상은 봄날의 미몽에 불과한 것이 되고 말았다. 염상섭은 이것을 몰랐다. 김구도, 김규식도, 여운형도, 미군정의 하지조차도 이것을 몰랐다.

그러나 이것을 일찍부터 잘 알았던 사람들도 있다. 명령을 내린 스탈린 본인과 그의 명령을 받은 소련군 당국자들은 새삼 말할 나위도 없거니와, 그 밖에도 이것을 잘 알았던 사람들이 있는 것이다. 김일성이 그 대표적인 인물이다.

소련군과 김일성은 이러한 '앎'에 따라, 1946년 2월에 북조선임시인

---

4) 위의 책, pp.92~93.

민위원회를 출범시켰다. 말이 '임시'인민위원회이지, 이미 사실상의 단독정부였다. 단독정부였기에 정부가 할 수 있는 온갖 일들을 다 했다. 심지어 '무상몰수, 무상분배'라는 사기성 구호를 내건 토지개혁까지도, 임시인민위원회의 이름 아래, 번갯불에 콩 구워 먹는 기세로 끝내 버렸다.

소련군과 김일성이 북조선임시인민위원회를 출범시켰을 때 염상섭은 북한에 있었다. 그들이 토지개혁을 해치웠을 때도 그는 북한에 있었다. 하지만 당시 그가 북한에 있었기에 그런 일들을 모두 가까이서 관찰하고 또 체험할 수 있었다는 사실은 그가 봄날의 미몽에서 일찌감치 깨어나도록 만드는 계기로 작용하지 못했다.

경제 문제에 대한 문학인들의 안목

최인훈의 『소설가 구보씨의 1일』

최인훈이 1972년에 출간한 『소설가 구보씨의 1일』은 1969년부터 1972년까지에 걸쳐 쓰인 열다섯 편의 단편을 모은 연작소설집이다. 이 연작의 주인공인 구보라는 인물은 소년시절에 월남한 후, 오랫동안 서울에서 살아왔고, 작품 속의 현재 시점에서는 소설가가 되어 있는 사람이다. 그는 소설가로서 적지 않은 성공을 거두었고, 그 결과 문단에서 상당한 지위에 오른 것으로 나타나 있다. 연작 속에서 그가 보여주는 공적 활동은 신인문학상의 심사, 대학생들을 상대로 한 문학 강연, 새로 나오는 『한국문학전집』의 해설 집필 등, 문단에서 이미 상당한 지위를 확보한 사람이 아니고서는 할 수 없는 일들이다. 그러나 이 연작 속에서 정작 중요한 의미를 갖는 것은 구보의 이러한 외적 활동이 아니라 그의 내면에서 오고가는 상념들이다. 소설 곳곳에서 다채로운 양태로 제시되는 그 상념들은 문학, 예술, 종교, 사회 등등의 영역에 대한 그의 수준 높은 사유를 보여준다.

이러한 면모를 지니고 있는 구보는, 많은 점에서, 작가인 최인훈 자신을 투영시킨 존재로 보인다. 우선, 중견 소설가라는 신분을 지녔고 수준 높은 사유를 할 줄 아는 지식인이라는 점에서 그렇다. 그 외에도 구보와 최인훈 사이에는 여러 공통점들이 있다. 이를테면, 북쪽에 고향을 둔 월남민으로, 오랫동안 서울에서 살아왔다는 점이 있고, 매인 직장이 없는 자유인이라는 점[1]도 있다. 구보가 소설 속에서 펼쳐 보이는 다양한 상념들의 구체적인 내용 역시 실존 인물인 최인훈의 마음속에서 전개된 상념들을 거의 그대로 기록한 것이라 보아 별 무리가 없을 정도이다.

물론 소설의 작중인물인 구보와 실존 인물인 최인훈이 완벽하게 서로 일치하지는 않는다. 예를 들면 실존 인물인 최인훈은 연작을 써나가던 도중에 결혼을 하였으나 이러한 사실은 소설 속에 반영되고 있지 않으며 구보는 소설이 끝나는 시점까지 계속 미혼인 상태[2]로 나온다. 이런 불일치가 생긴 것은 소설이 끝나는 단계에 이르기까지 작품의 초점을 구보의 외적 삶이 아닌 내면의 상념에 고정시켜 두고자 한 작가의 의도의 소산으로 보이며, 그 점은 누구라도 충분히 수긍할 수 있는 것이기도 하다.

이상에서 언급된 내용을 종합해서 판단해 보면, 적어도 기본적인 면모에 있어서 '구보는 곧 최인훈이다'라는 등식이 성립될 수 있는 것으로 생각된다.

여기까지 논의를 진행해 온 마당에서, 우리는 한 가지 궁금한 점을 떠올려 보게 된다. '이 구보(=최인훈)라는 사람은 경제 문제에 대

1) 최인훈은 후일 서울예술대학 문예창작과의 교수로 취임하게 되지만, 『소설가 구보씨의 1일』을 쓰던 당시에는 매인 직장이 없는 자유인이었다.

2) 소설 속에서 구보는 '홀아비'라고 표현되어 있으나 그가 이전에 결혼한 적이 있다는 내용이 나오지 않는 만큼 이는 정확한 표현이 아니다.

해서는 어떤 안목을 가지고 있는 것일까?'라는 것이 바로 그 궁금한 점이다.

새삼 말할 필요도 없는 사항이겠지만, 여기서 내가 말하는 '경제 문제'라는 것은 개인적 차원의 소소한 돈벌이 문제를 지칭하는 것이 아니다. 사회를 움직이는 거대한 동력으로서의 경제 원리와 그 작동 양상에 대해서 구보는 어떤 안목을 가지고 있는가 하는 바로 그 점을 나는 여기서 문제 삼고자 하는 것이다.

『소설가 구보씨의 1일』을 실제로 읽어 보면, 나의 이러한 문제 제기를 예상이라도 한 듯, 명료한 언어로 구보의 안목을 알려 주는 대목이 나온다. 연작의 마지막 작품인 「난세를 사는 마음 석가씨(釋迦氏)를 꿈에 보네」 속에 그 대목이 들어 있다.

> 구보씨는 (신문의-인용자 보충) 제2면을 본다. 여기는 경제 소식이 나는 자리다. 구보씨는 여기를 볼 때마다 골치가 지근지근 쑤신다. 제1면만 해도 소설로 치면 '악한소설' 아니면 기껏 '자연주의 소설'이다. 그래서 무식한 눈에도 지끈 우지끈하는 모양이 좀 알아볼 만하다(사실이야 그것인들 오죽하랴만). 그러나 이 제2면이란 데는, 도무지 '추상소설' 아니면 그 뭣이다냐 '상징주의' 같은 자리다. 우선 눈에 띄는 것이 신문 하면 나라 안팎 잘난 사람들 얼굴이 사진으로 나는 법이고, 제법 왕래하면서 보이는 행동거지를 사진으로 보여준다. 소설 노동자들이 쓰는 공사판 문자로 '형상화'라 하는 게 되는 국면이라는 모양이다. (…) 그런데 이 제2면이라는 데는 쇠통 이런 따위 '극적' 장면이 안 나오는 것이다. 이게 참 보통 일이 아니다. 돈과 재물이 움직이는 모양을 싣는 자린데, 늘 봐야 갈비 한짝 뜯는다든지 하다못해 팁 한 번 주는 사진도 나는 법이 없다. 그 대신 아라비아

> 숫자만이 보고만 죽으라는 듯이 푸짐하게 박혀 나온다. 그래도 행여 무슨 알아볼 만한 대목이 있을까 해서 소경이 막대질하듯 이리저리 살펴는 본다.[3)]

위의 인용문이 바로 그 대목인데, 보다시피 약간의 장난기를 동반한 도회(韜晦) 취미가 문면을 덮고 있기 때문에, 조심스럽게 읽어볼 필요가 있다. 하지만 아무리 조심스럽게 읽어보더라도, 경제 문제에 대한 구보의 안목이 문학, 예술, 종교, 사회 등등의 영역에 대한 그의 안목보다 현저하게 낮은 편에 속한다는 사실은 부정할 길이 없다.

바로 이 지점에서, 우리는 한 가지 질문을 해 보게 된다. '우리는 앞에서 '구보는 곧 최인훈이다'라는 등식을 설정할 수 있다고 보았다. 그렇다면 경제 문제에 대한 구보의 안목이 낮다는 지적은 곧 이 문제에 대한 최인훈의 안목이 낮다는 판단으로 이어질 수 있다. 그런데 최인훈은, 한국의 수많은 현대 문학인들 중에서도 가장 탁월한 수준의 지성을 대표하는 존재의 하나로 공인되어 왔다. 이런 최인훈의 안목이 위의 인용문에 나타나 있는 것처럼 낮은 수준에 불과한 것이라면, 다른 많은 한국 현대 문학인들의 이 문제에 대한 안목은 도대체 얼마만큼의 높이를 가지고 있는 것일까?'

내 생각에, 이 물음에 대한 답을 제시하는 것은 어렵지 않을 듯하다. 최인훈의 안목과 비슷한 수준이거나 오히려 더 낮은 편일 것이라는 답을 내놓은 데 망설일 필요가 별로 없다고 느껴지기 때문이다.

---

3) 최인훈, 『소설가 구보씨의 1일』(재판, 문학과지성사, 1991), pp.316~317.

지금까지의 논의를 통하여 내가 도달한 결론을 한마디로 거칠게 요약하면, '많은 한국 현대 문학인들은 경제 문제에 대하여 낮은 수준의 안목밖에 가지고 있지 못하다'는 것이 된다. 이러한 결론은 한국 현대 문학인들 전반에 대한 부정적 평가 혹은 소극적 평가를 불가피하게 하는 것처럼 보일 수 있으리라. 하지만 반드시 그렇지는 않다.

'그렇지 않다'는 것은 질문을 바꾸어서 생각해 보면 대번에 알 수 있다. '경제 전문가들 가운데 문학에 대해 높은 수준의 안목을 가진 사람이 얼마나 있는가?'라는 질문을 한번 던져 보자. 이 질문에 대한 답은 '별로 없다'라는 것 이외에 다른 것이 될 수 없다. 대단한 경제 전문가들 중에서도 문학에 대해서는 아주 낮은 수준의 안목밖에 못 가진 사람이 부지기수인 것이다. 그러면 이런 사실이 그 경제 전문가들의 명예를 해치는 것이 되는가? 전혀 그렇지 않다. '문학에 대해서는 잘 모르지만 경제 전문가로서는 일급이다'라는 평가를 받을 수 있다면 그것으로 그의 명예는 보장되는 것이다. 이런 사정은 문학인의 경우에도 마찬가지이다. '경제 문제에 대해서는 잘 모르지만 문학인으로서는 일급이다'라는 평가를 받을 수 있다면 그것으로 그의 문학인으로서의 명예는 보장된다.

다만 이와 관련하여 한 가지 덧붙여 말해 둘 것이 있기는 하다. 경제 문제에 대하여 낮은 수준의 안목밖에 갖고 있지 못한 문학인이 자신의 한계를 인정하고 겸손한 자세로 나온다면 아무 문제 될 것이 없다. 구체적인 예를 들어서 말해 보자면 바로 앞에서 살펴본 구보의 경우가 그러하다. 그런데 실제로 낮은 수준의 안목밖에 갖고 있지 못한 문학인이 자신의 부족함을 모르고, 자신의 부족함을 모르니까 공부를 더 해야겠다는 생각도 하지 못하고, 거만한 자세로, 경제 문제에 대해 무슨 진단을 내리느니, 무슨 전망을 내놓느니, 무슨 방향을 제시하느니, 하고 나오기 시작하면, 아주 난감한 사태가 생겨나게 된다. 오류투성이의 진단, 오류투성이의 전망, 오류투성이의 방향 제시가 빈발할 수밖에 없게 되는 것이다. 한국 문학의 심각한 병폐 가운데 하나는, 이런 '거만파' 유형에 속하는 문학인이 한국에 상당히 많다는 데 있다.

나의 이상과 같은 문제 제기에 대하여서는, 한 가지 반론을 예상해 볼 수 있을 것 같다. '문학인이 건전한 시민적 상식에 따라 경제 문제에 접근한다면 무슨 별다른 문제가 생길 수 있겠느냐?'라는 반론이 그것이다. 하지만 이런 반론은 그릇된 것이다.

경제 문제라는 것은, 이른바 '건전한 시민적 상식'에 따른 판단이 많은 경우 오류투성이의 것이 될 수밖에 없다는 점에서, 아주 독특한 성격을 가지고 있는 존재이다. 이런 기묘한 성격을 가지고 있다는 점에서 경제 문제는 다른 많은 영역의 문제와 구별된다. '거만파' 문학인들은 물론 이와 같은 사실을 모른다. 모르면서 나선다. 안타까운 노릇이 아닐 수 없다.

1986년 4월 28일의 신림동 사거리

김정환의 시

친북(親北) 주사파(主思派)는 김일성에 의하여 창시된 것으로 알려져 있는 이른바 '주체사상'을 자신의 이념으로 받아들여 신봉하는 사람들을 가리키는 명칭이다. 이 주사파는 원래 서울대 법대 82학번인 김영환에 의하여 만들어진 소수의 학생운동 그룹으로부터 시작되었다. 이렇게 출범한 주사파는, 그 후 욱일승천의 기세로 계속 세력을 확장해 나간 끝에, 마침내는, 한국의 학생운동을 거의 완전하게 장악하는 데까지 이른다. 최홍재에 의하면 그 과정은 다음과 같이 요약된다.

> 1987년 주요 대학 총학생회를 NL계열이 장악하면서 전대협이라는 전국 대학 총학생회 연대기구를 추진하고, 특히 6월항쟁을 주도하게 되면서 확고한 대중기반을 갖추게 된다. 1987년 이후 주사파는 적어도 학생운동에서 단 한 번도 주류의 자리를 빼앗기지 않았다.[1]

그런가 하면 주사파는 거기서 한 걸음을 더 나아가, 그 방면의 최고

---

1) 최홍재, 『386의 꿈, 그 성찰의 이유』(나남출판, 2005), p.80.

원로들을 포함한 사회운동 세력 전반에 대해서까지도 막대한 영향력을 행사하기에 이른다.

그런데, 몇 년의 세월이 흐른 후, 참으로 아이러니컬하게도, 주사파의 창시자인 김영환 자신이 공개적으로 북한을 비판하면서 전향을 선언하는 사태가 벌어진다.

김영환으로 하여금 이처럼 극적인 변신을 결심하도록 만든 계기가 된 것은 그가 직접 북한을 방문하여 보고 듣고 느낀 것들이었다. 그는 평양으로부터 밀파된 공작원을 따라 1991년 5월 16일에 입북, 17일 동안 체류하면서 북한의 곳곳을 둘러보고, 김일성과도 이틀에 걸쳐서 직접 면담하며 다양한 대화를 주고받았다. 그에 대한 북한 당국자들의 대접은 융숭하기 그지없는 것이었다. 하기야 그럴 만도 했다. 북한 당국자들의 입장에서 볼 때 김영환은 남한의 적화(赤化)를 위해 엄청난 공을 세운 사람이었다. 우태영이 다음과 같이 표현한바 그대로였다.

> 북한에서 볼 때 김영환은 거물이었다. 남한에서의 학생운동, 나아가서는 변혁운동의 흐름을 일거에 친북노선으로 바꿔놓은 인물이었기 때문이다. 이는 그 이전에 통혁당, 인혁당, 남민전 등이 하지 못한 일이었다. 북한군이 탱크를 밀고 내려와서 강제로 하려 해도 어려운 일이었다. 김일성으로서는 훈장을 10개는 주어도 아깝지 않은 인물이었다.[2)]

그런데 이러한 김영환이 북한의 현실을 보고서는 참을 수 없는 환멸을 느끼고, 그동안 자신이 쌓아 올렸던 친북 주사파의 이념과 실천을

---

2) 우태영, 『82들의 혁명놀음』(선, 2005), p.192.

근본적으로 부정하기까지에 이른 것이다. 오늘날 그는 북한 인권 운동, 북한 민주화 운동에 적극적으로 참여하여 활동하고 있다.

이러한 김영환의 모습은 그가 남다른 순수성과 용기를 지닌 사람이라는 사실을 증명해 주는 것으로서, 우리에게 깊은 감동을 안겨주기에 모자람이 없다. 그 감동은 우리가 저 앙드레 지드의 『소련에서 돌아오다』를 읽을 때 느낄 수 있는 감동과 동일한 종류의 것이면서, 그 크기에 있어서는 그보다 더 윗길에 놓이는 것이다.

하지만 우리는 김영환이 보여준 순수성과 용기로부터 느끼게 되는 감동을 이야기하면서, 또 한편으로는 일련의 괴로운 질문들을 던지지 않을 수 없다. 김영환의 활약에 의하여 한국 학생운동의 주류라는 지위에 올라섰고 더 나아가 한국의 일반적인 정치운동과 사회운동 전반에 걸쳐서도 막강한 세력을 확보하는 데 성공한 주사파가 그동안 우리 사회에 끼친 이루 말할 수 없는 피해들은 어떻게 보아야 하는가? 김영환의 방향 전환에도 불구하고 여전히 친북 주사파의 이념을 고수하여 바꾸지 않은 수많은 사람들이 지난 수십 년에 걸쳐서 저질러 온 갖가지 파괴적·퇴보적·반인륜적 행태들은 또 어떻게 보아야 하는가?

여기서 다시 주사파가 처음 출범하던 무렵의 시점으로 돌아가, 그 때 일어났던 한 가지 충격적인 사건을 언급해 보기로 한다. 그것은 주사파 그룹의 주도로 이루어진 한 시위에서 그 주동자의 역할을 맡았던 김세진(서울대 미생물학과 4학년), 이재호(서울대 정치학과 4학년) 두 학생이 "반전반핵 양키 고홈!", "양키 용병교육 전방 입소 결사 반대!" 등의 구호를 외치다가 그만 불길에 휩싸여 사망하고 만 사건이다.

주사파는 1986년 3월 29일 서울대 자연대 건물 22동 404호에서 구국학생연맹(약칭 구학련)을 결성함으로써 처음으로 공식적인 조직을 갖추게 되었었다. 이처럼 공식적인 조직을 만든 후 주사파의 지도부에서 최초의 사업으로 기획한 것이, 전방부대 입소 훈련 반대 시위였다. 당시에는 전국의 대학 2학년 남학생들을 전방의 군부대에 단기간 입소시켜 훈련을 받도록 하는 제도가 시행되고 있었는데, 이것을 '양키의 용병교육'으로 규정하여 반대하는 시위를 벌이기로 한 것이었다. 당시의 사건을 자세하게 검토한 우태영은 이때의 일을 다음과 같이 쓰고 있다.

> 구학련 중앙위원회는 우선 4월로 예정된 2학년생들의 전방부대 입소 훈련을 양키의 용병교육이라고 반대하기로 했다. 사실 당시에 전방부대 입소 반대 투쟁을 심각하게 생각하지는 않았다. 초점을 두기로 한 것은 한미 양국 군대의 합동훈련인 팀스피리트훈련 반대 투쟁이었다. (…) 하지만 2학년들에겐 당장 전방 입소가 큰 이슈였다.[3)]

구학련 중앙위원회는 일단 전방 입소 반대를 내세워 시위를 벌이기로 작정하였으며 시위 장소는 종로구 연건동의 서울대 의대 캠퍼스로 정하였다. 그러나 사전에 계획이 유출되자, 장소를 관악구 신림동의 사거리로 변경했다. 학내 시위가 아닌 가두시위를 벌이는 쪽으로 계획을 바꾼 셈이다. 그런데 가두시위에는 어려운 문제가 따랐다.

> 문제는 가두시위를 벌일 경우 경찰의 진압으로 금방 해산된다는 점이었다. 그러면 구호도 제대로 외쳐 보지 못하고 끝난다. 시위가

---

3) 위의 책, p.158.

> 시작되면 경찰이 가장 먼저 하는 일은 주동자들을 덮치는 것이다. 시위를 지속시키려면 주동자들이 구호를 외칠 수 있도록 얼마 정도 시간을 끌어야 한다.[4)]

이러한 어려움을 해결하는 데 유용한 방안 가운데 하나가 시위 주동자 자신의 몸에 시너를 뿌리고는 "경찰이 다가오면 분신하겠다"고 위협하며 시간을 끄는 것이었다. 신림동 시위에서도 일단은 이런 식으로 사태가 진행되는 것처럼 보였다. 그런데 이런 식으로 사태가 진행되던 중 그만 실제로 두 학생의 몸에 불이 붙어 버렸다. 그것이 죽음으로 이어진 것이다. 이런 죽음은 구학련 지도부의 입장에서도 뜻하지 않았던 일이었다.

> 사실 분신은 구학련 차원에서 전혀 계획된 것이 아니었다. 두 사람은 4학년이므로 전방 입소 대상도 아니었다. 2학년들이 전방 입소 반대 시위를 좀 하다가 입소에 응할 계획이었다.[5)]

김세진이 시위 주동자로 나서기 직전의 시점에서 그의 어머니에게 보낸 편지의 문면으로 볼 때 그 자신도 죽음을 작정하고 있지 않았다. 이재호의 경우 편지와 같은 자료는 남아 있지 않으나 그라고 해서 김세진과 다른 생각을 갖고 있었으리라고 보기는 어렵다. 결국 그 두 학생의 죽음은 자살은 아니었던 것으로 추측된다. 경찰을 위협하며 시간을 끌려던 것이 뜻밖의 실수 혹은 순간적인 흥분에 의한 죽음으로까지

---

4) 위의 책, 같은 페이지.

5) 위의 책, p.159.

이어지고 만 것이었다.

김세진과 이재호 두 사람이 위와 같은 과정을 거쳐 세상을 떠난 후, 시인 김정환에 의하여, 「우리 이 투쟁과 생산의 민족해방세상에/동지여, 그대를 깃발로 세운다」라는 긴 제목의 시가 발표되었다. 긴 제목처럼, 분량도 긴 시다. 다섯 페이지의 분량을 가진 시인 것이다. 김정환은 서울대 영문과 72학번이니, 83학번인 김세진과 이재호 두 사람에게는 같은 대학교의 11년 선배가 되는 셈이다. 이런 그는 위와 같은 제목을 가진 시에서, 독자들의 피를 끓게 만드는 언어를 총동원하여, 인상적인 찬양의 퍼포먼스를 벌였다. 그 작품 속에서 김세진과 이재호의 이름이 직접적으로 호명되는 대목을 한번 인용해 보이기로 한다.

> 폭력과 평화의 이분법을 부순 사람
> 사랑과 증오의 이분법을 부순 사람
> 해방세상의 예감을 이룬 사람
>
> 그는 누구인가?
> 아아 김세진!
>
> 추락했으되 동시에 치솟은 사람
> 가장 정치적이되 동시에 가장 순정했던 사람
> 해방세계의 예감을 이룬 사람
>
> 그는 누구인가?
>
> 아아 이재호![6]

이렇게 감격적인 어조로 두 사람의 이름을 부른 시인은, 다음과 같은 힘찬 선언으로 긴 작품을 마감한다.

> 아아 그날
> 찬란한 투쟁과 생산의, 민중해방세상의 예감 속에서
> 마침내 죽음조차, 외길이기를 멈추고
> 혁명의 어깨동무를 허락하리라 했다
> 마침내 미국도 죽음도, 항복하리라 했다, 1986년 4월 28일.
>
> 분단조국 민족해방운동 44년 4월 28일 오늘,
> 김세진, 우리 이 투쟁과 생산의 민족해방세상을 위해 동지여,
> 죽은 그대를 산 자의 깃발로 세운다
> 이재호, 우리 이 투쟁과 생산의 민족해방세상을 위해 동지여,
> 죽은 그대를 산 자의 깃발로 세운다
>
> 민족해방투쟁과 함께 영원불멸하라
> 민족해방투쟁과 함께 영원불멸하라[7]

오늘의 시점에서 이 시를 다시 읽을 때, 우리는 무엇을 생각하고 무엇을 느끼게 되는가? 이 물음에 대한 답은 나의 이 글을 읽는 독자들 각자의 것으로 맡겨 두고자 한다.

마지막으로, 참고가 될 만한 사실을 두 가지 덧붙여 적어 둔다. 김세진에게는 1990년 8월 15일 북한 당국으로부터 '조선민주주의인민공화

---

6) 김정환, 『우리, 노동자』(동광출판사, 1989), p.21.
7) 위의 책, p.22.

국 조국통일상'이 추서되었다. 이재호도 2006년에 북한의 '민족민주 애국렬사'로 추서되었다.

1980년대의 기성세대 사람들과 운동권

김원일의 「세월의 너울」

김원일이 1986년에 발표한 「세월의 너울」이라는 중편소설을 보면, 김명식이라는 58세 된 남자가 주인공 겸 화자로 등장한다. 그는 서울에 살고 있으며, 사업가로 성공한 사람이다. 소설 속의 현재 시점에서는 그다지 바쁜 일도 없이, 평화로운 나날을 보내고 있다. 어느 학교재단의 이사장 자리를 맡고 있는 터이기도 하다. 성공의 길을 걸어오는 과정에서 부정한 행동을 한 적이 없으니, 양심의 가책을 받을 일도 없다. 몇 년 후 회갑을 맞이하면 사업의 일선에서 은퇴하고 학교 일에만 전념할 작정으로 있다.

이런 김명식에게는 운동권의 대단한 투사로 활약하는 조카딸이 하나 있다. 이 조카딸은 자기를 "정신개조가 불가능한 부르주아요 타락한 보수주의자"[1]로 보고 있을 것이 틀림없다고 김명식은 짐작한다. 1986년 무렵의 한국 운동권 대학생들이 어떤 부류의 인간들이었는지를 잘 알고 있는 나는, 소설 속 김명식의 이런 짐작이 백 퍼센트 정확한

1) 김원일, 『김원일 중단편전집』 5(문이당, 1997), p.40.

것임을 보증해 줄 수 있다.

이 조카딸만 생각하면 김명식은 주눅이 든다. 조카딸이 자기를 규정하는 방식에 대해서 그런 규정은 틀렸다고, 나는 역사 앞에, 도덕 앞에 당당하다고 항변할 엄두를 그는 감히 내지 못한다. 이런 지경이니, 조카딸이 갖고 있는 사상 자체에 대해서 그가 감히 비판을 가하거나 질책할 마음을 내지 못하는 것은 말할 나위도 없다.

1986년 무렵의 한국 사회를 지배한 정신적 풍경이 어떤 것이었는지를 잘 알고 있는 나는, 새파란 운동권 젊은이들의 기세등등한 공격 앞에서 이처럼 이상하게 주눅 들어 비실대는 소설 속 주인공 김명식의 모습이 그 시절 기성세대 사람들 중 상당수의 면모를 반영하고 있는 것임을 또한 보증해 줄 수 있다.

그런데 1986년 당시의 나는 이러한 기성세대 사람들 다수의 면모에 대해 도무지 공감할 수가 없었다. 당시의 나는 30대 초반의 대학교 전임강사였는데, 김명식 같은 부류의 사람들을 향하여 '정신개조가 불가능한 부르주아요 타락한 보수주의자'라고 공격하기를 서슴지 않는 저 20대 운동권 젊은이들에게 그런 부류의 사람들이 주눅 들어야 할 어떤 이유도 나는 발견할 수 없었던 것이다.

1986년 당시 20대 운동권 젊은이들은 크게 보아 CA(Constituent Assembly) 그룹과 NL(National Liberation) 그룹으로 나뉘어져 있었다. 이 중 CA 그룹은 후에 PD(People's Democracy) 그룹, 그 중에서도 제파 PD(반제반파쇼민중민주주의) 그룹으로 이어진다. CA 그룹을 계승한 것이 PD 그룹 중에서도 제파 PD 그룹이라는 사실을 굳이 밝혀둘 필요가 있는 것은 이들과 별도로 제독 PD(반제반독점민중민주주의) 그룹이 존재했기 때문이다.

「세월의 너울」에 나오는 김명식의 조카딸이 이 여러 그룹 중 어디에 소속된 인물인지는 작품 속에 밝혀져 있지 않다. 하지만 그 점이 중요한 것은 아니다. 그 여러 그룹들 중 어느 하나도 참된 의미의 자유나 참된 의미의 인권에 대해 관심이 없었다는 점에서는 완전히 동일하였기 때문이다. 더 나아가 그들 모두는 참된 의미의 자유와 참된 의미의 인권이 말살된 전체주의 세상을 만들고자 투쟁한 사람들이라는 점에서도 동일하였다. PD 그룹이 자기들의 우상으로 떠받들어 모신 사람이 레닌이었고 NL 그룹이 자기들의 사상적 근거를 북한의 주체사상으로부터 가져왔다는 점에서 그들 상호간에는 분명한 차이가 존재하였으나 그런 차이는 그들 모두가 궁극적으로 반자유(反自由), 반인권(反人權)의 신념으로 무장하고 있다는 공통점에 비하면 부차적인 것에 불과하였다.

크게 보아 전체주의 사회의 건설을 지향한다는 점에서 동일성을 지니면서도 현실적인 세력 다툼의 마당에서는 상호 경쟁 관계에 놓여 있었던 이 여러 그룹들 가운데 최종적인 승리를 거둔 것은 NL 그룹이었다. NL 그룹의 다른 이름이 주사파(主思派)이다. 그들이 다른 모든 그룹을 제치고 최종적인 승자로 군림할 수 있었던 데에는 여러 가지 요인이 복합적으로 작용하였다. 이 자리에서 그 요인들까지 자세하게 언급할 필요는 없을 듯하기에 더 이상의 설명은 생략하기로 하거니와, 어쨌든 다양한 운동권 그룹들끼리의 상호 경쟁에서 NL 그룹이 완승을 거두었다는 사실 자체는 1987년 이후 지금까지 전개되어 온 한국 현대사의 성격을 이해하는 데 핵심적인 요소의 하나라 하지 않을 수 없다.

1986년 무렵에 20대의 새파란 청춘으로 무장한 채 「세월의 너울」의 주인공 김명식 같은 부류의 50대 인사들을 향하여 '정신개조가 불가능한 부르주아요 타락한 보수주의자'라고 매도해 대던 운동권 구성원들은 이제 그들 자신이 50대의 기성세대가 되었다. 그들 가운데서도 최종적 완승을 거둔 NL 그룹의 투사들은 오늘의 한국 사회를 이끌어가는 중추세력 가운데 일부로 확고하게 자리를 잡았다. 그들은 그들이 매도해 대었던 김명식 부류의 사람들보다 나은 인간들인가? 그들이 지금 주역을 맡아서 만들어가고 있는 세상은 김명식 부류의 사람들이 만들었던 세상보다 나은 세상인가? 이 물음들에 대한 답은 오래전부터 분명하게 나와 있으니 새삼 이 자리에서 밝혀 적을 필요도 없을 것이다.

‘공공의 기억’을 강화하는 데 기여하는 소설

정이현의 「삼풍백화점」

삼풍백화점은 서울시 서초구 서초동 1675-3번지에 있었다. 이 백화점 건물은 지상 5층, 지하 4층으로 되어 있었는데 삼풍그룹이 1989년 11월 30일에 완공하고 그 후에도 몇 차례 증축한 것이었다. 이 백화점은 매출액을 기준으로 해서 볼 때 한국의 모든 백화점들 중에서 1위를 차지하기도 했던, 대성공을 거둔 고급 백화점이었다. 그 당시 롯데백화점 본점 다음으로 큰 규모를 가진 백화점이기도 했다.

그런데 사실은 삼풍그룹이 이 백화점을 처음 구상하고 공사를 진행할 때부터 갖가지 불법, 탈법이 자행되었다. 건물을 짓기 위한 부지를 매입하고 건축을 위한 인·허가를 받아내는 과정에서부터 무리가 있었고 탈법이 동원되었다. 건축 허가를 받는 단계에서 제출했던 설계도는 실제 시공 과정에서 건축주의 욕심 때문에 무단으로 변경되었다. 고급 백화점으로서의 멋을 내는 데 초점을 두고 공사를 하면서 몇 차례나 계획을 수정하다 보니 안전 문제는 도외시되어 전체적으로 심각한 부실 시공이 되고 말았다. 그럼에도 불구하고 백화점 건물은 준공 승인을 받았다. 근 6년 동안, 정상적으로 영업이 이루어졌다. 정기적인 안전 진단에서도 늘 '이상 없음' 판정이 나왔다. 맨 마지막으로 안전 진단이 시행된 것은 1995년 6월 16일이었는데 이때도 예나 다름없이 '이상 없음' 판정이 내려졌다.

그러나 사실 삼풍백화점 건물에서는 완공 직후부터 균열이 시작되고 있었다. 직원들이 위험성을 몸으로 느낄 만큼 심각한 증상이 나타난 것은 1995년 6월 9일부터였다. 마지막 안전 진단은 그로부터 1주일이 지난 시점에서 행해졌는데도 '이상 없음' 판정이 내려졌으니 얼마나 엉터리였는지 알 수 있다.

6월 23일, 옥상의 균열이 자못 심각해졌다는 직원들의 보고가 백화점 경영진에게 올라갔다. 그러나 아무런 조치도 취해지지 않았다. 6월 26일, 5층 식당가의 일부가 무너져 내렸다. 그리고 운명의 날인 6월 29일이 되었다. 이날 아침 8시부터 심각한 붕괴 현상의 전조가 여기저기서 나타나기 시작했다. 그러나 이준 회장과 이한상 사장(이준 회장의 아들)을 비롯한 백화점 경영진의 대응은 너무나 소극적이고 미온적이었다. 무능과 무책임의 극치를 보여주는 것이었다고 말하지 않을 수 없다.

오후 4시에야 중역 11명과 이른바 전문가들이 참석한 대책회의가 열렸다. 대책회의에서 '바로 영업을 중단하고 안내 방송을 해서 사람들을 전부 내보낸다'는 결론을 내리고 그대로 실행했으면 인명 피해는 없었을 것이다. 하지만 대책회의에서 실제로 내려진 결론은 '한편으로 보수 공사를 하면서 전체적으로는 영업을 계속한다'는 것이었다. 5시 55분, 백화점 건물이 붕괴했다. 그때 백화점 건물 안에는 대략 1천 5백 명의 사람이 있었다. 502명이 사망하고 937명이 부상당했으며, 6명이 실종되었다. 이준과 이한상을 비롯한 경영진들은 붕괴 직전에 아무런 조치도 취하지 않은 채 그들 자신의 몸만 백화점 밖으로 빠져나간 결과 살아남았다.

삼풍백화점 붕괴 사고는 명백한 후진국형 인재(人災)로 수많은 인명의 희생을 초래한 참사였다는 점에서 1994년 10월 21일의 성수대교 붕괴 사고, 1999년 6월 30일의 화성 씨랜드 화재 사고, 2003년 2월 18일의 대구 지하철 화재 사고, 2014년 2월 17일의 경주 마우나리조트 붕괴 사고, 2014년 4월 16일의 세월호 침몰 사고 등과 동일한 성격을 갖는 것이었다. 그리고 이런 일련의 사고들 가운데 인명 피해의 규모에 있어 가장 큰 것이기도 했다.

그런데 우리 사회에서 이런 사고들이 발생할 때마다 반복적으로 확인되는 문제들 가운데 하나는, 그 사고의 성격과 원인과 의미를 직시하고 철저하게 파헤쳐서 개선의 디딤돌로 삼기보다는 쉽게 망각의 저편으로 떠밀어 버리려는 경향이 나타난다는 점이다. 그러니만큼 다음과 같은 정윤수의 말은 우리의 깊은 공감을 불러일으키기에 모자람이 없다.

> 우리는 필사적으로 기억하지 않으면 안 된다. 사실 도시는, 특히 우리의 일상이 이뤄지는 한국의 도시들은, 망각을 근본 원리로 하고 있다. 재난에 의하여 먼저 간 사람들과 그들의 가족들, 친구들, 이웃들의 상흔은 속절없이 흐르는 '시간'에 의하여 자연 치유되도록 방치되고 있다. 일종의 무책임한 운명론이 그 상흔들을 압도해 버린다. 누군가가 기억을 하고자 하면, 왜 기억하는가, 무슨 의도로 기억을 하려고 하는가, 라고 윽박지른다. 우연적인 사고로 축소하여 도시 일상의 바깥으로, 보이지 않는 곳으로, 밀어낸다. 대책은 고사하고 원인조차 밝혀지지 않거나, 고의적으로 밝히지 않으려는 힘들이 모든

상처 입은 자들과 고인들을 망각의 저편으로 밀어내 버린다.[1)]

이러한 맥락에서 볼 때, 문학의 기본적인 역할 가운데 하나가 '망각'의 압력과 유혹에 맞서 '공공의 기억'을 강화하는 데 기여하는 것이라는 사실이, 새삼 소중한 의미를 지니는 것으로 다가온다. 삼풍백화점 붕괴 사고의 경우, 바로 이런 문학의 기본적인 역할을 충실하게 수행한 가작으로서 제51회 현대문학상 수상작인 정이현의 단편 「삼풍백화점」(2005)을 이야기할 수 있다.

이 작품에서 정이현은 삼풍백화점 사고를 다룬 소설이라면 누구라도 쉽게 상상할 수 있는 일반적인 접근방법을 택하지 않고, 특이한 시도를 보여준다. 작품이 전체적으로 산뜻한 여성 성장소설의 면모를 지니게 하면서, 사회적 차원의 복합적인 문제 제기를 그것에다 자연스럽게 결합시키고 있는 것이다.

이 작품의 주인공이자 화자인 여성은 대학을 졸업할 무렵 삼풍백화점에 옷을 사러 가는 친구를 따라갔다가 거기 매장에서 일하고 있는 여고 시절의 동창생을 만난다. 작품 속에서 R이라는 이니셜로 지칭되고 있는 그 동창생은 여고 시절 화자와 얼굴만 서로 알고 지냈을 뿐 친한 사이는 아니었다. "있는지 없는지 모르는 조용한 아이"가 고교 시절의 R이었다. R이 대학에 진학하지 않았다는 사실도 화자는 모르고 지냈던 터였다. 그러나 삼풍백화점의 의류 매장에서 손님을 따라온 동행자와 매장 직원이라는 관계로 우연히 만난 이후 몇 차례의 만남을

1) 정윤수, 「망각의 골짜기에서 기억을 말하라!」, 서울문화재단, 『1995년 서울, 삼풍』(동아시아, 2016), pp.259~260.

반복하면서 두 사람은 서서히 친밀해진다. 그렇게 두 사람이 친밀해져 가는 과정을 소설은 섬세하면서도 발랄한 터치로 그려 나간다. 그러한 소설의 전개 과정을 통해, 오늘날의 한국 사회에서 벌어지고 있는 계층 간의 분화 현상, 이른바 감정노동에 종사하는 사람들이 일반적으로 겪어야 하는 어려움, 도시 소비 공간의 화려한 외관과 빈곤한 내면 사이의 괴리 혹은 분열 등 묵직한 주제들이 생생하게 부각된다. 이러한 주제가 부각되는 과정은 한편으로 R이 혼자 사는 집의 "작고 불완전해 보"이는 열쇠, R의 방 책꽂이에 꽂혀 있는 기형도 시집 뒤표지의 시작(詩作) 메모, 백화점의 폐장 시간이 되면 어김없이 스피커를 통해 흘러나오는 노래 「석별의 정」의 가사와 같은 다양한 세부 항목들의 적절한 배치와 활용을 통해 소설로서의 매력을 확보하기도 한다.

그러고는 마침내 운명의 날, 1995년 6월 29일이 소설 속의 화자와 R에게도 들이닥친다. 그날 오후 5시 3분, 화자는 삼풍백화점에 들어선다. R은 잠깐 자리를 비웠는지 보이지 않았다. 지하 1층의 팬시 코너에서 하드커버의 일기장을 하나 산다. 1층의 공중전화 부스에서 R의 삐삐 번호를 눌러 음성메시지를 남긴다. 5시 43분, 백화점 건물에서 나온다. 화자가 나온 지 10분 남짓한 시간이 지난 후에 무슨 일이 일어났는지 우리 모두는 다 알고 있다.

여고 시절의 R은 앞에서 잠시 인용되었던 표현대로 '있는지 없는지 모르는 조용한 아이'였다. 그렇던 그는 여고를 졸업한 지 4년째가 될 무렵 삼풍백화점의 매장에 근무하는 직원이 되어 있었다. 손님들을 성공적으로 설득해야만 실적을 올릴 수 있는 백화점 매장의 직원으로서 그는 이제 더 이상 '있는지 없는지 모르는' 조용한 사람일 수는 없었겠지만, 사회적 지위라는 측면에서 볼 때 그는 여전히 '있는지 없는지 잘 분별되지 않는' 사람으로 분류될 수밖에 없는 처지였다. 하지만 그런 그도 각도를 달리해서 보면 한 우주의 주인공이었다. 그 누구와도 교환될 수 없고 교환되어서도 안 되는 한 개별자로서의 존엄성을 지닌 사람이었다. 별로 친하지도 않았던 화자에게 자기 집의 열쇠를 하나 줄 테니 갈 데가 마땅치 않은 낮 시간에는 언제든지 열고 들어가서 마음 놓고 쉬다 가라고 제안할 만큼 넉넉하고 친절한 마음씨의 소유자였다. 기형도의 시집을 사서 읽을 만큼의 '교양에 대한 열망'을 가진 젊은이이기도 했다. 그런 그가 죽는다. 죽어서, '502명의 사망자 혹은 6명의 실종자 가운데 1명'이라는, 단순한 숫자로 환원되어 버린다. 이것이 끔찍한 비극이 아니라면 이 세상의 무엇이 비극일 것인가? 소설 「삼풍백화점」은 우리에게 이런 질문을 던지고 있다. 이 질문 앞에서 우리는 전율을 느끼지 않을 수 없다.

한 가지만 더 언급하고 이 글을 마치기로 하자. 내가 여기서 덧붙여 언급하려는 한 가지 역시 '질문'과 '전율'이라는 두 단어를 키워드로 삼고 있는 것이다. 그것은 「삼풍백화점」에서 내게 특히 깊은 인상을 남겨 주었던 다음의 대목과 관련된다.

> 며칠 뒤 조간신문에는 사망자와 실종자 명단이 실렸다. 나는 그것을 읽지 않았다. 옆면에는 한 여성 명사가 기고한 특별칼럼이 있었다. 호화롭기로 소문났던 강남 삼풍백화점 붕괴사고는 대한민국이 사치와 향락에 물드는 것을 경계하는 하늘의 뜻일지도 모른다는 내용의 글이었다. 나는 신문사 독자부에 항의전화를 걸었다. 신문사에서는 필자의 연락처를 알려줄 수 없다고 했다. 할 수 없이 나는 독자부의 담당자에게 소리를 질렀다. 그 여자가 거기 한번 와 본 적이나 있대요? 거기 누가 있는지 안대요? 나는 하아하아 숨을 내쉬었을 것이다.

> 미안했지만 어쩔 수가 없었다. 내 울음이 그칠 때까지 전화를 들고 있어주었던 그 신문사 직원에 대해서는 아직도 고맙게 생각한다.[2)]

혹시, 우리 지식인들 가운데 상당수는, 위의 대목에서 언급되고 있는 '여성 명사'처럼, 자기가 남달리 도덕적이고 또 경우에 따라서는 '하늘의 뜻'을 짐작할 수도 있을 만큼 잘난 사람이라는 착각에 사로잡혀, 여기저기를 돌아다니며, 헛소리들을 늘어놓고 있는 것은 아닐까? 그런 헛소리가 수없이 많은 R과 같은 사람들에 대한 잔인한 모욕이 될 수도 있다는 사실은 꿈에도 생각하지 못한 채, 기세를 올리고 있는 것은 아닐까?

―위의 대목을 읽으면서, 우리는 우리 자신에게 이런 질문을 제기하지 않을 수 없는 것이다. 그리고 이런 질문을 제기하면서, 그 질문 앞에서, 전율을 느끼지 않을 수 없는 것이다. 이 질문, 이 전율만으로도, 「삼풍백화점」을 읽는 일은 우리에게 소중하고 유익한 경험이 된다고 할 수 있다.

---

2) 정이현, 「삼풍백화점」, 『제51회 현대문학상 수상소설집』(현대문학, 2005), p.34.

북한을 탈출한 국군 포로의 삶과 죽음

복거일의 『아, 나의 조국!』

복거일의 희곡 『아, 나의 조국!』은 실존 인물인 조창호의 삶과 죽음을 다룬 작품이다. 작가의 공력이 느껴지는, 차분하면서도 힘 있는 희곡이다. 이 작품은 6.25 발발 60주년이 되는 2010년에 씌어져, 여러 차례 공연되었다. 2010년 7월 10일에는 호주 6.25 참전용사 기념공원의 개원을 축하하는 행사의 일환으로 호주에서 공연되기도 했다. 책으로 출간된 것은 2010년 6월이었다. 그러면 이 작품의 주인공인 조창호는 누구인가?

김일성의 남침으로 6.25가 발발했을 때, 조창호는 연세대학교 1학년 학생이었다. 조국의 존망이 걸린 위기를 앞에 두고 방관자로 남아 있을 수 없다고 생각한 그는 자원입대하여 소정의 훈련을 받고 소위로 임관되어 전투에 참여했다. 1951년 5월, 조창호 소위가 소속된 국군 9사단은 중공군의 춘계공세 앞에서 엄청난 타격을 입었다. 수많은 국군이 불행하게도 중공군의 포로가 되었는데, 조창호도 그 중의 하나였다. 그는 북한군에게로 넘겨졌다. 북한군 8사단의 일원으로 싸울 것을 강요당했다. 그러한 강요에 따르기를 거부하고 탈출을 시도했던 그는 안타깝게도 탈출에 실패하고 붙잡혀 13년 형을 선고받았다.

1953년, 휴전을 앞두고, 포로 교환이 실시되었다. 그 당시 북한군에 붙들려 있었던 국군 포로의 수는 대략 8만 8천여 명으로 추산된다. 그런데 북한 측은 포로 교환 당시 8,343명밖에 돌려보내지 않았다. 나머지 10분의 9에 달하는 포로들을 북한에 잔류시킨 것이다. 김일성 집단의 본성이 어떤 것인지를 다시 한번 확인하게 해 주는, 전율을 금할 수 없게 하는 만행이었다. 이때 조창호도 그 불운한 잔류 포로들의 무리 속에 포함되었다. 한국 정부는 1977년에 그를 전사자로 처리하고 그의 위패를 국립묘지에 안장했다.

그런 조치가 있고 나서 17년이 지난 1994년, 조창호는 한국 땅을 밟았다. 이미 64세의 노인이 된 몸으로, 생명을 걸고 북한을 탈출, 중국을 거쳐 한국으로 돌아온 것이다. 돌아와, 당시의 한국 국방장관에게, 귀환 신고를 했다. "육군 소위 조창호, 군번 212966, 무사히 돌아와 장관님께 귀환 신고합니다"[1]라고. 포로가 되어 이 땅을 떠난 지 43년 만이었다. 그는 탈출에 성공하여 귀국한 최초의 국군 포로였다.

이런 조창호가 "북한에 억류된 국군 포로들을 데려와야 한다는 얘기를 하"[2]려는 뜻으로 기자 회견을 시도했을 때, 한국 정부는 강제로 이를 막았다. 『아, 나의 조국!』을 보면 조창호와 그를 막는 기관원 책임자 사이의 대화가 다음과 같이 전개된다.

사내 참, 조 선생님도. 북한이 그런 얘기를 듣기나 하겠습니까?

---

1) 복거일, 『아, 나의 조국!』(북마크, 2010), pp.73~74.

2) 위의 책, p.82.

우리가 정성을 들여서 가까스로 만든 정상회담이 그냥 깨어지죠. 우리가 이번 정상회담에 얼마나 공을 들인지 아십니까? 북한에 얼마나 돈을 바친 줄 아십니까?

조 정상회담도 중요하지만, 북한에 불법으로 억류되어 지금까지 고생한 국군 포로들을 데려오는 일도 중요하지 않나요? 그런 얘기를 하지 못한다면, 정상회담이 무슨 필요가 있나요?

사내 (벌컥 화를 내며) 아니, 어떻게 남북통일을 위한 정상회담과 국군 포로 몇 백 명을 데려오는 일이 같단 말입니까? 대소경중(大小輕重)을 가릴 줄 알아야지. 그리고 조 선생님, 국군 포로는 절대로 못 데려옵니다. 데려오는 것은 그만두고라도, 북한이 국군 포로의 존재를 인정할 것 같습니까? 그렇게 헛된 일 때문에 남북정상회담에 차질이 생기면, 누가 책임질 겁니까?[3)]

실제로 북한 측은 북한 땅에는 단 한 명의 국군 포로도 남아 있지 않다는 거짓 주장을 예나 지금이나 일관되게 계속해 오고 있다. 이런 북한 측의 후안무치함과 잔인함은 그렇다 치고, 그런 북한이 무서워서 조창호 같은 사람의 기자회견을 막아 버린 대한민국 정부의 태도는 도대체 어떻게 보아야 하는 것인가?

결국 조창호는 "한국에 돌아와서 한 것이 하나도 없"[4)]다는 회한을 안고, 2006년, 세상을 떠난다. 세상을 떠난 그의 장례는 향군장(鄕軍葬)으로 치러졌다. 『아, 나의 조국!』에서는 그 '향군장'이라는 것과 관련된 문제를 다음과 같은 몇몇 인물들의 대화를 통하여 제기하고 있다.

---

3) 위의 책, pp.83~84.

4) 위의 책, p.93.

예비역 장교 1 세상에, 참. 향군장이 뭐야, 도대체. 북한을 탈출해서 돌아온 영웅을 향군장으로 보내다니. 당연히 국군장(國軍葬)으로 해야지. 정 안 된다면, 적어도 육군장(陸軍葬)으로 해야 할 것 아냐? 세상에 이런 법도 있나?

예비역 장교 2 그러게 말이오.

(씁쓰레하게 입맛을 다신다.)

예비역 장교 3 국방장관이 운을 뗐다가 청와대 '삼팔륙'들한테 단단히 면박을 당한 모양입디다. 국방장관이라는 사람이 정세를 그렇게도 모르느냐고.

예비역 장교 2 무슨 정세?

예비역 장교 3 요즈음 북한의 눈치 보느라 정신이 없는데, 북한에서 탈출한 국군 포로의 장례식을 국군장이나 육군장처럼 공식적 행사로 치르면, 북한의 입장이 아주 난처해진다, 그런 얘기죠, 뭐.

예비역 장교 2 하긴, 북한으로선 국군 포로가 북한에 있다는 것을 인정하지 않으니까.

예비역 장교 1 이 정권 사람들이 생각하는 게, 참. 일차 세계대전의 갈리폴리 전투에 참가했던 마지막 노병(老兵)이 죽었을 때, 호주 전역엔 반기(半旗)가 내걸리고 중국을 방문했던 호주 수상은 그 노병의 국장을 위해 일정을 단축해서 일찍 귀국했어. 그런 나라가 진정한 나라야. 사십삼 년 만에 탈출해서 귀환 신고를 한 노병을 이렇게 대접하는 나라를 나라라고 부를 수 있을까? 난 요새 절망감만 들어.[5]

위에 인용된 대사에서 등장인물들이 피력하고 있는 '씁쓸함'과 '절망감'은 바로 작가인 복거일 자신의 그것이기도 할 터이다. 그리고 그것은 위의 대사를 인용하고 있는 나 자신의 것이기도 하다.

5) 위의 책, pp.99~100.

그리고 여기에 덧붙여서 한 가지 더 말해 둘 것이 있다. 그처럼 절실하고 중요한 문제를 진지한 자세로 다루고 있는 복거일의 희곡에 대해 지극히 조그마한 관심의 편린조차도 보여주지 않고 넘어간 이 나라의 문학계를 생각할 때 느껴지는 '씁쓸함'과 '절망감'이 그것이다.

제3부

외국 소설에 나타난 도시의 여러 양상들

안개비와 법적 불공정성이 지배하는 도시

『황폐한 집』의 런던

헨리 제임스의 고급하고 세련된 소설을 읽는 것은 즐거운 일이다. 그러나 찰스 디킨스의 소설을 읽는 것도 그에 못지않게 즐거운 일이다. 비록 헨리 제임스가 디킨스를 두고 "가장 대표적인 얄팍한 소설가"라 지칭하고, "디킨스 씨를 가장 위대한 소설가에 둔다는 것은 인류에 대한 모욕"[1]이라고 악담을 퍼부은 것에 대해 십분 이해하는 마음을 가진다 해도 말이다.

디킨스의 소설들 속에서 끊임없이 솟아나는 생동감 가득한 이야기의 재미에 취하는 것, 그가 창조한 수많은 '평면적 인물들'의 기기묘묘한 형상을 대하면서 그 한 사람 한 사람을 기억의 저장고 속에 소중하게 간직해 두는 것, 그의 소설들을 관류하고 있는 은근한 유머의 매력에 홀려 보는 것-이런 모든 일들이 어떻게 '즐거움'이 아닐 수 있겠는가?

1) 김인성, 『김인성의 영국문학기행 2: 셰익스피어를 만나러 가는 길』(평민사, 1999), p.43에서 재인용.

디킨스의 소설을 읽으면서 우리가 기대할 수 있는 귀중한 즐거움의 원천은 방금 열거한 것들 말고도 많다. 그 중의 하나로, 그의 소설 속에서 묘사되고 있는 19세기 런던의 풍물을 상상 속에서 따라가 보는 것을 들 수도 있을 법하다.

디킨스가 쓴 대부분의 소설들은 런던을 무대로 하고 있다. 가상의 도시를 등장시키고 있는 『어려운 시절』(1854)을 제외하면 그의 중요한 소설 전부가 런던을 무대로 삼고 있는 셈이다.

디킨스가 살았던 시대의 런던은 세계의 중심이었다고 해도 과언이 아니다. 의문의 여지없이 그 시대 최고의 강국은 영국이었고, 최고의 선진국도 영국이었으며, 런던은 그 영국의 수도였으니까.

그런데, 참으로 흥미롭게도, 디킨스의 소설들 속에서 런던은 거의 지옥에 준하는 수준의 도시로 그려지고 있는 것이 일반적이다. 그 전형적인 예를 하나 들어 보기로 하자. 디킨스 소설의 문학적 성숙도를 대표하는 걸작 가운데 하나이며 또한 그의 소설들 가운데 가장 재미있는 작품의 하나이기도 한 『황폐한 집』(1853)의 제1장 서두 부분을 장식하고 있는 대목이다. 워낙 인상적인 명문이어서 조금 길게 인용한다.

> 런던. 미클머스 개정기(開廷期)도 슬슬 끝나갈 즈음, 대법관은 링컨 법조원 대법관 법정에 있었다. 11월의 을씨년스러운 날씨다. 온 거리는 막 지구 표면에서 홍수가 빠져나간 듯 진흙투성이다. 몸 길이가 40피트쯤 되는 거대한 공룡이 도마뱀처럼 언덕을 엉금엉금 기어올라가는 것을 봤다고 해도 이상하지 않을 정도다. 집집 굴뚝마다 매연이 피어올라 함박눈만큼이나 커다란 그을음이 섞인 시커멓고 축축한 안개비가 되었다—그것은 마치 태양의 죽음을 애도하며 상복을 입은 것만 같았다. 개들은 진흙범벅이 되어 서로 구분이 되지 않았으

며, 말들도 이에 뒤질세라 눈가리개까지 흙탕물을 뒤집어쓰고 있다. 오가는 사람들은 불쾌한 기분에 휩싸여 서로 우산을 부딪치면서 길 모퉁이에서 발을 헛디뎌 미끄덩댄다. 날이 밝은 뒤(날이 밝았다고 할 수 있다면) 수만 명이 넘는 보행자들이 휘청대고 미끄러지면서 땅바닥에 줄줄이 새로 진흙을 묻히고 걸어가서 보도는 온통 질척거린다.

어디를 둘러봐도 안개다. 템스 강 상류에도 안개가 푸른 섬과 목장 사이를 흘러간다. 강 하류에도 안개가 자욱하다. 이곳에서는 수없이 정박한 배들 사이와 이 커다란 (그리고 더러운) 도시의 지저분한 강기슭을 더러운 안개가 소용돌이를 그리며 지나간다. 에섹스 주 늪지 위도 안개요, 켄트 주 구릉 위도 안개다. 안개는 석탄을 운송하는 범선 상갑판 주방으로도 스멀스멀 들어오고, 커다란 배 돛대 위에도 잠들어 있으며, 삭구 안을 돌아다니고, 거룻배나 작은 보트 뱃전에도 웅숭그리고 있다.[2)]

런던이라는 도시의 풍경이 위에 묘사된 바와 같다면, 이런 을씨년스러운 풍경으로 가득 차 있는 도시에서, 사람들은 무엇을 하고 있는가? 이 도시에서도 가장 엄숙하고 권위 있는 공간−이 도시의 영광을 대표한다고 할 만한 공간−인 대법관 법정을 한 번 본다면 그 나머지는 족히 미루어 짐작할 수 있으리라. 대법관 법정의 내부는 다음과 같이 묘사되고 있다.

다 꺼져가는 촛불이 법정을 어둡침침하게 하는 것도 무리는 아니다. 그 안에 낮게 깔린 안개가 영원히 나가지 않겠다는 듯이 버티는 것만 같아 보이는 것도 무리는 아니다. 색유리가 끼워진 창문들이

2) 찰스 디킨스, 『황폐한 집』(정태륭 역, 동서문화사, 2014), p.11.

색채를 잃고 대낮의 햇빛을 통과시키지 않는 것도 무리는 아니다. 도시의 문외한들이 입구의 유리창 안을 들여다보다가 내부의 올빼미 같은 광경을 보고 또 천이 깔린 윗자리에서 천장까지 우울하게 울리는 멍청한 변설을 듣고는 안으로 들어가기를 포기하는 것도 무리는 아니다. 그 윗자리에서는 대법관이 햇빛을 통과시키지 않는 들창을 멍하니 바라보고 있고, 그 옆에 앉은 가발 쓴 법관들은 한 사람도 빠짐없이 모두 안개에 파묻혀 있다! 바로 여기가 대법관 법정이다. 이 법정을 위해 나라 곳곳에 다 쓰러져가는 집과 황폐한 땅이 존재한다. 그곳을 위해 각 지역 정신병원에는 심신이 황폐해진 정신병자가 있고, 그곳을 위해 곳곳의 묘지에는 죽은 사람이 묻혀 있다. 또 그곳을 위해 모든 사람의 지인 중에는 파산해서 뒤축이 찌그러진 구두에 다 해진 옷차림으로 빚을 얻으러 다니거나 구걸을 하는 소송자가 있다. 이 법정은 돈 많고 힘 있는 사람이 정의로운 사람의 기력을 완전히 빨아먹을 수 있도록 편의를 돕고 있다.[3)]

『황폐한 집』이 써진 시기는 1852년에서 1853년까지에 걸친 기간이었다. 이 시대가 어떤 시대였던가? 길게 말할 것 없이, 대영제국의 영광을 만방에 과시한 런던 만국박람회가 개최된 연도가 1851년이었다는 사실 한 가지만을 언급해도 그 시대 영국의 위상을, 그리고 런던의 위상을 입증하기에 충분할 것이다. 수정궁(Crystal Palace)의 전설을 남긴 이 박람회에 전 세계로부터 몰려든 인파가 무려 6백만 명이었다고 역사는 기록하고 있다. 그런데, 바로 이런 시대에, 영국 제일의 소설가 디킨스는 런던을 위와 같은 방식으로 묘사하고 있었던 것이다.

런던에 대한 디킨스의 위와 같은 묘사를 접하면서 우리는 여러 가지

3) 위의 책, p.13.

반응을 보일 수 있다. 표피적인 번영의 외관을 넘어선, 보다 심원하고 근본적인 차원을 꿰뚫어보는 작가의 통찰력에 감동할 수도 있다. 매연과 안개비로부터 해방된, 참으로 아름다운 세상, 완전한 법적 공정성의 이상이 실현된 세상을 꿈꾸는 작가의 열망에 공명할 수도 있다. 작가의 고뇌와 분노를 불러일으키기에 모자람이 없을 정도의 추함과 불공정함이 편만(遍滿)해 있었다는 점에서는 19세기의 런던도 21세기의 서울이나 다를 바 없는 곳이었구나라는 생각에 잠기면서 역설적인 위안을 얻을 수도 있다. 그런가 하면, 『황폐한 집』에 묘사된 런던의 모습과 만국박람회 당시의 홍보 팸플릿에 묘사되었던 런던의 모습을 합쳐서 보아야만 그 시대 런던의 전체상(全體像)에 어느 정도 접근할 수 있으리라는 신중론을 우리의 결론으로 삼을 수도 있을 것이다. "그래, 사람들은 살아 보겠다고 이 도시로 몰려오는 모양이다. 허나 나는 오히려, 여기서 죽어가는 것이라고 생각을 하게 된다"[4)]라는 유명한 구절로 시작되는 릴케의 유일한 장편소설 『말테의 수기』(1910)를 떠올리면서, 근·현대의 많은 문학자들에게서 공통적으로 발견되는 다소 상투적인, 혹은 낭만적인 '도시 혐오 증상'이 디킨스에게도 나타나고 있는 것이 아닌가, 여기에는 뭔가 비판적으로 따져보아야 할 점이 있지 않은가, 하는 생각을 해볼 수도 있을 것이다.

4) 라이너 마리아 릴케/한스 카롯사, 『말테의 수기/의사 기온(외)』(강두식 역, 정음사, 1969), p.13.

혁명의 수도, 자비의 수도

『레 미제라블』의 파리

빅토르 위고가 1862년에 완성하여 발표한 대작 『레 미제라블』의 제1부 제1장은 「올바른 사람」이라는 소제목을 달고 있다. 여기서 말하는 '올바른 사람'이란 미리엘 주교를 가리킨다. 은혜를 입고서 은그릇을 훔치는 것으로 보답한 장 발장을 다시 자비로 감싸 안아줌으로써 마침내 그를 '참 사람'으로 거듭나게 한 그 미리엘 주교 말이다.

소설의 첫 부분에 나와 있는 소개의 말에 따르면 미리엘 주교는 원래 법복귀족 가문의 태생으로, 집안의 전통에 따라 장차 법관의 길을 걷기로 예정되어 있었다. 그런데 프랑스 대혁명이 그의 집안을 풍비박산으로 만들었다. 그 자신은 망명길에 올라 겨우 생명을 건지기는 했으나 갖가지 고초를 다 겪었다. 그런 과정에서 그는 무언가 깊은 종교적 깨달음을 얻었던 듯하다. 혁명이 종식되어 망명지로부터 돌아왔을 때 그는 신부가 되어 있었다. 단지 신부가 되기만 한 것이 아니라, 후일 장 발장과의 사이에서 일어난 사건이 생생하게 증명해 주듯, 성자라고 불리어도 별로 지나칠 것이 없는 경지에 도달해 있었다.

이런 그가 디뉴의 주교로 재임하고 있을 당시의 일이다. 그의 관할

지역 안에, 한 외로운 노인이 세상 사람들로부터 철저히 단절된 상태로 혼자 살고 있었다. 그는 대혁명 당시 국왕 루이 16세의 처형을 결정한 국민의회의 의원이었다. 소박한 전통적 신앙에 의지하며 살아가는 시골 사람들에게 옛 국민의회 의원은 '괴물'과 같은 존재였다. 아무도 그에게 말을 걸지 않았다. 그렇게 철저히 고독한 나날을 보내던 노인에게 마침내 임종의 시간이 가까워 온다.

이와 같은 사실을 알고, 미리엘 주교는 노인을 찾아간다. 노인은 죽음이 가까이 온 것을 알고 있었으나 그 의식은 여전히 명료했고, 그 기상은 여전히 드높았다. 노인은 혁명 정신의 가장 고귀한 수준을 대표하는 존재로 거기 앉아 있었다. 그리고 주교는 가톨릭 정신의 가장 고귀한 수준을 대표하는 존재로 그와 마주앉는다. 노인은 정말로 죽음이 다가오는 순간까지 주교와 대화를 교환한다. 그것은 단순한 대화가 아니다. 한 치의 양보도 없는 논쟁이다. 하지만 동시에 그것은 서로가 서로에게 나름대로의 이유로 경의를 품고 있다는 사실을 확인시키는 언어행위이기도 하다.

이 인상 깊은 대화의 장면에서 위고는 『레 미제라블』의 핵심을 요약해 보이고 있다. 국민의회가 대표하는 정신과 교회가 대표하는 정신 사이에서, 한편으로는 논쟁이 벌어지고, 한편으로는 서로에 대해 품고 있는 일말의 경의가 확인된다. 결국 이 두 정신이 두 개의 기둥이 되어 프랑스라는 건축물을 떠받치고 있는 것이 아닌가, 하고 위고는 독자들에게 말하고 있는 듯하다.

『레 미제라블』의 앞부분에서 이처럼 짧지만 인상 깊은 대화의 장면을 통해 두 개의 정신이 프랑스를 위한 두 개의 기둥 역할을 하는 것이라는 생각을 압축적으로 보여준 위고는, 같은 소설의 후반부에 이르러, 방대한 규모의 서사로 그 생각을 다시 펼쳐놓는다. 이 방대하면서도 박진감 넘치는, 흥미진진한 서사의 무대로 선택된 곳은 프랑스의 수도 파리다.

'ABC의 벗'이라는 이름의 동아리로 뭉친, 마리우스를 포함한 한 무리의 대학생들[1]이, 국민의회 의원의 역할을 계승하고 발전시킨다. 그들은 1832년 6월에 폭발하여 잠시 파리를 뒤흔들었다가 적지 않은 희생자만 남기고 좌절된, 루이 필립 왕정의 타도를 부르짖었던 봉기에 참여한다. 그 결과 마리우스를 제외한 그 구성원들 전원이 죽는다. 그 죽음에는 영웅적인 비장미가 넘친다. 그들의 죽음에 대한 위고의 묘사는 호메로스의 『일리아스』에서 파트로클로스나 헥토르의 죽음을 묘사하던 대목을 연상시킬 정도이다.

한편 미리엘 주교의 역할은 그를 만났던 덕분에 영혼의 부활을 경험한 바 있는 장 발장이 이어받는다. 장 발장은 마리우스가 봉기의 전선에 뛰어들었다는 사실을 알고, 세속적인 관점으로 본다면 마리우스의 죽음을 바랄 만한 충분한 이유가 그에게 있음에도 불구하고, 오로지 마리우스를 죽음으로부터 구출해야겠다는 단 한 가지 목적으로, 전선을 찾아간다. 거기서 그는 뜻하지 않게도 자베르를 만난다. 장 발장을 체포하여 다시 감옥에 처넣기 위해 악마와 같은 집요함을 가지고 그를 추적해 온 바로 그 자베르이다. 그리고 다시 한번 뜻하지 않게도, 장 발장은 자베르를 죽일 수도 살릴 수도 있는 권한을 쥐게 된다. 이 순간에 그는 일말의 주저도 없이 자베르에게 삶의 길을 열어준다. 그리고

---

1) 그들이 자기 동아리의 이름을 'ABC의 벗'이라고 지은 이유는 소설의 본문 속에 다음과 같이 설명되고 있다. "ABC(아베세)라는 것은 Abaissé(아베세)로서, 민중이라는 뜻이었다." 빅토르 위고, 『레 미제라블』 3(정기수 역, 민음사, 2012), p.133.

전투 끝에 부상을 입고 쓰러져 의식을 잃은 마리우스에게도 삶의 길을 열어준다.

이런 식으로 숨 돌릴 사이 없이 이어지는 일련의 위대한 드라마 속에서 파리는 혁명의 수도이자 자비의 수도이기도 한 공간으로 그 존재를 확실하게 자리매김한다. 파리를 그러한 존재로 규정하고 축성(祝聖)하는 작가 위고의 필치는 대문호라는 명성에 걸맞게 장중하면서도 화려하다. 그 장중하면서도 화려한 언어의 행진을 따라가는 동안 우리는 그저 매혹당하고 압도당할 수밖에 없다. 매혹당하고 압도당하여 반쯤 혼이 나간 상태가 될 수밖에 없다.

하지만 이런 '매혹과 압도'의 경험이 영속적으로 우리를 붙잡고 있지는 못한다. 언젠가는 우리에게도, 그 '매혹과 압도'의 상태로부터 서서히 해방되는 시점이 찾아오게 마련이다. 그런 시점이 찾아오면, 혁명의 수도로서의 파리에 대해서나, 자비의 수도로서의 파리에 대해서나, 우리는 새삼 회의에 사로잡히지 않을 수가 없게 된다.

우선 혁명의 수도로서의 파리에 대해서 생각해 보자. 미리엘 주교와 전직 국민의회 의원의 대화에서, 주교가 1793년의 공포정치를 지적하자, 상대방은 다음과 같은 말로 공포정치에 대한 변명을 시도한다.

> "아! 참 좋은 말씀하셨소! 1793년! 나는 그 말을 기다리고 있었소. 천오백 년 동안 구름이 싸여 있었소. 열다섯 세기가 지나서야 그것이 터진 거요. 당신은 뇌성벽력을 비난하시는구려."[2)]

---

2) 빅토르 위고, 『레 미제라블』 1, p.78.

하지만 우리는 이런 변명이 정당한 것이라고 인정할 수 없다. 인간의 계획과 전략에 따라 의도적으로 착착 실행되었던 저 소름 끼치는 1793년의 공포정치에 대한 비난이, 뇌성벽력과 같은 자연의 위력 행사에 대한 비난과 동일하게, 터무니없는 짓으로 폄하될 수는 없다.

그런가 하면, '아베세의 벗'들에 대해서도 우리는 일말의 의심을 품지 않을 수 없다. 위고는 동아리의 두령인 앙졸라를 온갖 현란한 말로 멋지게 묘사했지만, 앙졸라에 대한 묘사를 읽어나가는 동안 우리는, 만약 그가 소설의 공간을 벗어나 현실세계로 나왔더라면, 그리고 그가 원했던 대로 혁명 지도자로서의 권력을 행사할 수 있는 자리에까지 올라섰더라면, 그는 1793년의 로베스피에르가 되었거나, 더 나아가 1938년의 스탈린이 되었을 수도 있다는 판단을 내리지 않을 수 없고, 그 판단에 전율하지 않을 수 없다.

자비의 수도로서의 파리는 어떤가? 미리엘 주교와 같은 사람만이 파리의 가톨릭교회를 대표하던가? 그리고 장 발장과 같은 사람만이 파리의 가톨릭 신자를 대표하던가? 그 반대의 경우는 없던가?

이 일련의 물음들에 대한 답을 찾기 위해서 우리는 다른 어떤 작가에게로 갈 필요가 없다. 위고 자신이 그의 또 다른 걸작 소설 『파리의 노트르 담』(1831)에 등장시켰던 프롤로 부주교를 떠올리는 것만으로도 위의 물음에 대한 정답이 무엇인지를 알아내기에는 모자람이 없기 때문이다. 프롤로는 집시 처녀 에스메랄다를 향한 애욕의 포로가 되어 온갖 사악한 책동을 거듭하다가 기어이 에스메랄다와 자신을 모두 죽이고 마는 인물이다. 물론 그의 고뇌에 찬 인간상을 단순한 악인의 형상으로만 규정할 수는 없지만 어쨌든 그의 존재가 위의 물음들에 대한 적실한 답을 제공해 준다는 사실은 누구도 부정할 수 없다. 게다가 미리엘 주교가 디뉴라는 시골의 주교였던 반면 프롤로 부주교는 다른 곳 아닌 파리의 부주교가 아니었던가?

증권 투기의 열풍을 바라보는 냉철하고 균형 잡힌 시선

『돈』의 파리

1848년 2월, 파리에서는 혁명이 일어나 왕정(王政)을 무너뜨렸다. 1830년의 7월 혁명으로 왕위에 올랐던 루이 필립은 퇴위하지 않을 수 없었다. 그 후 약 10개월 동안, 여러 정치 세력의 이합집산이 숨가쁘게 진행되었고, 결국 12월 10일에 대통령 선거를 하는 것으로 결론이 났다. 그동안 대단한 활약을 보였던 정치 지도자들이 경쟁적으로 입후보했다. 그러나 막상 뚜껑을 열고 보니 결과는 천만 뜻밖이었다. 다른 정치 지도자들이 아무도 주목하지 않았던 루이 나폴레옹이 압승을 거두었다. 루이 나폴레옹 550만 표, 카베냑 150만 표, 르드뤼-롤랑 17만 표, 라마르틴 8천 표. 도대체 이 루이 나폴레옹이란 인물은 누구냐? 알고 보니 그는 영웅 나폴레옹의 동생의 아들이었다. 영웅 나폴레옹의 외아들이 일찍 죽은 마당에 자기야말로 프랑스의 국가 원수가 될 자격을 갖춘 유일한 인물이라 믿고 일찍부터 여러 정치적 음모에 가담했으며 급기야는 두 차례 무장 반란을 시도했다가 체포되어 감옥에 갇혔으나 탈옥에 성공, 영국에 망명했던 자였다. 위대한 나폴레옹 황제의 신화가 되살아나는 시점에 재등장하여 놀라운 권모술수로 기어이 대권을 잡은 것이었다.

대통령에 당선된 후 루이 나폴레옹은 백부가 걸었던 길을 그대로 따라간다. 1851년 12월 1일과 2일 사이의 밤에 친위 쿠데타를 일으켜, 4년이던 대통령의 임기를 10년으로 연장하는 개헌을 밀어붙인다. 그리고 다시 1년이 지난 1852년 12월 2일, 이번에는 황제의 자리에 올라 '나폴레옹 3세'를 자칭한다. 이처럼 그가 백부의 행로를 고스란히 모방하면서 궁극적으로 제위를 일컫는 데까지 나아간 데 대해서는 다음과 같은 냉소적 풍자가 따르기도 했다.

> 2일 새벽 일찍이 공장으로 출근하던 한 노동자가 제국 선포의 플래카드를 보고 "그는 분명히 나폴레옹의 조카임이 틀림없군"이라고 중얼거렸다고 한다. 사람들은 루이의 어머니의 행실이 정숙치 않았음을 빈정대어 루이가 나폴레옹의 진짜 조카가 아닐지 모른다는 소문이 자자했던 것이다.[1)]

이로써 프랑스에는 제2제정(帝政)의 시대가 열려, 1870년까지 계속된다. 1870년에 나폴레옹 3세가 퇴위함으로써 제2제정은 끝나게 되는 것이다. 하지만 그의 퇴위는 프랑스 국민의 저항에 연유한 것이 아니었다. 프로이센과 전쟁을 하게 되었을 때 그는 반드시 그럴 필요가 없었음에도 군이 일선으로 나갔고 프랑스의 패배가 확정된 스당 전투에서 프로이센군의 포로가 되었으며 이 사건이 그로 하여금 황제의 자리에서 내려오지 않을 수 없도록 만들었던 것이다.

제2제정기의 파리는 어떤 모습을 보여주었던가? 모로아는 그의 『프

---

1) 노명식, 『프랑스 혁명에서 빠리 꼼뮨까지』(까치, 1980), p.244.

랑스사』에서 다음과 같은 한마디로 그 시대의 파리를 요약·설명하고 있다.

> 제2제정 시대에 있어서는 일반 시민계급은 쾌락으로 도피했다. 제정이 정치적 자유를 용인하지 않았기 때문에 그들은 정치를 포기하고 말았던 것이다. 파리가 이렇게 사치스럽고 퇴폐적인 적은 없었다. (…) 한 연극의 상연 일수가 몰리에르 시대처럼 15~20일이 아니라 100일에 이르게 되었다. (…) 영국인은 바람을 피우려고 파리로 건너왔고 그러면서도 쾌락을 즐길 수 있었던 파리를 그 쾌락 때문에 비난하곤 했다.[2)]

그러나 따지고 보면 오늘날 세계인들의 사랑을 한 몸에 받는 명물 도시 파리의 틀이 만들어진 것도 이 제2제정 시대였다. 1853년부터 1870년까지 무려 17년 동안 파리의 시장으로 재직했던 오스망 남작에 의해 파리는 완전히 새로운 현대적 대도시로 거듭나게 된 것이다. 물론 오스망 남작이 대대적인 파리 개조 사업을 벌인 진짜 동기는 다시는 7월 혁명이나 2월 혁명에서 그랬던 것처럼 무장하고 봉기한 군중이 파리 시의 오래된 미로와 같은 도시 구조를 효과적으로 활용하여 진압군을 골탕 먹이고 더 나아가 정권을 뒤엎어 버리는 데 성공하는 일이 없도록 하려는 것이었을 뿐이라는 확인되지 않은 루머가 있기는 하지만 본래의 의도가 무엇이었느냐에 관계없이 그의 개조 사업이 역사에 한 획을 긋고 새로운 파리를 탄생시킨 것만은 분명한 사실이다.

이처럼 영욕의 양면을 가지고 있는 제2제정기의 프랑스는 한 탁월

2) 앙드레 모로아, 『프랑스사』(신용석 역, 홍성사, 1980), pp.466~467.

한 소설가에 의해 정밀하게 분석되고, 잊을 수 없는 모습으로 형상화된다. 에밀 졸라가 그 작가이다. 그는 「제2제정 하의 한 가족의 자연적·사회적 역사」라는 부제(副題)를 가지고 있는, 무려 20권에 달하는 소설의 모음인 『루공-마카르 총서』를 기획하고 완성함으로써 이러한 위업을 달성하였다.

『루공-마카르 총서』 가운데에는 탄광을 무대로 삼고 있는 『제르미날』(1885)이나 농촌으로 시선을 돌린 『땅』(1887)과 같은 작품도 있지만 그런 경우는 아무래도 소수이며, 다수의 작품은 파리 사람들의 삶을 천착하고 있다. 졸라라는 일급의 작가가 지닌 통찰력과 창조력 덕분에 제2제정기의 파리는 그 구석구석까지 파헤쳐지면서 불멸의 문학적 생명을 얻게 된다.

그 대표적인 예의 하나로, 『루공-마카르 총서』의 제18권에 해당하는 『돈』(1891)을 들어 간단히 살펴보자. 『돈』의 주인공은 사카르이다. 그는 이미 『루공-마카르 총서』의 제2권인 『쟁탈전』(1872)에서 모습을 보여주었던 인물이다. 『쟁탈전』에서 그는 아내가 병들어 죽고 난 후 성적인 면에서 오명을 덮어쓰고 있는 부잣집 처녀 르네와의 재혼을 오로지 돈에 대한 욕심 때문에 결행하는 인물로 나타난다. 그리고 첫 부인과의 사이에서 태어난 아들 막심과 르네가 근친상간의 불륜 관계에 빠진 것을 알고도 돈 때문에 그것을 못 본 척 덮어버리는 인물로 나타나기도 한다.

이런 그가 오랜만에 재등장하여 사건을 주도해 나가는 『돈』이라는 작품의 핵심에는 증권 투기의 열풍이 자리 잡고 있다. 사카르는 투기적 성격이 짙은 은행을 설립하여 파리의 금융가를 뒤흔들어 놓고, 그의 현란한 선전과 선동에 넘어간 수많은 투자자들이 자신의 재산을,

자신의 희망을, 자신의 인생 전체를 걸고 이 광적인 게임의 마당으로 뛰어든다. 그러나 냉혹하고 무표정한 유대인 은행가 군데르만을 적수로 하여 펼쳐졌던 사카르의 드라마틱한 모험은 결국 그의 패배로 끝난다. 이에 따라, 자신의 재산과 희망과 더 나아가 자신의 인생 전체를 걸고 사카르를 따랐던 사람들 모두가 파국을 맞이한다. 그들 가운데에는 귀족도 있고, 평민도 있다. 선인도 있고, 악인도 있다. 남자도 있고, 여자도 있다. 낙천주의자도 있고, 비관주의자도 있다. 이상주의자도 있고, 냉소주의자도 있다. 노인도 있고, 젊은이도 있다. 순박한 몽상가도 있고, 영악한 타산가도 있다. 그러나 파국의 폭풍은 그 모든 차이점을 구별하지 않고 똑같이 몰아닥쳐 그들 모두를 쓰러뜨려 버린다.

총성이 들리지 않고 피가 흐르지 않을 뿐 그 어떤 격렬한 백병전에도 못하지 않을 정도의 난투가 벌어졌던 이 싸움의 현장을 추적하는 작가의 필치는 열정적이고 화려한 가운데서도 경탄할 만한 수준의 냉철성과 균형감각을 유지한다. 그는 돈을, 투기를, 자본주의를 미화하지도, 저주하지도 않는다. 그는 그것의 잔인성을 있는 그대로 꿰뚫어 보면서도 또한 그것이 위대한 창조의 모태이고 생명의 수원(水源)임을 잊지 않고 부각시킨다. 이런 점은 소설의 말미 부분에 나오는 다음과 같은 구절 속에 집약되어 있다.

> 그의 말이 옳았다. 지금까지 돈이란 내일의 인류가 자라나는 밑거름 역할을 한 것이 사실이었다. 도처에 해독을 끼치고 파괴를 일삼으면서도 돈은 사회적 식물을 키우는 효모였고, 삶에 편의를 제공하는 대역사에 필요한 부식토였다.[3)]

이러한 졸라의 균형감각은 뭐니 해도 주인공 사카르를 대하는 그의 자세에서 가장 뚜렷하게 드러난다. 그는 사카르를 결코 일방적으로 매도하지 않는다. 물론 일방적으로 긍정하지도 않는다. 그는 사카르의 내면에 깃든 빛과 어둠, 천사의 면모와 악마의 면모, 영웅의 면모와 파렴치한의 면모를 그 어느 한 편으로도 치우치지 않은 채 고루 부각시킨다. 이렇게 하다 보면 사카르라는 인물의 인상이 혼란스러워질 수도 있을 법하지만 졸라가 지닌 작가적 재능은 그로 하여금 이러한 위험을 충분히 피해 나갈 수 있도록 만들어 준다.

그리고 졸라의 이와 같은 균형감각은 그가 사카르의 대척점에 위치한 인물로 설정한 사회주의자 시지스몽을 대하는 자세에서도 발견된다. 시지스몽은 순결하고 고귀한 정신의 소유자임에 틀림없고, 그런 그를 바라보는 작가의 시선은 애정으로 가득 차 있다. 하지만 정작 그가 제시하는 사회주의의 비전은 얼마나 허황한가! 얼마나 폭력적인가! 훗날 20세기 최고의 경제학자인 하이에크가 사회주의자들 전반의 해로운 악덕으로서 거듭 경고하게 될 '치명적 자만'의 독소에 얼마나 깊이 물들어 있는가! 졸라는 시지스몽을 독자들이 경의를 품지 않을 수 없는 수준의 인물로 형상화하면서도 다른 한편으로 그의 비전을 이런 문제점투성이의 것으로 제시함으로써 그의 성숙한 균형감각을 다시 한번 유감없이 보여주고 있는 것이다.

---

3) 에밀 졸라, 『돈』(유기환 역, 문학동네, 2017), p.564.

근대 자본주의 시민 문명의 세계사적 의미와 특징

『부덴브로크 가의 사람들』의 뤼베크

소설가 토마스 만은 1875년 6월 6일 독일 북부의 도시 뤼베크에서 태어났다. 그가 최초로 단편소설을 발표한 해는 1894년이었다. 그 후 몇 년 동안 그는 몇 편의 인상적인 단편소설을 발표하여, 신진 소설가로서의 성과를 착실히 축적해 갔다. 그러던 그는 1901년 10월에 이르러 그의 첫 번째 장편소설인 『부덴브로크 가의 사람들』을 출간함으로써 세상을 놀라게 했다. 그가 원고를 완성하여 출판사에 보낸 것은 1900년 8월의 일이었고, 그로부터 1년 정도가 지난 다음에 드디어 책이 나왔던 것이다.

방금 『부덴브로크 가의 사람들』이 처음 출간되었을 때 세상을 놀라게 했다는 말을 하였지만, 이 소설은 그것이 처음 나온 지 1백 년 이상이 지난 오늘날까지도 여전히 그 작품을 접하는 사람들을 놀람에 사로잡히도록 만든다. 어떻게 만 25세밖에 안 된 젊은이가 이런 소설을 쓸 수 있단 말인가!

우리는 아르튀르 랭보가 16세에 불멸의 서정시를 썼다는 사실을 알게 되는 순간, 감탄의 마음을 갖지 않을 수 없다. 하지만 그 감탄은 조금만 시간이 지나면 진정된다. 어쨌든 그가 쓴 것은 서정시였으니까. 서정시란 원래 나이 어린 천재에게 어울리는 장르가 아니겠는가?

또한 우리는 레이몽 라디게가 19세에 『육체의 악마』를 썼다는 사실을 알게 되는 순간에도 감탄의 마음을 갖지 않을 수 없다. 하지만 그 감탄 역시 조금 시간이 지나면 진정된다. 소설 장르에 속하는 작품 가운데서는 조숙한 소년의 성적 욕망과 일탈을 그린 『육체의 악마』와 같은 작품이야말로 나이 어린 천재가 쓰기에 가장 적당한 것이 아니겠는가?

그러나 『부덴브로크 가의 사람들』은 이런 경우와 다르다. 한 시민계급 가문의 무려 4대에 걸친 역사를 정밀하게, 침착하게, 광대하게, 유장하게 그려 나가면서 그것을 그 시대 전체의 사회사와 연결 짓는 작업은 수십 년의 창작 경력을 지닌 노대가에게 어울리는 것이지, 이제 겨우 처음으로 장편이라는 것을 써 보는 20대의 젊은이가 할 수 있는 일이 아닌 것이다. 그런데 토마스 만은 이런 일을 해 냈다. 이런 것이 기적이 아니라면 세상의 그 무엇이 기적이겠는가?

랭보나 라디게 같은 사람과 토마스 만 사이의 차이는 이런 점 말고도 더 있다. 랭보는 20세에 붓을 꺾음으로써 시작(詩作)을 영원히 그만두었고, 라디게는 20세에 죽음으로써 소설 창작을 영원히 그만둔 반면, 토마스 만은 『부덴브로크 가의 사람들』을 발표한 이후 54년을 더 살면서 그 기간 내내 숱한 걸작 소설들을 계속 쏟아내었다는 점이 그것이다. 말하자면 조숙한 천재에게서 보편적으로 예감되는 요절의 운명을 토마스 만은 여유 있게 넘어서고, 더 나아가 '노대가 문학'의 모범을 스스로 보여주는 데까지 나아갔던 것이다.

『부덴브로크 가의 사람들』이 세계문학사 전체를 놓고 보아도 비슷한 예를 찾기 어려운 기적에 속한다는 사실을 지금까지 다소 장황하게 언급해 온 셈이다. 이제는 다른 이야기로 넘어가도록 하자.

『부덴브로크 가의 사람들』에서 공간적 배경을 이루고 있는 곳은 뤼베크이다. 이 글의 첫머리에서 언급되었듯 뤼베크는 토마스 만 자신의 고향이거니와, 이 작품은 뤼베크에서 19세기의 수십 년 동안 부덴브로크 가(家)라는 허구의 시민계급 가문이 4대에 걸쳐서 펼쳐 나가는 영고성쇠의 과정을 원숙한 달인(達人)의 솜씨로 그려내고 있다. 이러한 소설의 전개를 통하여 첫째, 다채로운 인생사가 파란만장하게 펼쳐지며, 둘째, 사랑과 욕망과 예술과 죽음의 문제에 대한 철학적 사유가 심도 있게 개진되고, 셋째, 근대 자본주의 시민 문명의 세계사적 의미와 특징이 생생하게 부각된다.

『부덴브로크 가의 사람들』이라는 소설이 이만한 성과를 이룩할 수 있었던 근본 원인은 앞에서 이미 언급되었듯 우선적으로는 토마스 만이라는 작가 개인의 놀라운 예외적 천재성에 놓여 있는 것이지만, 그것과 더불어, 또 다른 여러 가지 요인이 추가적으로 작용하였음에 틀림없다. 그 중 한 가지로 들어볼 수 있는 것이, 이 작품의 무대가 다른 곳 아닌 뤼베크로 되어 있다는 사실이다. 이 점은 특히 위에서 이 소설의 성과 가운데 세 번째로 언급한 '근대 자본주의 시민 문명의 세계사적 의미와 특징이 생생하게 부각된다'는 사실과 관련해서 무게를 갖는다.

원래 뤼베크는 한자 동맹의 중심을 이룬 도시였다. 한자 동맹이란 상공업에 종사하던 북부 유럽 일대의 유력한 시민계급 구성원들이 연대하여 체결한 동맹으로, 13세기에서 15세기까지에 걸친 기간 동안 전성기를 누렸고, 16세기를 거쳐 17세기까지도 그 세(勢)를 유지한 바 있는 조직이다. 국가가 아닌 여러 도시들의 연대에 의해 구성된 조직이, 그것도 상공업에 종사하는 시민계급의 주도 아래 결성된 조직이, 강력한 국가에 준하는 정치적·경제적·군사적 힘을 가지고 수백 년 동안 북유럽 일대를 움직였다는 사실은 세계사적으로 막중한 의의를 갖는 것이 아닐 수 없다.

서양 문명이 중국 문명이나 인도 문명을 누르고 근대의 패자(霸者)가 될 수 있었던 근본 원인이 오직 서양 문명권에서만 상공업에 종사하는 시민계급이 역사의 주역으로 나설 수 있었다는 사실에 연유한다는 점을 상기하면, 한자 동맹은 서양 문명의 근대 초기 단계를 대표할 만한 상징성을 갖는 것이며, 그 중심에 뤼베크라는 도시가 자리잡고 있는 것이다. 『부덴브로크 가의 사람들』의 시대적 배경을 이루고 있는 19세기에 이르면 한자 동맹은 이미 해체된 지 오래였지만, 한자 동맹 시대 시민계급의 자유정신과 만만한 패기는 여전히 살아남아 뤼베크를 움직이고 있었던 것이고, 그것이 『부덴브로크 가의 사람들』에도 투영되고 있는 것이다.

『부덴브로크 가의 사람들』에 대해 지금까지 많은 논자들이 언급한 바를 종합해 보면, 위에서 내가 이 소설의 성과로 언급한 세 가지 항목 가운데 두 번째 것, 즉 '사랑과 욕망과 예술과 죽음의 문제에 대한 철학적 사유가 심도 있게 개진되고 있다'는 점에 다수 논자들의 관심이 집중되어 온 것처럼 여겨진다. 이와 같은 현상에는 충분히 그렇게 될 만한 이유가 있었다고 판단되며, 실제로 이러한 측면에서 시도된 논의 가운데에는 경청할 만한 가치를 지닌 것이 적지 않다. 하지만 이 점을 인정하면서도, 다른 한편으로 나는, 위에서 말한 세 번째 항목, 즉 '근대 자본주의 시민 문명의 세계사적 의미와 특징이 이 작품 속에서 생생하게 부각되고 있다'는 점을 간과하거나 경시해서는 안 된다는 지적을 반드시 덧붙여 두고 싶다.

테러와 신앙의 공간

『창백한 말』의 모스크바

보리스 빅토로비치 사빈코프는 1879년 하리코프에서 태어난다. 그는 1897년에 학생 운동에 가담하여 체포되었다가 풀려난다. 1899년에 다시 체포되고 이번에는 다니던 학교로부터 퇴학을 당한다. 퇴학당한 후 그는 본격적인 혁명가로서의 투쟁 경력을 쌓아나가기 시작한다. 1902년에는 체포되어 유형 선고를 받는다. 이듬해에 탈주하여 제네바로 망명했다가 다시 러시아로 잠입해 들어온다. 1904년 7월에는 당시의 내무장관을, 1905년 2월에는 알렉산드르 2세의 아들이며 당시 모스크바 총독이었던 세르게이 알렉산드로비치 대공을 암살하는 데 성공한다. 1906년에 체포되지만 곧 탈옥하여 파리로 망명한다. 망명지에서도 혁명가로서의 활동을 계속하며 장편 『창백한 말』(1909)을 비롯한 여러 편의 소설을 쓴다. 회고록인 『테러리스트의 수기』(1909)를 쓰기도 한다. 1917년 2월에 일어난 러시아의 혁명이 성공하자 귀국한다. 옛 동지였던 케렌스키를 수반으로 하여 조직된 임시정부에서 국방차관을 맡는다. 그러나 임시정부 내의 정치적 갈등으로 인해 중앙위원회로부터 제명당하는 처지가 된다. 얼마 후 레닌이 이끄는 볼셰비키에 의해 케렌스키 정부는 전복된다. 사빈코프는 이제 레닌의 볼셰비키 정부에 대항하여 싸우는 백군(白軍) 진영의 투사가 된다. 1924년 8월, 볼셰비키 정부에 의해 체포된다. 1925년, 감옥 안에서 죽는다. 사인은 자살이라고 발표된다. 하지만 동료 죄수의 증언에 따르면 누군가가 그를 이층 계단에서 떠밀어 버린 것이 사망의 실제 원인이었다고 한다.

위에서 제시된 간단한 이력만 보아도 알 수 있는 것처럼 사빈코프는 19세기 말에서 20세기 초에 걸치는 기간 동안 테러와 혁명의 광기에 휩싸인 러시아에서 그야말로 폭풍우 그 자체와 같은 삶을 살다가 갔다. 그는 다양한 저술을 남겼지만 앞에서 언급된 바 있는 『창백한 말』과 1923년에 발표한 『검은 말』 등 두 편의 소설이 가장 유명하다.

『창백한 말』의 무대는 모스크바이다. 모스크바 총독으로 재직하고 있는 세르게이 알렉산드로비치 대공을 암살하기 위해 집요한 노력을 기울이고, 몇 차례의 실패를 겪은 끝에 기어이 성공하고야 마는 한 무리의 테러리스트들이 소설의 중심을 차지한다. 그들 중에서도 리더의 위치에 있는, 조지 오브라이언이라는 가명을 쓰며 영국인으로 위장하여 활동하는 인물이 일인칭 서술자로 등장하여 소설을 이끌어간다. 앞에서 사빈코프의 이력을 소개하는 가운데서 언급했듯 실제로는 작가인 사빈코프 자신이 대공의 암살을 기획했고 시도했으며 기어이 성공시켰다. 그러니까 이 소설은 사빈코프의 실제 체험을 기반으로 하면서 거기에 얼마쯤의 허구를 가미하여 완성한 작품이라고 할 수 있다.

테러리스트 그룹의 수령이 일인칭으로 진행해 나가는 형식의 소설인 만큼 이 작품 속에서 묘사되는 모스크바는 권력자의 폭정과 경찰의 감시 활동과 테러리스트의 집요한 도전이 격렬하게 부딪치고 뒤엉키며 파열음을 일으키는, 뜨거운 '정치의 공간'으로 나타난다.

하지만 정치의 공간으로 그려지는 모스크바만이 이 소설 속에 나오는 모스크바의 전부인 것은 아니다. 이 소설 속에 나오는 모스크바는 또한 신앙의 공간이기도 하다. 사빈코프는 바냐라는 작중인물을 통하여 이러한 모스크바를 독자들 앞에 뚜렷하게 부각시킨다. 바냐는 조지 오브라이언의 핵심 동지이며 실제로 총독 암살 계획이 결행될 당시 일차 행동대원의 역할을 맡아 계획을 성공시키고 체포되어 처형당하는 인물이기도 하다. 그런데 이 바냐가 사실은 누구보다 독실한 기독교 신앙의 소유자로 소설 속에 등장하는 것이다. 사빈코프는 바냐를 이런 인물로 설정하고, 그가 조지를 대화의 상대로 삼아 거듭거듭 내놓는 종교적 언설들을 소설 속에 큰 비중을 두어 제시한다. 예를 하나 들어 보면 다음과 같은 식이다.

> 자네 생각에 사회주의란 뭔가, 지상의 낙원인가? 그래, 사랑을 위해서, 사랑의 이름으로 누군가를 화형시켰나? 우리 중 누군가가 용기를 내어 이렇게 말할지도 몰라. 사람들이 자유로워지려면 아직도 모자란다고, 아이들이 굶주림으로 죽어가지 않으려면 아직도 모자란다고, 어머니들이 눈물 흘리지 않으려면 아직도 모자란다고. 사람들이 서로 사랑하고, 하느님이 사람들 사이에, 사람들의 마음속에 있게 되려면 아직 더 필요하다고. 하느님에 대해서는, 사랑에 대해서는 잊어버렸지. 진실의 반쪽은 마르다에게 있고, 나머지 반은 마리아에게 있는 거야. 그래 우리의 마리아는 어디에 있나? 들어보게. 난 믿어. 지금 농민과 그리스도 교도와 그리스도를 위한 혁명이 진행되고 있어. 신의 이름으로, 사랑의 이름으로 지금 혁명이 벌어지고 있단 말이네. 그리고 사람들은 자유롭고 배부르게 될 거고, 사랑 속에 살게 되겠

지. 난 믿어. 우리 민중, 하느님의 민중 속에 사랑이 있고, 그리스도는 우리와 함께 있다는 걸.[1)]

위에 인용된 대사에서 전형적으로 드러나듯 바냐의 정신은 예수에 대한 신앙과 테러에 대한 확신을 하나로 연결하여 통합시키고 있다. 이것은 상당히 강렬한 인상을 우리의 마음속에 남겨놓는, 조금 이상한, 그러나 어쨌든 독특한, 테러리스트의 면모가 아닐 수 없다. 이처럼 테러에 대한 믿음을 포기할 수 없지만 예수에 대한 믿음도 포기할 수 없는 인물이기에 그는 아예 대공의 궁성을 폭파하자는 조지의 제안을 자칫 잘못하면 대공의 어린아이들까지 죽게 만들 위험이 있다는 이유로 거부하고 기어이 '길거리에서의 테러'라는 방법을 고집하며 결국 그 방법으로 테러를 성공시키고 처형당하는 것이다.

그런데 이러한 내용을 담고 있는 『창백한 말』이라는 소설을 따라가다가 보면, 좀 더 구체적으로 말해서, 그 소설 속에 담겨 있는 대공의 죽음이니, 조지와 바냐의 고뇌니, 바냐의 처형이니 하는 것들이 무슨 의미가 있는가 하는 질문을 붙잡고 씨름하다가 보면, 실제로 19세기 말과 20세기 초에 걸쳐 모스크바에서, 그리고 더 나아가 러시아 전역에서 전개되었던, 폭풍우와도 같았던 역사의 격동으로 생각이 가 닿지 않을 수가 없다. 그리고 이 역사의 격동이 결국 레닌이 이끄는 볼셰비키 혁명의 성공으로 마무리되었다는 사실을 떠올리며 착잡한 감회에 사로잡히지 않을 수가 없다.

사빈코프와 같은 테러리스트가 누구누구에 대한 암살을 기획하고

1) 보리스 빅토로비치 사빈코프, 『창백한 말』(정보라 역, 뿔, 2007), pp.42~43.

실행하며 날뛰었던가 하는 문제와는 온전히 별도로, 19세기 말과 20세기 초에 걸친 기간 동안, 러시아는 착실하게 전진하고 있었다. 러시아의 경제 변화 양상은 나쁘지 않았다.

> 지금까지 러시아 혁명에 대해 소련 측의 해석에 익숙해 있는 사람들은 러시아 혁명이 경제적인 원인에 의하여 일어났다고 생각하기 쉽다. 그러나 이것은 잘못된 생각이다. 러시아 혁명이 발생하기 이전에 러시아의 경제가 낙후, 침체, 혹은 왜곡되었다고 생각하는 것은 구소련 정부의 일방적인 선전 때문이었다. 혁명 이전의 러시아 경제는, 단기적으로는 문제가 있었던 때가 있었지만, 일반적으로 매우 건실하게 성장하고 있었다.[2)]

사회 변화나 정치 변화의 측면에서도 마찬가지였다. "자유민주주의의 원칙은 당시까지 권위주의 체제에서만 살아 온 러시아 사람들에게는 다소 생소하였지만, 이 원칙에 따라서 사회·정치·경제적인 발전이 꾸준하게 이루어지고 있었다."[3)]

그러나 사빈코프와 같은 사람들은 이런 '건실한 성장', '꾸준한 발전'을 차분하게 지켜보고 그 성과를 음미할 만한 인내심이 없었고 지혜도 없었다. 그래서 그들은 죽기 살기로 총독 암살과 같은 막무가내식의 테러에 대한 시도를 반복하여 감행했고 어느 정도는 성공의 기록을 남기기도 했다. 하지만 총독을 암살하는 따위의 행동을 통하여 그들이 실제로 얻은 것이 무엇이었던가?

---

2) 김민제, 『러시아 혁명의 환상과 현실』(역민사, 1998), p.172.
3) 위의 책, p.178.

참고로, 막무가내식의 테러를 능사로 삼았던 사빈코프 류의 인간들이 역사 속에서 이룩한 최고의 성공작으로 평가되기에 모자람이 없는 저 알렉산드르 2세 암살 사건의 경우를 여기서 한 번 생각해 보자. 러시아의 테러리스트들은 지칠 줄 모르는 시도를 거듭한 끝에, 1881년 3월 1일, 기어이 황제 알렉산드르 2세를 암살하는 데 성공하였다. 성공을 거두고 나서 그들은 만세를 불렀다. 하지만 그들이 실제로 얻은 것이 무엇이었던가? 아무 것도 없었다. 상당히 진보적이고 개명한 군주였던 알렉산드르 2세를 그들이 죽이고 나자, 그 아들 알렉산드르 3세가 제위를 계승하였다. 제위에 오르자마자 알렉산드르 3세는 그 부친의 진보 정책을 버리고 강경한 반동 정치로 치달았다. 숱한 테러리스트들이 체포되어 처형당하거나 유배형에 처해졌고, 러시아의 개혁은 후퇴했으며, 민중들에게는 전보다 훨씬 힘든 고난의 세월이 닥쳤다. 얼마나 어이없는 사태의 전개였던가?

게다가 사빈코프와 그의 그룹은 궁극적으로 레닌, 스탈린 따위의 진짜 폭군에게 국가의 권력을 날치기당했다는 점으로도 비판을 받아 마땅하다. 물론 여기서 제일 나쁜 인간들은 날치기를 행한 자들이지만, 바보스럽게 날치기를 당한 자들도 비판으로부터 면제될 수는 없는 노릇이다.

스탈린이 히틀러를 능가할 만한 수준의 폭군이었다는 것은 이제는 널리 알려져 있는 사실이다. 그러나 레닌 역시 그보다 별로 더 나은 인간이 아니었다. 그의 진면목을 생생하게 보여주는 다음과 같은 발언 하나만 들어 보아도 그 점을 금방 알 수 있다.

감시와 통제야말로 일단계 공산주의 사회의 올바른 기능을 위해

> 요구되는 덕목이다. (…) 대다수의 인민이 사회 구석구석에서 자본주의자들(이미 관리인화된)과 자본주의적 사고를 벗지 못한 인텔리겐치아를 감시하고 통제할 때만이 그 모든 통제가 진정으로 종합적이고, 일반적이며, 전 인민적인 성격을 띠게 되며, 그 어떠한 소요에도 동요하지 않게 된다. 그리하여 사회 전체가 노동과 분배의 평등에 의해 하나의 통제조직, 하나의 작업장화되는 것이다. 그러나 상당한 어려움이 없이는 감시와 통제의 자연스러운 사회화는 실현되지 아니한다. 그것은 철저하고 진지한 인민재판과 그 집행을 통해 실현되리라고 확신한다. (…) 그렇게 함으로써 사회 구성원은 단순하면서도 기본적인 새로운 사회질서에 반드시 적응하게 되고 곧 익숙해질 것이다.[4)]

사빈코프의 경우, 그가 레닌의 볼셰비키 혁명에 동조하지 않고 그것을 타도하기 위해 싸우는 진영에 가담했던 것은 그나마 그의 명예를 위해 다행한 일이었다. 비록 그 싸움이 그의 죽음을 앞당기기는 했지만 말이다.

---

4) 러시아판 『레닌 전집』 제33권, pp.101~102. 드미트리 안토노비치 볼코고노프, 『크렘린의 수령들』 상(김일환 외 5인 공역, 한송, 1996), p.55에서 재인용.

강대국의 수도에 와서 사는 약소국 출신의 두 남자

『마씨 부자』의 런던

20세기의 중국 소설문학을 대표하는 작가 가운데 한 사람인 라오서(老舍)는 1899년 베이징에서 태어났다. 베이징 사범학교를 졸업한 후 교사 생활을 하던 그는 1924년 영국으로 건너간다. 런던대학교 중국어과에서 중국어 강의를 하며 1929년 초까지 체류한다. 그가 런던을 무대로 한 소설 『마씨(馬氏) 부자(父子)』[1]를 발표할 수 있었던 것은 그 자신이 이처럼 런던에서 상당한 기간 동안 살아본 경험을 가지고 있었기 때문이다. 그는 런던을 떠나 베이징으로 돌아오는 도중 싱가포르에 약 반년 동안 머물렀는데, 『마씨 부자』는 바로 이 시기에 써졌다.

『마씨 부자』 속에 그려져 있는 런던은 라오서 자신이 그곳에 머물러 살던 1920년대 중·후반의 런던이다. 그 당시는 제1차 세계대전이 끝난 지 10년 정도가 되어 가던 시점이었으며 뉴욕의 월스트리트에서 발원한 전대미문의 경제 대공황이 세계를 휩쓸기 직전의 마지막 호황

1) 『마씨 부자』라는 제목은 이 소설의 한국어 역자가 붙인 것이며 원래의 제목은 『이마(二馬)』이다.

기였다. 제1차 세계대전의 승전국이자 세계 제일의 자유주의·제국주의 대국으로서 영국이 지니고 있던 영광이 아직 빛바래지 않았던 시기였다. 이런 영국의 수도 런던은 한마디로 태평성대를 구가하고 있었다. 이와 같은 태평성대의 분위기는 『마씨 부자』 중 런던을 묘사하는 대목들마다에 고스란히 반영되고 있다. 예를 하나만 들어 보면 다음과 같은 식이다.

> 입추 무렵부터 겨울까지 런던은 활기에 넘쳤다. 극장은 최고의 공연을 올렸고, 가을 바겐세일로 바빴던 상점들은 곧이어 성탄절을 준비했다. 돈이 있는 사람들은 런던에서 공연을 보거나 손님을 만났으며, 성탄절 선물도 준비했다. 돈이 없는 사람들도 돈을 들이지 않고 할 수 있는 일이 있었다. 그들은 런던 시장의 취임 축하 퍼레이드를 보거나 국회 개원에 참석하러 가는 국왕을 보기도 했다. 호주머니에 1실링이라도 있으면, 그땐 경마에 돈을 걸지 않고 축구팀의 승패에 돈을 걸었다. 석간에는 경마와 축구 경기 결과가 대문짝만하게 실렸다. 사람들은 아침 9시만 되면 신문을 한 장 사서 자신의 승패를 확인했다. 자신이 졌다는 것을 확인하고 나면 입을 삐죽이며 해외 뉴스를 욕하면서 화풀이를 했다. 그밖에 스케이트, 서커스, 개 경주, 국화 품평회, 고양이 경주, 경보, 자동차 경주 등 경품을 내건 경기나 놀이가 잇따라 개최되었다. 그러니 영국인들은 혁명을 일으킬 수 없었다. 볼거리, 이야깃거리, 놀 거리가 지천인데 혁명을 논할 시간이 있겠는가.[2)]

그러나 이런 런던에도 '태평성대'라는 말이 시사하는 바와는 거리가

---

2) 라오서, 『마씨 부자』(고점복 역, 창비, 2013), pp.219~220.

먼 지점에 놓여 벗어나지 못한 채로 사는 사람들이 없지 않았다. 그 중 대표적인 집단의 하나가, 이런저런 사정 때문에 고국을 떠나 런던으로 흘러와 사는 중국인들이었다. 『마씨 부자』는 그 앞부분에서 런던의 중국인들에 대하여 다음과 같은 개괄적 설명을 들려주고 있다.

> 런던의 중국인은 대략 노동자와 학생 두 부류로 나눌 수 있었다. 노동자 대부분은 런던 동부 지역에 살았다. 그곳은 중국인의 얼굴에 먹칠을 하는 차이나타운이었다. 동양을 여행할 만한 경비가 없는 독일인, 프랑스인, 미국인이 런던에 오면 항상 차이나타운을 둘러보았다. 그들은 그곳에서 소설과 일기, 기삿거리를 찾았다. 차이나타운은 특별한 곳이 아니었고 거기 살고 있는 노동자 역시 대단한 행동을 하는 건 아니었다. 단지 그곳에 중국인이 살고 있기 때문에 한번 둘러보려는 것이었다. 또 중국이 약소국이라는 이유만으로 그들은, 노고를 감내하며 이역의 도시에서 먹을거리를 찾는 중국인에게 마음대로 죄를 뒤집어씌웠다. 차이나타운에 스무 명의 중국인이 살고 있으면, 그들은 오천 명이라고 기록했다. 오천 명의 중국인은 모두 아편을 피우고 무기를 밀매하거나 사람을 죽여 시신을 침대 밑에 감추거나 나이를 불문하고 여성을 강간하는 등 찢어 죽여 마땅한 일들을 한다고 기록했다. 소설과 연극, 영화에 묘사된 중국인은 모두 그런 뜬소문과 보고서에 근거하고 있었다. 그러나 연극이나 영화를 보거나 소설을 읽은 아가씨, 노부인, 아이들, 영국 왕은 사리에 맞지 않는 그런 일들을 잘도 기억했다. 그들에게 중국인은 세상에서 가장 음흉하고 더러우며 혐오스럽고 비천한 두 다리 동물이었다.[3)]

---

3) 위의 책, pp.23~24.

『마씨 부자』의 중심 인물로 등장하는 마씨 성을 가진 두 남자, 마쩌런과 마웨이도, 중국인을 향한 서양인들 일반의 이런 인종차별적 시선으로부터 자유롭지 못하다. 그들은 일찍이 런던으로 건너와 중국 골동품 가게를 운영하던 마쩌런의 형이 작고하자 그가 남긴 가게를 물려받아 운영하기 위해 런던에 온 것인데, 차이나타운에 거주해야 하는 처지는 아니고 중산층에 속하는 한 영국인 과부의 집에 방을 얻어 생활하게 된 것이니까 런던의 중국인들 중에서는 처지가 상대적으로 나은 편에 속한다고 할 수 있지만, 서양인들이 던지는 인종차별적인 시선은 그들의 일상생활 속에도 끊임없이 스며든다.

그런데 이러한 상황 속에 놓이게 되었다는 점에서는 마쩌런이나 마웨이나 다를 바가 없지만 그 상황 속에서 어떤 생각을 하고 어떤 행동으로 나아가는가라는 점에서는 두 사람이 극명한 대조를 보인다. 이들이 서로 대조적인 생각과 행동을 보여주게 되는 근본 원인은 아버지인 마쩌런이 낡은 중국을, 아들인 마웨이가 새로운 중국을 대표하고 있다는 사실이다. 먼저 마쩌런의 경우를 보자.

> 마쩌런 역시 '오래된' 민족의 '오래된' 사람이 분명했다. 그를 수식하는 두 개의 '오래된'이라는 단어를 통해 단정할 수 있었다. 그는 평생 동안 두뇌를 사용한 적이 없으며, 게다가 하나의 사물을 삼분 동안 주시한 적도 없다고. 그럼 왜 사느냐고? 관리가 되기 위해서였다. 어떻게 관리가 될 수 있느냐고? 먼저 한턱을 내고 손을 써 주십사 부탁하면 되었다.
>
> (…) 영국에 온 후 그는 줄곧 종잡을 수 없는 꿈을 꾸는 듯했다. 그는 장사에 문외한이었다. 모를 뿐 아니라 장사하는 사람들을 줄곧 무시해 왔다. 돈을 버는 정도(正道)는 관리가 되는 것이라 여겼다.

'피땀으로 돈을 버는 장사는 못난 짓이지! 고명하지도 않고 저속해!'[4)]

마쩌런이 이처럼 관리가 되는 것만이 가치 있는 유일한 삶의 길이며 상업이란 천박하고 저속한 일이라는 관념에 젖어 있는 반면, 마웨이는 상업을 긍정한다. 그리고 관리가 되는 것 이외에는 어떤 삶도 무가치하다고 여기는 아버지의 고정관념에 대해 비판적인 시선을 보낸다.

> 그는 마쩌런을 바라보았다. '관리가 되지도 못했으면서 술을 마시며 궁상을 떠신다. 관리? 유명인사? 얼어죽을! 진정한 능력이란 참된 지식으로 정의롭게 돈을 버는 것이다!'[5)]

이런 신념을 가진 그는 가게 일을 돌보는 한편 틈을 내어 학업에 매진하기로 결심하면서 자신의 전공으로 상업을 선택한다. 소설은 마웨이가 아버지의 곁을 떠나 새로운 세상을 향해 나아가는 모습을 보여주면서 끝나는데, 그가 장차 어떤 길을 걸어가게 될 것인지가 작품 속에 구체적으로 나타나 있지는 않지만, 작가가 그의 젊음과 상업을 긍정하는 자세에 대해 높은 가치를 부여하고 있으며 그러한 판단에 따라 그의 미래를 밝게 내다보고 있다는 사실은 이 소설을 읽는 독자라면 누구라도 쉽게 감지할 수 있다.

마쩌런과 마웨이 부자의 이처럼 서로 대조적인 가치관에 주목하면서, 그리고 소설 속의 시대적 배경으로 제시되고 있는 1920년대에 중국이 그렇게도 가난하였고 매머드를 연상케 하는 덩치에 영 어울리지

4) 위의 책, pp.64~65.

5) 위의 책, p.78.

않게 '약소국(弱小國)'으로 취급당하고 있었다는 사실을 새삼 재발견하면서, 우리는 한 가지 물음에 직면하지 않을 수 없게 된다. 그 물음이란, "도대체 어떤 연유로 1920년대에 덩치 큰 중국은 초라한 약소국이 되어 있었고 중국에 비하면 형편없이 작은 덩치밖에 갖고 있지 않은 영국은 정반대로 강대국(强大國)이 되어 있었던가?"라는 물음이다. 이 물음은 대단히 중요한 물음이다. 어떻게 보면 근대 세계사의 핵심을 직접 겨냥하고 있는 물음이다. 왜냐하면 이 물음은 "왜 영국과 같은 서유럽 국가들은 근대 세계의 패자(霸者)가 될 수 있었고, 중국은 근대 세계의 낙제생이 될 수밖에 없었던가?"라는 물음으로 바꾸어 쓸 수 있는 것이기 때문이다.

이 물음에 대한 답으로는 여러 가지가 제시될 수 있겠지만, 내가 생각하기에 그 중에서도 가장 정곡을 맞춘 답은, 바로 소설 『마씨 부자』에 등장하는 마쩌런이라는 인물을 분석함으로써 얻어낼 수 있는 것이다. 앞에서 이미 언급되었듯이 마쩌런은 관리가 되는 길만이 인생을 성공적인 것으로 만들 수 있는 유일무이한 길이라고 믿는 사람이며, 상업을 '저속'한 것으로 보아 멸시하는 사람이다. 바로 이런 마쩌런식의 가치관이 대다수 중국 사람들의 정신세계를 지배해 왔다. 적어도 1920년대까지는 틀림없이 그러했다. 그리고 그 필연적인 결과로, 이런 가치관이 중국의 장구한 역사 전체를 지배해 왔다. 적어도 1920년대까지는 틀림없이 그러했다. 이런 가치관, 그리고 이런 가치관이 발휘한 엄청난 지배력, 그것이야말로 중국을 망치고, 급기야 1920년대 무렵이 되면 중국이라는 나라가 그 커다란 덩치에 어울리지 않게도 약소국이라는 오명을 덮어쓰지 않을 수 없도록 만든 가장 큰 원인이었다. 물론 '유일한' 원인은 아니었으나 '가장 큰 원인'임에는

틀림이 없는 것이었다.[6)]

그러다가, 소설 속의 마웨이와 같은 젊은이들이 중국인들 사이에서 출현하고, 점점 그 수가 늘어나고, 영향력이 커지게 되면서, 중국은 다시 일어서기 시작한다. 그것은 소설 속에서 다루어지고 있는 1920년대 이후의 일이다.

1920년대 이후의 중국이 펼치게 되는 새로운 역사의 드라마 속에서, 『마씨 부자』의 작가 라오서는 자신의 나라가 새로운 힘으로 일어서는 데 적극적으로 기여하는 소설가 겸 지식인의 몫을 충실히 수행해 낸다. 『낙타샹즈』(1936)와 『사세동당(四世同堂)』(1945~1950)을 비롯한 그의 수많은 문제작들이 그 점을 입증해 주고 있다.

하지만 우리는 또한 잘 알고 있다. 그의 최후가 얼마나 비극적이었던가를. 악(惡)의 천재 마오쩌둥이 일으킨 이른바 '문화대혁명'의 미친 칼바람을 그는 피할 수 없었다. 단지 피하지 못한 정도가 아니라, 가장 비참한 희생자의 한 사람이 되었다. 1966년 8월 23일, 그는 수천 명의 홍위병들 앞으로 끌려나왔다. 말도 안 되는 모욕과 고발과 단죄, 그리고 거기에 뒤이어 잔인한 집단 구타의 시간이 한참 동안이나 이어졌다. 8월 24일, 그는 실종되었다. 그리고 8월 25일, 베이징의 호수에 빠져 죽은 한 노인의 시신이 발견되었다. 라오서의 시신이었다.

---

6) 나의 책 『한국소설과 예수 그리고 유다』(역락, 2011)에 수록되어 있는 「동아시아에서의 근대성과 근대화」라는 글을 참조한다면 이 점에 관한 좀 더 상세한 이해를 얻을 수 있을 것이다.

공산당의 중국으로부터 탈출한 사람들이 만든 세상

『반하류사회』의 홍콩

루거오차오(蘆溝橋)는 베이징 서쪽의 융딩 강(永定河)에 놓여 있는 다리의 이름이다. 1937년 7월 7일, 일본 군대가, 이 다리를 사이에 두고 자기들과 대치해 있던 중국 군대를 예고 없이 공격하였다. 후대의 역사서 속에 '루거오차오 사건'이라는 이름으로 기록될 전투가 벌어진 것이다. 이렇게 시작된 일본 군대와 중국 군대의 싸움은 1945년 8월 15일까지 8년 동안 계속되었다. 이른바 중일전쟁이 그것이다. 처참(悽慘)을 극(極)한 전쟁이었다. 달리 표현하자면, 끔찍하다는 말로밖에는 형용이 불가능한 전쟁이었다.

그런데 우리가 역사책을 펼쳐서 루거오차오 사건 바로 다음날, 즉 1937년 7월 8일에 무슨 일이 일어났던가를 살펴보면, 마오쩌둥(毛澤東)을 위시한 중국 공산당 지도부 구성원들이 장제스(蔣介石)의 영도에 따라 항일 전쟁에 목숨 바쳐 헌신할 것을 맹세하는 전문을 국민당 정부에 보냈다는 사실이 눈에 들어온다. 이로써 이른바 '제2차 국공합작'이 이루어졌다. 일본군을 중국 대륙에서 완전히 몰아낼 때까지 국민당과 공산당은 상호간의 투쟁을 중단하고 항일 전쟁에 합심하여 모든 노력을 총동원하기로 하자는 약속이 성립된 것이다.

그 후 8년 동안, 장제스와 그의 국민당 정부는 이 약속대로 항일전쟁에 그들의 모든 노력을 총동원하였다. 하지만 마오쩌둥은 이 약속을 지키지 않았다. 간교함의 덩어리라고 해도 과언이 아닐 마오쩌둥은 처음부터 약속을 지킬 생각이 전혀 없었다.

중일전쟁 전 기간을 통하여 공산당 군대가 일본군과 맞서 대규모 공세를 벌인 유일한 사례로 거론되는 이른바 백단대전(百團大戰)의 경우 하나만 보아도 마오쩌둥의 진면목이 드러난다. 이 백단대전을 직접 지휘했던 사람은 마오쩌둥의 동지들 가운데서 가장 용감하고 가장 우직하기도 했던 펑더화이(彭德懷)였다. 그는 모처럼 자신의 역량을 제대로 발휘할 기회를 맞이하여 열심히 싸웠다. 그리고 나름대로의 성과를 거두었다. 하지만 그에게 돌아온 것은 왜 공연히 열심히 싸워서 공산군의 무력을 축냈느냐는 마오쩌둥의 질책이었다. 펑더화이는 몇 차례나 공개 석상에서 자아비판을 행하지 않으면 안 되었다.

일본군과의 본격적인 대결을 거의 온전히 국민당 군대에게 맡겨버리고 병력의 손실이 어쩔 수 없이 따르게 마련인 전투를 요리조리 피하면서 마오쩌둥이 실제로 주력한 일은 수단과 방법을 가리지 않고 자기편의 세력을 확대해 나가는 것이었다. 중일전쟁 8년이 끝나는 시점에서 확인된 통계는 그러한 마오쩌둥의 간교함이 대단한 성과를 거두었음을 입증해 주었다. "1937년에 겨우 4만 5천 명에 불과했던 그들의 군대는 1945년 8월에는 정규군 130만 명, 민병 268만 명에 달하는 거대한 세력이 되어 화북의 태반을 장악하"[1]게 되었던 것이다.

---

1) 권성욱, 『중일전쟁』(미지북스, 2015), p.794.

마오쩌둥은 이처럼 엄청난 규모로 팽창한 군사력을 등에 업고, 일본군이 대륙에서 물러난 직후부터, 장제스를 타도하기 위한 내전(內戰)을 본격적으로 시작하였다. 하긴 그로서야, 이 싸움을 시작할 날을 정말 얼마나 오랫동안 별러 왔었겠는가?

누구나 알고 있다시피, 이 내전은 약 4년간 지속된 끝에 결국 마오쩌둥의 완승으로 마무리되었다. 1949년 10월 1일, 마오쩌둥은 광대한 중화 대륙 전부를 수중에 넣고, 중화인민공화국의 수립을 선언하였다. 반면 장제스는 타이완으로 쫓겨 갔다. 마오쩌둥이 차지한 중화인민공화국의 면적은 959만 7천 km^2, 반면 장제스가 차지한 타이완의 면적은 3만 6천 km^2. 승자의 영광과 패자의 비참이 너무나 극명하게 나뉘어지는 것을 이런 면적의 대비 하나만 보아도 우리는 알 수 있다.

이 내전에서 마오쩌둥이 승리하고 장제스가 완패한 이유는 참으로 복잡하고 다양해서 간단하게 몇 마디 말로 요약하는 것이 불가능하다. 그리고 이 자리는 그 이유를 본격적으로 논의하기에 적당한 장소도 아닐 것이다. 여기서는 다만 그동안 거의 주목받지 못했던 한 가지 사항만을 언급해 두고자 한다. 그것은 마오쩌둥의 남다른 잔인성이 이 내전에서 그가 승리하는 데 큰 도움을 주었다는 것이다. 유별난 잔인성을 지니고 있다는 사실이 전쟁이라는 상황에서 언제나 유리하게 작용하는 것은 아니고 그 반대의 결과를 가져오는 경우도 왕왕 있지만, 최소한 국공내전(國共內戰)의 경우에는 마오쩌둥의 남다른 잔인성이 그의 승리에 힘을 보태 주는 결과를 낳았음에 의심의 여지가 없다.

예를 들어 말해 보자. 국공내전이 막바지에 다다랐던 1948년 마오쩌둥은 창춘(長春)을 공격했는데 점령에 실패했다. 이렇게 되자 그는 현지 사령관인 린뱌오(林彪)에게 아사작전(餓死作戰)으로 나아갈 것을 지시했다. 창춘을 물샐 틈 없이 포위하고, 도시의 모든 주민이 굶어죽을 지경에 이를 때까지 밀어붙이라는 것이었다. 이런 상황이 지속되자 목불인견의 참상이 펼쳐졌다. 냉혹하기로는 누구에게도 뒤지지 않는다고 할 린뱌오조차 마음이 흔들리게 되었다. 그가 마오쩌둥에게 보낸 보고서에는 다음과 같은 구절이 기록되어 있다.

> 굶주린 사람들이 집단으로 우리 병사들 앞에 무릎을 꿇고 통과를 허용해 달라고 사정합니다. 일부 사람들은 자기네 아기를 병사들 앞에 내려놓고 돌아가고, 어떤 사람들은 초소에서 목을 매어 자살합니다. 보초병들은 이 비참한 광경을 견디지 못합니다. 일부 병사들은 굶주리는 사람들과 함께 무릎을 꿇고 울고 (…) 다른 사람들은 비밀리에 피난민들을 놓아 줍니다. 이 같은 사태를 시정한 뒤 우리는 또 다른 경향을 발견했습니다. 병사들은 (되돌려보내기 위해서) 피난민들을 구타하고 포박하고 발포까지 하여 사망자가 발생하고 있습니다.[2)]

린뱌오는 이런 내용의 보고를 하면서 피난민의 통과를 허용할 것을 건의했으나 마오쩌둥의 허락을 얻지 못했다. 참다못한 린뱌오는 직권으로 피난민을 풀어주려 했으나 그의 지시는 마오쩌둥의 개입에 의해 즉각 취소되었다. 이런 상황이 수개월이나 지속되었다. 결국 창춘이 점령되었을 때, 원래 50만 명이던 창춘 인구는 17만 명으로 줄어 있었다. 마오쩌둥이 33만 명을 죽인 셈이다. 이 수치는 중화인민공화국이 두고두고 비난하는, 일본군에 의한 난징(南京) 대학살 당시의 희생자 수에 대한 최대 추정치보다 많은 것이었다.

---

2) 장융·존 핼리데이, 『마오』 상(황의방·이상근·오성환 역, 2005, 까치), p.409, 재인용.

어쨌든, 마오쩌둥이 지닌 이처럼 상식을 뛰어넘는 수준의 잔인성과 그 밖의 여러 요인들이 복합적으로 작용한 결과, 위에서 말한 것처럼, 그는 영광을 한 몸에 안은 승자가 되고, 한때 대륙을 호령했던 장제스는 초라하기 이를 데 없는 패배자가 되었다.

국공내전이 마오쩌둥의 최종적인 승리로 마감된 그 무렵부터 급격한 인구의 증가를 보게 된 도시가 있다. 그 당시만 해도 영국의 영토로 되어 있었던 홍콩이다.

마오쩌둥의 공산당이 통치하는 세상에서는 도저히 살 수 없다고 판단한 중국인들이 홍콩으로 넘어오기 시작했다. 매달 평균 10만 명씩 넘어왔다. 이러한 이주민들의 행렬은 중국 공산당 정권이 1951년 6월 중국과 홍콩 사이의 국경을 폐쇄해 버릴 때까지 끊어지지 않고 계속되었다. 그 결과, 내전이 끝났던 당시 60만 명 정도였던 홍콩의 인구는 220만 명까지 늘어났다.

60만 명이 살던 도시에 160만 명의 난민이 새로 들어왔으니, 그 도시의 풍경이 어떻게 변했을 것인지는 쉽게 상상이 가능하다. 엄청난 주택난, 사회 질서의 대혼란, 도처에서 만나게 되는 최하 생존 조건의 빈민들, 각종 범죄의 만연. 하지만 거기에는 자유가 있었다. 생명처럼 소중한 자유가 있었다. 공산당의 철제(鐵蹄)에 짓밟히게 된 넓고 넓은 중국 대륙에서는 도저히 누릴 수 없고 상상할 수도 없는 자유가 있었다. 물론 홍콩 역시 독립된 도시국가가 아니라 영국의 식민지였던 만큼 완전히 자유로운 공간은 아니었으나 그곳에서 누릴 수 있는 자유의 폭은 공산당의 수중에 떨어지고 만 대륙의 그것과는 비교가 되지 않는 수준의 것이었다.

조츠판(趙滋蕃)이 1952년에 발표한 장편소설 『반하류사회(半下流社會)』는 바로 이 시기의 홍콩을 무대로 삼고 있는 작품이다. 이 소설을 쓴 조츠판은 그 자신이 대륙에서 살다가 홍콩으로 탈출해 온 이주민 출신의 작가였다. 후난(湖南) 대학 수학과에 입학했다가 경제학과로 전과하여 졸업한 후 그 학교 수학과의 조교로 근무하던 그는 자유가 없는 대륙에서의 삶을 도저히 견딜 수 없어 1950년 7월 23일 홍콩으로 넘어왔던 것이다. 홍콩으로 탈출해 온 후의 그는 수학과도, 경제학과도 관계없는 문필가의 삶을 살게 되었다. 물론 그 삶에는 지독한 가난이 운명처럼 따라붙었다. 하지만 그 삶에는 자유가 있었다. 그는 그 자유를 사랑했고 그 자유를 향유할 수 있게 해 주는 홍콩에서의 삶을 긍정했다. 『반하류사회』에 등장하는 젊은이들이 부르는 다음과 같은 노래의 가사는 바로 조츠판 자신의 마음을 반영하고 있는 것이었다.

> 온 마음 다 바친 정열로,
> 우린 손과 손을 잡고,
> 우린 목숨과 목숨을 잇고,
> 우리 마음과 마음을 포개어!
> 자유와 진리의 부름을 받아,
> 최후의 순간까지 싸우련다……
> (…)
> 만일 자유가 빛을 잃는다면,
> 태양이여! 우주 밖으로 물러가 다오![3)]

---

3) 루쉰/조츠판/빠이셴융, 『아큐정전/반하류사회/타이뻬이 사람들』(허세욱 역, 삼성출판사, 1982), p.67.

이 소설의 제목이 되어 있는 '반하류사회'라는 말은 소설 속에 등장하는, 대륙으로부터 홍콩으로 건너온 한 무리의 이주민 지식인들이 결성한, 느슨한 공동체의 이름이다. 그들이 자기네 공동체의 명칭을 '반하류사회'로 정한 이유는 소설 속에서 한 등장인물에 의해 다음과 같이 설명되고 있다.

> "우리에겐 상류사회의 이기나 냉혹이 없고, 그런가 하면 하류사회처럼 이상을 상실한 것도 아니야. 그러나 우리의 생활로 볼 때 우린 상류사회와 멀리 떨어졌고, 하류사회와는 이만큼 접근되었으니 반하류사회가 아닐까?"[4)]

이런 의미로 자기들 공동체의 명칭을 '반하류사회'로 정한 그들은 문장공사(文章公司)라는 것을 만들고 나름대로의 독서·토론·문필·출판활동을 전개하기 위해 노력한다. 하지만 가난과 불안의 상황은 계속해서 그들을 따라다닌다. 이런 가운데서 그들 각자의 운명은 다양하게, 또 혼란스럽게 엇갈리고 뒤얽히면서 펼쳐져 나간다. 누구는 타이완으로 떠나고, 누구는 얼마쯤의 명성을 얻기도 한다. 누구는 병사하고, 누구는 자살한다. 하지만 그들 중 어느 한 사람도 중국에서의 삶을 그리워하거나 중국으로 돌아가고자 하는 경우는 없다. 병고로 죽어가는 마당에서도, 심지어 자살을 결행하는 마당에서조차도 그들은 중국을 향해 고개를 돌리지 않는다. "만일 자유가 빛을 잃는다면,/ 태양이여! 우주 밖으로 물러가 다오!"라는 외침은 병고로 인한 죽음이

---

4) 위의 책, p.70.

나 자살에 의한 죽음의 순간에까지도 변함없이 유효한 것이었기 때문일 터이다.

『반하류사회』가 발표된 후 70년 가까운 세월이 흘렀다. 그 세월 동안 홍콩에는 상전벽해(桑田碧海)의 변화가 있었다. 지금 홍콩은 1인당 평균 국민소득 4만 달러를 넘어서는 세계 최상위급의 부자 도시가 되어 있다. 물론 그렇다고 홍콩에서 빈민층이 없어지지는 않았다. 오늘날 홍콩의 빈부 격차는 매우 크다. 하지만 『반하류사회』에서 묘사되었던, 도시 대부분이 거대한 빈민굴 같았던 홍콩은 이제 흔적도 없다.

그런 가운데 정치적으로도 중요한 변화가 이루어졌다. 영국이 홍콩의 통치권을 중국에 반환한 것이다. 2047년까지 중국과 다른 화폐, 법률, 통치체제를 유지한다는 조건을 붙인 반환이기는 하지만 어쨌든 홍콩 사람들이 공산당 지배하의 중국과 완전히 분리된 다른 나라의 국민으로 살 수 있었던 시대는 끝나고 만 것이다.

생각해 보면 이제 2047년이라는 연도가 얼마 남지도 않았다. 앞으로 홍콩은 어디로 갈 것인가? 홍콩 사람들은 언제까지 "만일 자유가 빛을 잃는다면,/태양이여! 우주 밖으로 물러가 다오!"라는 선언을 당당하게 계속할 수 있을 것인가? 불안하다. 가장 좋은 것은 2047년이 되기 전에 중화인민공화국 전체의 차원에서 공산당 지배 체제가 무너져 버리고 자유로운 세상이 그 체제를 대신하는 것이지만, 과연 그런 일이 일어날 수 있을까? 알 수 없다. 이런 가운데서 2019년 현재 홍콩에서는 홍콩인들이 그나마 누리고 있는 자유를 일찌감치 말살해 버리고자 하는 중국 공산당 통치자들의 책동에 저항하는 시위가 이어지고 있다.

리머스, 장벽의 동쪽으로 다시 내려가다

『추운 나라에서 돌아온 스파이』의 베를린

1945년 4월 30일, 독일의 총통 히틀러가 자살했다. 5월 8일, 독일은 연합국에 항복했다. 항복한 독일의 영토를 미국, 영국, 프랑스, 소련 등 네 개의 국가가 분할하여 점령, 관리하게 되었다. 그런데 이때 독일의 수도 베를린이 문제가 되었다. 베를린은 소련이 점령한 지역 안에 들어 있었다. 그러나 베를린이 가지는 상징적 의미를 고려할 때, 베를린 전체를 소련이 점령하도록 허용할 수는 없다는 것이 나머지 세 나라의 일치된 생각이었다. 결국 베를린도 네 개의 구역으로 분할하고 네 국가가 한 구역씩 점령, 관리하는 것으로 결론이 났다.

이런 식으로 분할 점령, 관리 조치를 취하기로 네 나라가 합의하여 결정하던 당시는 아직 제2차 세계대전이 끝난 직후의 평화 무드가 지배하던 시기였다. 그런데 그 조치가 실제로 취해진 지 얼마가 지나지 않아서, 냉전이 시작되었다. 미국, 영국, 프랑스가 자유주의 진영의 동지가 되어 확고한 유대를 구축하면서, 공산주의 국가인 소련과 대립하였다. 미국, 영국, 프랑스 세 나라가 각각 점령, 관리했던 지역은 하나의 단위로 통일되어, 서독이라는 이름으로 불리게 되었다. 소련이 점령, 관리했던 지역은 동독이 되었다. 베를린도 역시 서베를린과 동베를린으로 나뉘게 되었다.

소련의 입장에서 볼 때, 자유주의 진영을 혼내 주는 좋은 방법이 하나 있었다. 동독의 영토 안에 하나의 고립된 섬과 같은 모습으로 존재하게 된 서베를린을 봉쇄해 버리는 것이었다. 1948년 6월 4일, 소련은 자유진영 국가들이 베를린에 대해 아무런 권리를 갖지 못한다는 선언을 했다. 6월 18일에는 서베를린으로 향하는 모든 도로와 철도를 막았다. 24일에는 최소한의 생활필수품 공급까지 차단하는 조치를 취했다. 2백만 명에 달하는 서베를린 시민들은 꼼짝 없이 굶어죽게 되었다.

봉쇄 조치를 통보받은 자유주의 진영의 국가들은 여기에 어떻게 대응했던가? 제2차 세계대전을 치르느라 지칠 대로 지친 영국과 프랑스는 아무런 대책도 내놓지 못하고 미국만 쳐다보았다. 결국 미국이 대응 방안을 결정해야 했다.

다수의 미국 지도자들은 소련과 전쟁을 할 작정이 아니라면 서베를린을 포기할 수밖에 없다고 판단했다. 그러나 트루먼 대통령은 그렇게 생각하지 않았다. 서베를린 시민들에게 필요한 물자를 수송기에 싣고 서베를린으로 날아가 전달하는 대규모 공수작전(空輸作戰)을 지시했다. 투입 가능한 모든 수송기가 작전에 동원되었다. 하루 평균 5,800톤의 물자가 매일같이 서베를린 시민들에게 전달되었다. 이 경천동지(驚天動地)의 공수작전에 소련은 아연실색하였다. 소련으로서도 전쟁을 각오하지 않는 한 이 공수작전을 막을 수는 없었다. 결국 1949년 5월 12일, 소련은 굴복하고 봉쇄를 해제했다. 봉쇄가 시작된 지 11개월 만이었다. 자유진영의 완벽한 승리였다.

1949년 5월 23일에는 서독 정부가 수립되고, 같은 해 10월 7일에는 동독 정부가 출범하여, '두 개의 독일'이 병존하는 체제가 정착되었다. 그런데 날이면 날마다, 동베를린을 포함한 동독 영토 도처에서 서베를린으로 넘어와 자유진영으로 망명하는 동독인들이 줄을 이었다. 그 수는 1961년까지 무려 250만 명에 이르렀다. 동독 정부로서나, 그 후견인으로서 여전히 군림하고 있던 소련 정부로서나, 이것은 도저히 참을 수 없는 일이었다. 궁리에 궁리를 거듭하던 그들은 1961년 8월에 이르러 마침내 극단적인 조치를 취한다. 동베를린과 서베를린을 차단하고 서베를린과 동독의 다른 지역들 역시 완벽하게 차단하는 장벽을 건설한 것이다. 나중에 완성되었을 때 베를린 시를 양분하는 장벽의 길이는 45km에 이르렀고, 서베를린을 둘러싸면서 동독의 다른 지역과 서베를린을 차단하는 장벽의 길이는 120km에 달했다. 장벽은 숱한 기관총 초소, 지뢰, 고압선 등으로 단단히 무장한 '죽음의 벽'이었다.

그러나 장벽을 넘어 자유의 땅으로 가고자 하는 동독인들의 시도는 절멸되지 않았다. 장벽이 세워진 후에도 생명을 건 탈출을 시도하여 성공한 동독인들이 수천 명에 이른다. 하지만 역시 수천 명의 동독인들이 탈출을 시도하다가 체포되었다. 동독 측의 경비 군인들에 의해 사살당한 사람도 수백 명이었다.

지금까지 나는 독일이 서독과 동독으로 분단되었던 시절 그 분단의 상징이자 전초기지와도 같았던 도시 베를린의 역사 속에서 가장 아팠던 부분, 그러면서 가장 극적이었던 부분을 이야기해 본 셈이다.

그런데 이런 분단 시대의 베를린을 생각할 때, 특히 그 시대의 베를린을 죽음과 절망과 환희가 숨가쁘게 교차하는 공간으로 만드는 데 결정적인 역할을 담당했던 '베를린 장벽'을 생각할 때, 나의 머릿속에 금방 떠오르는 소설 한 편이 있다. 영국 작가 존 르 카레가 1963년에 발표한 『추운 나라에서 돌아온 스파이』가 바로 그 소설이다.

널리 인정되고 있는 바와 마찬가지로, 『추운 나라에서 돌아온 스파이』는 독자의 마음을 긴장과 경탄으로 사로잡고 놓아주지 않는 걸작이다. 첩보원들의 세계를 소재로 해서 지금까지 나온 동서양의 소설 전체를 놓고 평가할 때 흥미성의 면에서 베스트 5에 든다고 판정해도, 여기에 이의를 제기할 사람은 거의 없을 것이다. 그런데 이 탁월한 소설의 첫머리를 차지하고 있는 것이, 베를린 장벽에서 한 명의 첩보원이 사살당하는 장면이다. 그러면 이 소설의 끝 대목을 채우고 있는 것은 무엇인가? 그것 역시 한 명의 첩보원이 사살당하는 장면이다. 그리고 이번에는 사살당하는 그 첩보원이 소설의 주인공이다.

마지막 장면을 조금 자세하게 보자. 주인공인 첩보원 리머스는 그의 연인인 리즈와 함께 동베를린을 벗어나 서베를린으로 가고자 한다. 그 두 사람의 탈출은 미리 치밀하게 짜여진 각본에 따라 진행된다. 각본을 알려주는 요원과 리머스 사이의 대화 장면을 인용해 보면 다음과 같다.

> "목적지에 도착하면 당신들은 차에서 내려 장벽까지 곧장 달려가야 합니다. 서치라이트가 당신들이 기어 올라가야 할 지점을 비추고 있을 겁니다. 빛줄기가 이동하면 곧바로 장벽을 기어오르기 시작하세요. 장벽을 넘는 데 주어진 시간은 90초밖에 없어요. 당신이 먼저 올라가고……" 그는 리머스에게 말했다. "여자가 뒤따라 올라가세요. 장벽 아래쪽에는 쇠로 만든 발받침이 있습니다. 그다음에는 최대한

몸을 끌어올려야 합니다. 당신이 장벽 위에 걸터앉아서 여자를 끌어 올려야 할 겁니다. 아시겠지요?"

"알겠소. 얼마나 더 가면 됩니까?"

"시속 30킬로미터로 달리면 9분 안에 도착할 겁니다. 서치라이트는 정확히 1시 5분에 장벽을 비추기 시작할 겁니다. 시간은 90초. 더 이상은 줄 수 없습니다."[1)]

리머스와 리즈는 각본대로 실행한다. 각본대로 실행했으니까, 그들의 탈출은 성공해야만 했다. 성공하지 못할 이유가 없었다. 그런데 약속된 90초가 되기 전에 일제 사격이 퍼부어졌다. 장벽을 먼저 넘은 리머스만 안전지대로 들어선 상태에서, 예정대로 리즈가 뒤따라 오르고 있을 때, 그 리즈를 향해 사격이 퍼부어진 것이다. 각본을 짜고 리머스에게 그것을 알려준 자들은, 처음부터, 리머스만 구출하고, 리즈는 희생시키기로 작정을 했던 것이 아닐까? 그래서 리머스와 리즈에게 거짓 작전계획을 알려주어 안심을 시키고, 두 사람이 그 계획을 믿고 그대로 실행하게 해 놓고는, 리즈만을 죽이고자 했던 것이 아닐까? 소설의 본문은 이 물음에 대해 아무 것도 말해 주지 않는다. 독자 스스로 자신의 추리력과 상상력을 최대한 발휘하여 이 물음에 대한 답을 도출해 내도록 만든다.

독자들이 자신의 추리력과 상상력을 최대한 발휘하여 곰곰이 숙고해 보면, 다음과 같은 일련의 판단이 도출될 수 있다. '각본을 짰던 자들에게는, 그렇게 결정할 만한 이유가 없지 않겠다. 리머스는 그들

---

1) 존 르 카레, 『추운 나라에서 돌아온 스파이』(김석희 역, 열린책들, 2005), pp.312~313.

의 조직에 속한 인물이지만, 리즈는 그렇지 않다. 단순한 민간인이다. 민간인이면서도, 본인의 의도와 무관하게, 미묘한 첩보 사건에 깊숙이 말려들어 버린 사람이다. 그러다 보니, 역시 본인의 의도와 무관하게, 예민한 기밀 사항을 알게 된 사람이다. 물론 리즈가 어디 가서 기밀 사항을 함부로 누설할 사람은 아니다. 하지만 그가 기밀 사항을 알고 있다는 사실 자체가 리머스 구출 작전을 기획한 자들에게는 불편한 일일 수 있다. 여기서, 그렇다면 차제에 리즈를 죽여 버리는 것이 낫지 않겠느냐라는 생각이 그들에게 떠오를 수도 있을 법하다.'

그런데 이 사람들로서도 미처 예상하지 못했던 것이 있다. 혼자만 살아남도록 초청된 리머스가 그 초청을 거부할 수도 있다는 가능성이다. 리머스가 그 초청을 거부하는 장면을 보자. 우선 첫 두 문장.

> 그는 불빛을 손으로 막으며 장벽 아래쪽을 내려다보았다. 마침내 그는 꼼짝도 않고 누워 있는 리즈를 볼 수 있었다.[2)]

그리고 다음과 같은 문장들이 거기에 이어진다.

> 그는 잠시 망설이다가 천천히 금속 쐐기를 다시 내려가 리즈 옆에 섰다. 그녀는 죽어 있었다. 얼굴은 한쪽으로 돌아가 있었다. 검은 머리는 비를 막아 주려는 듯 뺨을 덮고 있었다.
>
> 그들은 다시 사격을 가하기 전에 잠시 망설이는 것 같았다. 누군가가 큰 소리로 명령을 내렸지만, 여전히 아무도 총을 쏘지 않았다. 마침내 두세 발의 총알이 날아왔다.[3)]

---

2) 위의 책, p.322.

"잠시 망설이다가," "천천히 금속 쐐기를 다시 내려가"는 리머스의 결단. 그것은 어떻게 보면 어리석은 결단이다. 무가치한 결단이다. 우스꽝스러운 결단이다. 어느 누구에게도—서베를린 쪽으로 얼른 뛰어내리라고 자기를 애타게 부르고 있는 자기의 동료들에게도, 자기에게 임무를 주어 파견한 바 있는 조국 영국에도, 이미 죽어 있는 리즈에게도—도움이 되지 못하고, 단지 자기의 생명을 빼앗기는 결과 하나만을 불러오는 결단. 이런 결단을 어리석은 것이라고, 무가치한 것이라고, 우스꽝스러운 것이라고 말하지 않을 수 있겠는가?

하지만 이런 결단을 내리고 실행함으로써, 그리하여 죽음을 스스로 불러들임으로써, 리머스는 자신이 인간임을 증명한다. 돌이 아니고 기계가 아니며 거대한 국가 조직의 일개 부속품이 아니라는 것을 증명한다.

『추운 나라에서 돌아온 스파이』는 몇 겹으로 얽힌 비밀 장치의 정교함과 반전(反轉)의 현란함으로 독자를 사로잡고 놀라게 한다. 그러나 그보다 더 큰 힘으로 독자를 사로잡고 놀라게 하는 것이 바로 위에서 살펴본 맨 마지막 장면이다.

이 장면을 몇 번 반복해 읽다가 보면 저절로 떠오르는 사람들이 있다. 베를린 장벽이 건재하고 있던 28년의 세월 동안, 그 장벽을 넘어서 서베를린으로 가려다가 소설 속의 리즈처럼, 리머스처럼, 동독 경비병들의 일제 사격을 받고 죽었던 수백 명의 동독인이 그들이다.

---

3) 위의 책, 같은 페이지.

진실에 대한 열망과 진실 찾기의 어려움

『다니엘서』의 뉴욕

에드거 로렌스 닥터로는 1931년에서 2015년까지 생존했던 미국의 저명한 소설가이다. 그는 뉴욕의 브롱크스에서 태어났고, 뉴욕에 있는 컬럼비아 대학에서 수학했으며, 뉴욕의 맨해튼에서 작고했다. 유대인의 가계에 속한다. 그의 중요한 소설들은 대부분 뉴욕을 무대로 삼고 있다.

그 중에서도 나에게 가장 흥미롭게 다가왔던 작품은 1971년에 발표된 장편 『다니엘서(書)』이다. 이 소설은 뉴욕의 브롱크스에 살았었고 작가와 마찬가지로 유대인이기도 했던 로젠버그 부부의 재판과 처형에서 소재를 구해 온 작품이다.

줄리어스 로젠버그는 1950년 7월 17일에 체포되었고, 그 아내 에셀 로젠버그는 그로부터 며칠 후에 체포되었다. 그들에게 주어진 혐의는 미국의 원자폭탄 관련 기밀 사항을 소련에 몰래 넘겨주었다는 것이었다. 말하자면 소련을 위한 간첩 행위를 했다는 것이었다.

그보다 수년 전, 뉴멕시코 주 로스앨러모스에서 진행된 원자폭탄 개발 프로젝트에 참여했던 사람 가운데 하나로, 데이비드 그린글래스라는 인물이 있었다. 그는 미국 육군 소속 기계공으로, 로스앨러모스에서 근무한 바 있었던 것이다. 그가 소련을 위해 일한 정보원이 아닌가라는 의심을 받고 체포되었다. 그런데 FBI가 그린글래스를 취조하다 보니 줄리어스 로젠버그와 에셀 로젠버그라는 이름이 나왔다. 줄리어스는 그린글래스의 매형이었고, 에셀은 그의 누나였다, 그린글래스의 자백에 따르면 매형과 누나가 간첩 행위의 주범이었고 자신은 종범에 지나지 않았다. 이들 가운데 줄리어스는 1939년에 정식으로 입당한 공산당원이었다.

소련이 원자폭탄 실험에 성공한 것은 1949년 8월 29일의 일이었다. 소련의 원자폭탄 실험 성공은, 전 세계에서 원자폭탄을 소유한 유일한 강대국임을 자부하고 있던 미국에게 거대한 충격으로 다가왔다. 그리고 1950년 6월 25일에는 소련의 후원을 등에 업은 북한 수괴 김일성의 남침으로 6.25 전쟁이 발발했다. 이런 일련의 세계사적 사건 진행으로 인해서 많은 미국인들은 소련이니, 공산주의니, 간첩 행위니 하는 것들에 대해 대단히 예민해진 상태에 있었다. 이와 같은 시점에서 로젠버그 부부 사건이 터진 것이다.

로젠버그 부부는 그들이 전적으로 무고하다고 힘을 다해 주장했으나 그들의 해명은 받아들여지지 않았다. 어빙 코프만 판사는 그들의 간첩 행위 덕분에 소련이 원자폭탄을 개발할 수 있었고, 원자폭탄의 위력에 대한 믿음 때문에 소련 및 북한의 공산주의자들이 감히 6.25 전쟁을 일으킬 수 있었으며, 그들이 6.25 전쟁을 일으켰기 때문에 수만 명의 미국 군인들이 전선에서 희생될 수밖에 없었다는 논리에 근거하여, 1951년 4월 5일, 부부 모두에게 사형을 선고했다. 그린글래스에게는 15년 형이 선고되었다.

로젠버그 부부에게 사형이 선고되자, 그들을 위한 구명 운동이 각계각층에서 광범위하게 일어났다. 아인슈타인과 피카소, 그리고 당시의 교황 비오 12세도 여기에 동참하였다. 하지만 다 소용이 없었다. 사형은 1953년 6월 19일에 집행되었다.

그들의 사형이 집행되고 난 후 미국의 많은 좌파 지식인들은 이 사건을 '매카시즘의 광풍(狂風)으로 인해 간첩도 아니었던 시민이 억울하게 희생된 사건'으로 규정하려고 노력했다. 앤 코울터가 다음과 같이 말한바 그대로였다.

> 그들은 적어도 두 가지를 대치시키려고 했었다. '그렇다, 스탈린이 잔혹행위를 했다. 그러나 미국에는 매카시즘이 있다!' 그래서 아무리 많은 증거가 쏟아져 나와도 진보주의자들은 로젠버그 부부는 무죄라는 논리에 매달렸던 것이다.[1]

하지만 세월이 흐르는 동안, 부부 중 최소한 줄리어스는 소련을 위한 간첩 활동을 적극적으로 행했다는 사실을 입증하는 자료들이 계속해서, 너무나 많이 나왔다. 어떤 논리의 곡예로도 뒤집을 수 없을 만큼 많이 나와 버렸다. 줄리어스의 경우, 그가 소련을 위한 간첩 행위를 행했다는 사실에 대해서는 이제 의문의 여지가 없게 되었다.[2] 그러니만큼, 줄리어스 로젠버그의 죽음을 '매카시즘의 광풍으로 인해 간첩도 아니었던 시민이 억울하게 희생된 사건'으로 규정하는 것은 이제 완전

---

1) 앤 코울터, 『반역』(이상돈·최일성 공역, 경덕출판사, 2008), p.92.

2) 줄리어스 로젠버그의 간첩 혐의를 밝혀준 다양한 자료들 가운데서도 결정적인 것이 1995년에 공개된 이른바 '베노나 문서'이다.

히 불가능하게 되었다.

다만 그의 아내 에셀에 관해서는 논란의 여지가 남아 있다. 그가 남편인 줄리어스를 다방면으로 도와주었던 것은 분명한 사실이지만, 그의 행동이 줄리어스의 그것과 동일한 정도의 무게를 갖는 것인지에 대해서는 의문점이 존재하는 것이다. 그렇다면 그에게 사형의 선고가 내려진 것이 과연 정당한가에 대해서도 의문이 제기되지 않을 수 없다. 다시 말해, 에셀에게 징역형이 아닌 사형을 선고했던 코프만 판사는, 징역형으로 충분했던 사람의 생명을 빼앗는다고 하는 심각한 과오를 범했을 가능성이 있는 것이다. 줄리어스뿐 아니라 에셀에 대해서도 감형을 거부했던 당시의 미국 대통령 아이젠하워도 그러고 보면 심각한 과오를 범한 것으로 평가될 가능성이 존재하는 셈이다. 우리는 이 점을 외면할 수 없으며 외면해서도 안 된다.

『다니엘서』의 소재가 된 로젠버그 부부 사건의 개요는 대략 이상과 같은 것이거니와, 닥터로는 『다니엘서』를 쓰면서 그에게 소재를 제공해 준 이 사건의 구체적인 디테일을 다양하게 변용시켰다. 등장인물들의 이름을 전부 바꾸었고, 등장인물들의 성격, 그들 사이의 관계, 사건의 골격 등도 모두 변화시켰다. 또 원래 로젠버그 부부가 남긴 자식은 마이클과 로버트 등 두 명의 아들이었는데, 다니엘이라는 이름을 가진 아들 하나와 수전이라는 이름을 가진 딸 하나를 남긴 것으로 바꾸었다. 아들과 딸의 형상은 완전히 새롭게 창조해냈다. 이렇게 작가의 상상력에 의해 창조된 아들과 딸이 성장하여 20대에 접어든 후 부모의 죽음에 대해 어떤 태도로 임하는가 하는 것이 바로 『다니엘서』라는 소설의 핵심적인 내용을 이룬다.

이 두 사람의 자녀 중 딸인 수전은 부모의 무죄를 굳게 믿으며 그러한 자기의 확신에 조금이라도 의문을 품는 사람에 대해서는 적대감을 보인다. 부모의 이름을 딴 재단을 만들려고 하며, 부모에게 동정적인 좌파 지식인들과 연대하여 행동하고자 한다. 하지만 그 좌파 지식인들이 사실은 부모의 처형을, 그리고 수전 자신을 이용하고 있을 따름이라는 것을 감지하게 되면서, 그는 광기에 사로잡히기 시작하고, 결국 죽음에 이른다.

거기에 비하면 수전의 오빠인 다니엘은 생각이 많고 복잡한 인물이다. 그는 부모의 죽음을 둘러싼 실상이 정말로 무엇이었는지를 알고자 하는 강한 욕구를 느끼고 있으며 다양한 방법을 동원하여 그 실상에 대한 탐사를 계속한다. 하지만 탐사의 성과가 조금씩 쌓여갈수록 실상에 대한 파악은 오히려 점점 더 멀어진다는 아이러니를 체험하지 않을 수가 없다. 소설 『다니엘서』의 페이지가 다 넘어갈 때까지 실상은 파악되지 않는다. 그가 소설의 최종 부분에서 마지막 희망을 안고 천신만고 끝에 찾아낸 결정적 증인 셀리그 만디시—실제 사건에서의 데이비드 그린글래스에 대응되는 인물이다—는 치매에 걸린 노인이 되어 있어 아무런 도움도 주지 못한다.

소설을 이와 같은 방식으로 전개해 나감으로써 닥터로는 그가 진실에 대한 열망과 진실 찾기의 어려움에 대한 인식을 함께 갖춘 작가임을 입증해 보인 것으로 생각된다. 그것은 '매카시즘의 광풍' 따위의 사실과 동떨어진 문구[3)]를 들먹이며 '간첩도 아니었던 시민이 억울하게 희

3) 미국 상원의원 조셉 매카시의 소련 간첩 색출 사업은 일찍부터 수많은 좌파 지식인들에 의해 '광기에 가득 찬 망동(妄動)'으로 규정되었다. 그러나 오랜 세월이 흐른 후에 공개된, 베노나 문서를 비롯한 다양한 자료들은, 매카시의 그 당시 판단이 대부분 정확한 것이었음을 의문의 여지가 없을 정도로 확실하게 증명하였다. 매카시는 광기와 무

생된 사건'이라는 조작된 그림을 만들어내려 애썼던 많은 좌파 지식인들보다 훨씬 신중하고 유연성 있는 자세를 보여준 것임에 틀림없다. 하지만 또 한편으로 우리는 그가 이런 수준에서 머물지 말고 한 걸음을 더 나아갈 수는 없었던 것인가라는 안타까움을 느끼지 않을 수가 없다. '신중하고 유연성 있는 자세'와 절망적인 불가지론 혹은 역사 허무주의 사이의 거리는 그다지 먼 것이 아니기 때문에 그러하다. 또한 우리는 그 어떤 경우에도 절망적인 불가지론이나 역사 허무주의를 용납할 수는 없기 때문에 그러하다.

관한 사람이었으며 그의 문제 제기는 지극히 합리적이고 정당한 것이었음이 입증된 것이다.

찾아보기

인명

ㄱ

강두식 235
강석경 117, 123
강신재 89
강준만 87
겔첸 44
고골 67, 68
고점복 261
공병호 61, 170
곽학송 25, 26
구덕관 64
권성욱 268
권영민 188
그린글래스 282, 283, 286
기형도 220, 221
김구 193, 194, 196
김규식 193, 194, 196
김남천 18
김동리 18, 19, 20, 21
김동인 102, 103, 122
김만옥 89
김민제 257
김석희 61, 149, 279
김세진 206, 208, 209, 210
김송미 169
김승옥 38, 42, 76, 83, 109, 110, 111, 115, 123
김승환 17
김영석 15
김영환 204, 205, 206
김원일 212
김유정 97
김의경 181
김인성 231
김인영 170
김일성 24, 193, 196, 197, 204, 205, 223, 224, 283
김일환 259
김재규 57
김재용 192, 193, 194
김정호 61
김정환 204, 209, 210
김종욱 69
김지하 36, 37
김진애 87
김진현 19, 140
김학렬 78
김현 33, 66
김현옥 79
김형아 49

ㄴ
나종남 34
나폴레옹 242, 243
나폴레옹 3세 243
노명식 243
닉슨 48

ㄷ
닥터로 282, 285, 286
당쇠에쑹 195
도스토예프스키 96, 121
되블린 73
드라이저 68
디킨스 231, 232, 233, 234, 235

ㄹ
라디게 249
라오서 260, 261, 266
랭보 248, 249
레닌 214, 253, 254, 256, 258, 259
로베스피에르 240
로젠버그 부부 282, 283, 284, 285
루이 16세 237
루이 필립 238, 242
르 카레 278, 279
린뱌오 269, 270
릴케 62, 142, 157, 235

ㅁ
마오쩌둥 266, 267, 268, 269, 270, 271
만 248, 249, 250
매카시 286
모로아 243, 244
모리스 60, 61, 63, 141, 147, 148, 149, 150, 151, 152, 153, 154, 155, 156, 158, 159, 161
몰리에르 244
미제스 19, 140

ㅂ
박경리 26
박라연 183
박세영 16
박완서 52, 53, 88, 118, 123, 124, 125, 156, 175
박용하 131, 132, 175
박정희 34, 35, 48, 49, 56, 57
박태순 45, 46, 47, 89
박태원 75, 107, 108, 110, 122
박환덕 62
발자크 68, 95, 121
벨르이 84
복거일 223, 224, 226, 227
볼코고노프 259
브라진스키 34
블레이크 138, 139, 141, 156, 157, 158, 175
비오 12세 284

ㅅ
사빈코프 253, 254, 255, 256, 257, 258, 259
서기원 26

서정주 22, 29, 31
소로 160
손명걸 145
손아람 181
손정목 78, 79
손창섭 26
송영 172, 173, 175
송은영 78, 79, 82
스노우 159, 160
스탈린 24, 195, 196, 240, 258, 284
신경숙 118, 123, 179
신동문 31, 32, 35, 46
신동엽 43, 44
신명주 49
신범순 17
신용석 244
싱 92

ㅇ

아이젠하워 285
아인슈타인 284
안삼환 171, 172, 173, 174, 175, 176, 177, 178
알렉산드로비치 대공 253, 254
알렉산드르 2세 253, 258
알렉산드르 3세 258
양택식 79
양헌석 89
엘리엇 89
여운형 194, 196
염상섭 23, 24, 25, 65, 103, 104, 107, 108, 109, 110, 118, 122, 191, 192, 193, 194, 197
예링 111
오르테가 142, 149, 157
오성환 270
오스망 244
오스터 84
오영환 160
우태영 205, 207
울프 72
위고 65, 236, 237, 238, 239, 240
유기환 247
유순하 86
유종호 44, 165
윤보선 35
윤치영 78
윤후명 86, 116, 123, 182
윤흥길 50
이광수 74, 75, 100, 101, 102, 103, 113, 118, 122
이광호 81
이기영 106, 122
이명랑 180
이문열 68, 127, 128, 175
이범선 26
이상 83, 107, 108, 109, 110, 122
이상근 270
이상돈 284
이상석 169
이상섭 90, 136, 137
이순원 88, 120, 123
이승우 86, 182
이영훈 48, 49

이재선 58, 70, 71, 73, 74, 75, 77, 81, 134
이재호 139, 206, 208, 209, 210, 211
이정록 169
이정식 194, 195
이준 217
이청준 47, 172, 173, 175
이태 66
이태준 18, 187, 189, 190
이한구 160
이한상 217
이혜경 92, 182
이호철 33, 35, 39, 40, 50, 75, 76, 111, 113, 114, 123
이홍 88, 180, 181
이효석 97
임형택 16, 17, 28
임화수 45

ㅈ

장남준 73
장면 33, 34
장융 270
장제스 196, 267, 268, 269, 271
전우용 78, 80
정기수 238
정명환 72
정미경 118, 123
정보라 256
정윤수 218
정이현 88, 118, 123, 180, 216, 219, 222
정태륭 233
정호승 51, 52
정희성 51, 52, 54, 55
제임스 231
조남현 163, 164, 166
조동근 56
조선작 50
조세희 116, 123, 168, 169
조연현 19
조영복 190
조주관 67
조창호 223, 224, 225
조츠판 272
졸라 71, 95, 121, 245, 247
지드 86, 206
지하련 17

ㅊ

채만식 23, 81
최승호 130, 175
최인호 173, 175
최인훈 86, 198, 199, 201
최일성 284
최홍재 204

ㅋ

카프카 142, 157
칼리굴라 132
케렌스키 253, 254
코울터 284
코프만 283, 285

콕스 60, 64, 65, 90, 91, 141, 142, 143, 144, 145, 146, 147, 150, 152, 156, 157, 158, 161, 162, 166
키에르케고르 142, 149, 157, 158

ㅌ
트루먼 276

ㅍ
펑더화이 268
포퍼 159, 160
푸치니 38
플로베르 95
피카소 284

ㅎ
하이에크 247
하지 196
한무숙 33
한설야 106, 118, 122
한수산 126, 127, 175
한자경 69
한형구 83
함석헌 14, 15
핼리데이 270
허동현 195
허세욱 272
호메로스 238
황보석 92
황순원 26, 97
황의방 270
황인학 170
히틀러 258, 275

작품

ㄱ
가두 낭송을 위한 시 2 51
가수 47
갈등하는 본능 61
강남, 낯선 대한민국의 자화상 87
개미의 탑 173
개척자 74, 75, 100, 101, 102, 122
검은 말 254
경제력 집중 한국적 인식의 문제점 170
계단과 날개 89
고궁-경복궁 86
고향길 189
골목 22
광분 104, 105, 122
광화문 29
교황청의 지하도 86
귀촉도 22
그날이 오기까지는 43
그러나 서울에 비가 내린다 131, 132
김인성의 영국문학기행 2: 셰익스피어를 만나러 가는 길 231
꽃을 던지고 싶다 180
끝없이 두 갈래로 갈라지는 길 86, 182

ㄴ
나무들 비탈에 서다 26, 29
나의 이복형제들 180
낙조 23
낙타샹즈 266
낙토의 아이들 88
난류 25
난장이가 쏘아올린 작은 공 116, 123
날개 83, 84, 108, 122
날러라 붉은 기 16, 17
남부군 66
네프스끼 거리 67
노천 51, 55
농토 189
뉴욕 3부작 84

ㄷ
다니엘서 282, 285, 286
달콤한 나의 도시 118, 123
달팽이의 외출 127, 128
닮은 방들 124, 125, 156
대열 속에서 33
대한민국 만들기, 1945~1987 34
대한민국 역사 49
댈러웨이 부인 72
델리 92
도시의 흉년 53, 54, 116, 123
도시인의 탄생 81
도정 17
돈 72, 242, 245, 247
돈황의 사랑 86, 116, 117, 123, 182, 183
동백꽃 97, 98
동아시아에서의 근대성과 근대화 266
두 문화 160
두 파산 23
뒤돌아보는 예언자 44
땅 245
뜻으로 본 한국역사 15

ㄹ
러시아 혁명의 환상과 현실 257
런던 138, 139, 156
레 미제라블 65, 236, 237, 238, 239
루공-마카르 총서 245

ㅁ
마씨 부자 260, 261, 262, 263, 265, 266
마오 270
말테의 수기 62, 142, 235
망각의 골짜기에서 기억을 말하라! 219
메밀꽃 필 무렵 97, 98
목로주점 72
무너진 극장 45, 46, 89
무정 74, 100, 102, 122
무진기행 38, 76, 110, 111
문자 현상, 혹은 문학으로 본 서울 근대 100년의 이미지 83
미국의 비극 68
미스터 방 23

ㅂ
'박정희 정신'을 다시 생각한다 56
반역 284
반하류사회 267, 272, 274
밤길의 사람들 89
밥숟갈을 닮았다 130
백배 천배로 189
베를린 알렉산더 광장 73
변경 68
부덴브로크 가의 사람들 248, 249, 250, 251
부랑일기 173
북촌 92, 182
뻬쩨르부르그 이야기 67

ㅅ
사랑과 죄 65, 104, 105, 122
사세동당 266
산업사회의 비판적 동행자들 171, 172, 173
삼대 65, 104, 122
삼오식당 180
삼풍백화점 88, 180, 216, 219, 221, 222
서울 43
서울 근대 100년: 어제와 오늘 82
서울길 36, 37
서울, 어느 날 소설이 되다 91
서울에 사는 평강공주 183
서울은 깊다 78
서울은 만원이다 39, 41, 42, 50, 75, 111, 123
서울의 달빛 0장 115, 123
서울 20세기 생활·문화 변천사 83
서울 2천년사 39: 현대 서울의 문화와 예술 13
서울 1964년 겨울 42, 83, 84, 110, 111, 115, 123
서정적 진실을 찾아서 44
성벽 50, 51
성탄 피크닉 88, 180
세속도시 64, 65, 141, 142, 145, 147, 156, 157, 161, 162
세월의 너울 212, 214
소나기 97, 98
소련에서 돌아오다 206
소설가 구보씨의 1일(박태원) 107, 122
소설가 구보씨의 1일(최인훈) 86, 198, 199, 200, 201
소수의견 181
숲속의 방 117, 123
시인을 찾아서 33
시장경제란 무엇인가 170

ㅇ
아, 나의 조국! 223, 224, 225
아! 신화같이 다비데군들 31, 32
아홉 켤레의 구두로 남은 사내 50
암사지도 26, 27, 28
암야 103
압구정동엔 무지개가 뜨지 않는다 88
압구정동엔 비상구가 없다 88, 120,

123
약한 자의 슬픔 102, 122
양과자갑 23
어두운 지하도 입구에 서서 54
어려운 시절 232
언어와 상상 137
여인들의 행복 백화점 72
역로 23
역사 111, 123
열린 사회와 그 적들 160
영자의 전성시대 50, 51
오늘과 내일 89
오발탄 26, 29
외딴방 118, 123, 179
욕망 세계의 실상과 그 너머로의 해탈 69
욕망: 삶의 동력인가 괴로움의 뿌리인가 69
용암류 33
우리 도시 예찬 87
우리 이 투쟁과 생산의 민족해방세상에/ 동지여, 그대를 깃발로 세운다 209
원보 106, 122
월북예술가, 오래 잊혀진 그들 190
유신과 중화학공업: 박정희의 양날의 선택 49
육체의 악마 249
윤회설 19
이상한 슬픔의 원더랜드 118, 119, 123
인간동물원 60, 61, 141, 147, 148, 149, 156, 158, 159, 161
일대의 유업 23
일리아스 238
잉여인간 26, 29

ㅈ
자본주의 정신과 반자본주의 심리 19, 140
자서전들 쓰십시다 172
자유의 궤도 25
작품 72
쟁탈전 245
전율하며 읽은 엘리엇의 시 90
전차 운전수 15, 16
제르미날 245
졸라와 자연주의 72
중일전쟁 268
즐거운 문학과 괴로운 문학 136
지연기 19

ㅊ
창백한 말 253, 254, 256
천변풍경 122
첫 전투 189
첫걸음 191
청춘 파산 181
추운 나라에서 돌아온 스파이 275, 278, 279, 281
취우 25
침묵 126, 127

ㅋ

크렘린의 수령들 259

ㅌ

탁류 81
태양은 묘지 위에 붉게 떠오르고 89
털 없는 원숭이 148
테러리스트의 수기 253

ㅍ

파리의 노트르 담 240
페테르부르크 84
표류도 26, 29
표본실의 청개구리 103
프랑스사 244
프랑스 혁명에서 빠리 꼼뮨까지 243

ㅎ

한국 도시 60년의 이야기 78, 79
한국문학 속의 도시와 이데올로기 60, 124
한국소설과 예수 그리고 유다 266
한국의 경제성장 170
한국인의 고난을 과장하는 주장들에 대한 비판 168
한국 현대문학 50년 165
한국현대소설사 58, 81
해방 20, 21
해방전후 18, 187, 189, 190
해방 후의 소설사에 관한 네 가지 질문 165
행복한 책읽기 66
현대도시 서울의 형성과 1960~70년대 소설의 문화지리학 78, 82
현대 한국소설사 1945~1990 71, 134
혈거부족 19
환멸 68
환상수첩 111
황무지 89, 90
황폐한 집 231, 232, 233, 234, 235
황혼 106, 118, 122
효풍 24, 25, 191, 192, 193, 194
휘청거리는 오후 52, 53, 54

기타

1945년 8.15 18
1995년 서울, 삼풍 219
20세기 지구촌의 분쟁과 갈등 169
21세기에 다시 보는 해방후사 195
386의 꿈, 그 성찰의 이유 204
8.15 이후 염상섭의 활동과 『효풍』의 문학사적 의미 192
82들의 혁명놀음 205
T. S. 엘리엇을 기리며 90

이동하 李東夏

1955년생
서울대 법학과 졸업
서울대 국문과 및 동 대학원 졸업(문학박사)
현재 서울시립대 국문과 교수
『한국문학 속의 도시와 이데올로기』, 『한국소설과 기독교』, 『한국문학과 인간해방의 정신』, 『한국현대소설과 종교의 관련 양상』, 『한국문학 속의 사회주의와 자본주의』, 『한국소설과 예수 그리고 유다』, 『현대소설과 불교의 세계』, 『현대소설과 기독교의 만남』 등 저서 다수

현대소설과 도시사회

2020년 1월 16일 초판 1쇄 펴냄

지은이 이동하
펴낸이 김흥국
펴낸곳 도서출판 보고사

책임편집 황효은
표지디자인 손정자

등록 1990년 12월 13일 제6-0429호
주소 경기도 파주시 회동길 337-15 보고사 2층
전화 031-955-9797(대표), 02-922-5120~1(편집), 02-922-2246(영업)
팩스 02-922-6990
메일 kanapub3@naver.com / bogosabooks@naver.com
http://www.bogosabooks.co.kr

ISBN 979-11-5516-959-9 93810

정가 18,000원